Le guide des
mamans débutantes

Anne Bacus

Le guide des
mamans
débutantes

• MARABOUT •

A ma mère

*Je tiens à remercier les parents
pour les questions qu'ils m'ont posées,
et les enfants
pour les réponses qu'ils m'ont apprises.*

Illustrations :
© Photonica, pp. 10, 128, 164.
© Pegase / Option Photo, pp. 18, 98, 120, 158.
© Lemaire / Option Photo, pp. 108, 138.

© **Marabout**, 2000.

Sommaire

Se préparer et s'organiser 11

Le séjour à la maternité 19

Allaiter ou non ? 25

Les débuts à la maison 35

Bain et soins du corps 43

Le sommeil du bébé 53

La réorganisation familiale 65

L'alimentation du bébé 77

Les pleurs du bébé 93

Le développement physique 99

Le jeu et les jouets 109

La sécurité du bébé 121

L'éveil du bébé 129

Les débuts du langage 139

Le développement émotionnel et social 149

Le non, la discipline et les interdits 159

On part en balade 165

Mois après mois : qui est bébé ? 169

Un bébé normal 179

Introduction

Le livre est devenu le partenaire obligé de la femme enceinte et des jeunes parents. Les conseils entendus sont si contradictoires, les modes si fragiles, les nouveaux parents si inexpérimentés et l'exigence de réussite si grande, qu'il faut maintenant des manuels pour retrouver son instinct et des idées de bon sens. Autrefois, dans nos pays, et encore maintenant dans quelques régions du monde, les jeunes femmes arrivaient préparées à la maternité. Les autres femmes de la famille ou du groupe leur avaient transmis la manière traditionnelle d'attendre un enfant et de s'en occuper. Ce savoir n'était sans doute pas scientifique, mais, plein d'expérience et de sagesse, il rassurait et guidait. Aujourd'hui les «experts» ont remplacé la tradition et les médecins ont remplacé les femmes. Le problème est que les modes et les conseils ont changé souvent. Si les femmes sont mieux informées (mais le sont-elles vraiment ? hors d'un cercle privilégié, il est permis d'en douter), elles sont moins bien préparées, et tout cela génère de l'anxiété dont la famille fait les frais.

Je n'ai pas souhaité faire un ouvrage de plus sur la question mais un guide destiné aux parents convaincus qu'il faut tenter de dépasser les phénomènes de mode pour se remettre à l'écoute de l'enfant lui-même. En tant que mère de famille, j'ai écrit le livre que j'aurais aimé trouver lorsque mon premier enfant est né. En tant que psychologue de crèche, vivant au contact des mères et des enfants, il m'a semblé important de dépasser les problèmes de couches et de biberons pour parler du bébé comme d'une personne humaine et pas seulement comme d'un objet de soins attentifs. J'ai souhaité faire un livre différent des autres, qui insisterait moins sur le médical, le pathologique ou l'exceptionnel, moins sur les règles de puériculture, toujours sujettes à caution, mais développerait longuement les aspects concrets et relationnels de la vie de tous les jours.

Les parents, premiers spécialistes de leur bébé

Les conseils de puériculture ne sont pas très importants : ils ont changé souvent et changeront encore. Ne les suivez que s'ils vous semblent pertinents et en accord avec votre sentiment profond et ce que vous connaissez de votre bébé. Comme l'a développé Winnicott, la mère, pendant les premiers mois de la vie de son bébé, se trouve dans un état qu'il a nommé «préoccupation maternelle primaire» qui fait d'elle la plus compétente pour répondre de manière adéquate aux besoins de son enfant. Personne ne le connaît mieux qu'elle car elle s'y identifie instinctivement. Noyer cette mère de conseils techniques et rigides ne peut que troubler cette merveilleuse et instinctive compétence qu'elle a pour prendre soin de son bébé. L'idée de ce livre est plutôt de renforcer cette compétence, cette sensibilité au bébé, cette confiance en soi : les parents sont les premiers spécialistes de leur bébé.

Un nouveau regard sur le bébé

Depuis quelques années, du fait de nouvelles recherches et connaissances sur le fœtus et sur le nouveau-né, le regard que l'on porte sur les jeunes enfants a changé : la façon de les élever également. On ne s'occupe plus des bébés aujourd'hui comme hier. Il n'est plus possible avec ce que l'on sait maintenant, quoi qu'en disent certaines grands-mères ou voisines, de mettre sur le pot un enfant d'un an, de laisser pleurer un nouveau-né pour qu'il fasse ses poumons, de suralimenter un petit parce que «être rond est un gage de santé» ou de lui attacher les mains le long du corps pour l'empêcher de sucer son pouce. Mais ses «nouvelles compétences» mises en évidence ne justifient pas non plus qu'on lui passe tout pour ne pas le traumatiser ou qu'on lui apprenne à lire le japonais à l'âge de six mois. Il est dépassé également, dans une société comme la nôtre, de perdre un temps fou à appliquer des règles d'hygiène, de rigueur et de perfection. En revanche, on a découvert que le nourrisson était merveilleusement équipé pour communiquer, se faire aimer, se faire comprendre et réguler seul la quantité de nourriture et de sommeil dont il a besoin. Le respecter, c'est aussi être à son écoute et lui faire confiance. Passer du temps avec lui et non pour lui. L'essentiel pour moi est de donner confiance aux parents dans leur valeur en tant qu'éducateurs, afin qu'ils puissent, progressivement, trouver eux-mêmes leurs réponses. J'ai voulu aborder avec eux les vraies questions que se posent les parents d'aujourd'hui, qui concernent l'éveil, l'équilibre et l'épanouissement physique, social, affectif et intellectuel de leur enfant.

Chaque enfant est unique

Ce livre tient compte des nouvelles découvertes, mais il s'appuie avant tout sur l'expérience et le bon sens. Il aidera les parents, je l'espère, à trouver l'attitude appropriée à leur enfant. Il fournit, pour cela, des informations et des conseils qui ont fait leurs preuves. Mais surtout, il permet aux parents de comprendre qui est leur enfant. Le connaissant mieux, ils peuvent se mettre à sa place et agir en accord avec lui, en complicité plutôt qu'en malentendu. Quelles grandes étapes traverse-t-il ? A quelles difficultés et à quelles peurs est-il confronté ? Que se passe-t-il dans sa tête et dans son corps à tel ou tel âge ? Ce livre répond à cela. Donner à son enfant tout ce qui est nécessaire d'amour, d'expérience et d'éducation pour qu'il se développe de la meilleure façon ne demande nullement un don ou des études particu-

lières. Un mélange de tendresse, de patience, d'écoute, d'enthousiasme, de connaissances et de réflexion donne d'excellents résultats.

Un jour ou l'autre, tout parent se sent perdu et démuni devant son enfant qui semble pleurer sans raison, qui refuse la cuiller, qui se met à avoir peur du bain, qui tarde à être propre, qui se relève la nuit ou qui se plonge dans d'effroyables colères. On se voudrait calme et disponible, ferme et tendre, on se retrouve épuisé et tendu, ne sachant s'il faut laisser faire, consoler ou sévir.

J'aurais aimé vous parler tout simplement de votre enfant, en ce qu'il a d'unique. Parce que chaque famille a sa particularité et sa culture, que chaque parent a son histoire, un simple livre ne peut suffire à répondre précisément à toutes les interrogations. Aussi est-ce à chacun de prendre ses responsabilités et de déterminer, en relative connaissance de cause, ses choix éducatifs. Mes conseils, s'ils sont psychologiques, et forcément culturels, s'efforcent de n'être que des repères, des points de départ pour une réflexion. A chaque parent, à sa manière, de faire ses choix et d'inclure l'enfant dans une relation de confiance, de respect, de sécurité et d'amour.

Se préparer
et s'organiser

Neuf mois de grossesse, ce n'est pas un temps trop long pour se préparer psychologiquement à la venue d'un bébé et pour lui aménager une place dans sa vie.

Le nouveau-né est tout petit, mais l'espace qu'il occupe ne l'est pas ! Je ne parle pas seulement de l'abondant matériel qu'il va falloir prévoir (et qui, pour l'essentiel, ne durera que quelques mois), mais surtout du bouleversement que la venue d'un bébé va entraîner dans la vie de ses parents. Déjà, avant la naissance, ils sont très occupés : aménager un coin pour bébé, s'équiper, préparer le trousseau, chercher un mode de garde. Quand la date se rapproche, il faut prévoir la valise pour la maternité et la couleur des faire-part, remplir le congélateur, se mettre enfin d'accord sur les prénoms choisis.

Sans compter le temps pour rêver, caresser le bébé blotti dans son abri, faire des projets, des câlins, et se raconter à deux combien la vie sera douce à trois.

Neuf mois pour faire son nid :
préparer un coin pour bébé,
choisir le matériel et les vêtements,
aménager la maison...

Les trucs qui simplifient la vie

● **Installez dans la chambre de bébé un fauteuil crapaud ou un fauteuil à bascule bas et confortable. Vous apprécierez d'être bien installée et d'avoir le bras soutenu lorsqu'il faudra allaiter à toute heure du jour et de la nuit...**
● **Accrochez au mur un grand tableau blanc magnétique muni de petits aimants. Il permet de garder sous les yeux l'ordonnance, la carte de la grand-mère ou le numéro des urgences. Il sert de pense-bête et permet d'accrocher le petit chausson qui traîne.**
● **Les étagères sont pratiques et utiles pour tout ce qui doit être hors de portée de l'enfant. Mais surtout, n'en installez jamais au-dessus du lit de l'enfant. Il y a toujours un risque pour qu'il en reçoive le contenu sur la tête !**
● **Evitez les meubles trop marqués «bébé» : leur durée de vie est limitée car l'état de bébé passe vite.**

Aménager l'espace

Profitez de votre congé de maternité pour aménager le coin de votre bébé. Les premiers jours à la maison seront plus calmes si tout est prêt pour le recevoir, plutôt que s'il vous reste encore à coller le papier peint entre deux biberons !

Le coin de bébé

Que bébé ait sa chambre à lui ou qu'il partage une chambre (avec vous ou un aîné), l'essentiel est qu'il ait un coin bien à lui, lumineux et calme, au besoin isolé par un rideau ou un paravent.
Chaque parent choisira le style de décoration qu'il souhaite pour son bébé. Les couleurs traditionnelles, comme le blanc, le bleu ciel et le rose, cèdent progressivement la place à des couleurs plus chaleureuses et dynamiques, ce qui est une bonne chose. Le bébé s'éveille davantage si sa chambre est gaie, et cette impression peut venir d'éléments de couleurs vives sur un fond mural plus neutre.

La chambre

Choisissez des revêtements de murs et de sol lavables et faciles à entretenir. Evitez la moquette de couleur claire, sauf si elle est réellement garantie «anti-taches». Le lino est peut-être moins doux à l'œil, mais il est infiniment plus résistant. Les dalles offrent l'avantage de pouvoir se remplacer à l'unité en cas de besoin. Peinture murale et papier peint doivent aussi être choisis plus en fonction de l'usage qui en sera fait que du seul point de vue esthétique. Pour une peinture, choisissez une teinte discrète que vous relèverez avec des motifs de couleurs vives. Prenez-la impérativement sans plomb. Pour un papier peint, attention aux décors «bébé» qui ne conviennent pas longtemps à l'âge de l'enfant. Mieux vaut un papier au motif discret, orné d'une frise «Babar» ou «nounours» que l'on pourra changer.
L'éclairage idéal est une lampe dont on peut régler l'intensité lumineuse. Vous la réglerez au minimum lorsque vous viendrez voir votre bébé la nuit, mais davantage quand il faudra retrouver la tétine qui aura roulé sous le lit...
Si la fenêtre ne possède pas de volet, prévoyez des double-rideaux pour obscurcir la pièce.

Les meubles

Les meubles doivent être solides, recouverts de peinture non toxique, pratiques et faciles à nettoyer. Arrondissez les coins des meubles «à hauteur d'enfant». Le mobilier évolutif que l'on trouve maintenant est plus cher à l'achat mais sera rentabilisé au cours des années suivantes. Choisissez de préférence des marques qui possèdent le label NF : elles suivent leurs modèles sur des années et peuvent fournir des pièces détachées. Le lit du bébé sera de préférence disposé près de la porte, et à l'abri des courants d'air.

Prévoyez beaucoup d'espaces de rangements (tiroirs et étagères) : les affaires de bébé prennent beaucoup de place !

Pour les petits jouets, les bacs en plastique de couleurs vives montés sur roulettes sont très pratiques.

Décorer

La stimulation visuelle vient aussi :
- des affiches que l'on accroche au mur de la chambre,
- du mobile suspendu au-dessus du lit du bébé,
- du miroir incassable que l'on suspend à côté de lui,
- des étoiles fluorescentes que l'on colle au plafond,
- de l'abat-jour en papier ou en tissu décoré, etc.

Vous trouverez de nombreuses idées de décoration dans les magazines spécialisés. Et sans doute aurez-vous beaucoup de plaisir à faire certaines choses vous-même et à préparer le petit nid qui accueillera votre nouveau-né.

Le coin du change

Si vous n'avez pas de table à langer, une grande planche recouverte d'une surface lavable posée sur des tréteaux un peu hauts fera l'affaire. Vous n'aurez plus qu'à poser un matelas à langer par-dessus.

A portée de main, veillez à avoir :
- un robinet et un lavabo (pas indispensable, mais pratique) ;
- des étagères en hauteur pour ranger les produits de toilette ;
- une corbeille qui ferme pour jeter les couches sales ;
- des tiroirs pour les couches propres, les serviettes, etc.;
- un dévidoir de papier absorbant ;
- un mobile ou des affiches pour distraire bébé ;
- des crochets au mur pour suspendre gant, serviette, pyjama.

Décider d'un prénom

C'est parfois difficile. On le souhaiterait un peu original, mais pas trop difficile à porter non plus...
Si vous manquez d'inspiration, il existe des ouvrages spécialisés qui vous donneront des idées. Attention aux deux écueils qui sont l'effet de mode et la différence à tout prix. Le choix est vaste... reste à se mettre d'accord !

Le point sécurité

● **Ne jamais placer sous la fenêtre des meubles que l'enfant pourra un jour escalader.**
● **Fixer bien au mur les étagères et les meubles hauts.**
● **Si vous mettez un tapis dans la chambre, prévoyez un système antidérapant.**
● **S'il y a du parquet, poncez-le bien pour éviter les échardes. Le vitrifier permettra de bien mieux le laver. Boucher les interstices entre les lattes évitera qu'ils deviennent des repères d'accariens.**
● **Attention au système électrique : pas de rallonge ; des cache-prise ou des prises de sécurité partout. Un plus : faites installer les prises électriques en hauteur (1m30 environ).**
● **N'utilisez que des lampes qui respectent les normes de très basse tension (moins de 24W).**

Eviter certains pièges

● **Durant les six premiers mois, le bébé grandit très vite et se salit souvent : il faut beaucoup de changes. Durant la même période, il utilise du matériel qui ne servira plus par la suite (baignoire de bébé, landau, berceau, couffin, lit d'auto, etc.). Conclusion : si vous achetez tout, cela vous coûtera une fortune. N'investissez que si vous prévoyez déjà la venue de frères et sœurs...**

● **Méfiez-vous des listes fournies par les manuels de puériculture. Renseignez-vous plutôt auprès de vos amies pour savoir ce qui est réellement pratique et utile.**

● **Tout votre équipement n'a pas besoin d'être neuf ou dernier cri. Faites-vous prêter du matériel ou bien rachetez-en, d'occasion, à une amie qui n'en a plus besoin. Vous n'en connaissez pas ? Essayez les petites annonces locales.**

S'équiper

Peut-être n'avez-vous encore acheté que le strict minimum, en matière de vêtements ou d'équipement, préférant, à cause du montant de la dépense, espacer les achats. Peut-être aussi les amis ou la famille attendaient-ils la naissance du bébé pour vous demander ce qu'ils pouvaient vous offrir, de quoi vous aviez besoin. Il est pourtant souhaitable d'acheter le matériel dont on aura besoin pour son bébé avant sa naissance, lorsque l'on est encore disponible.

La quantité d'objets, meubles et accessoires que vous devez vous procurer est impressionnante. Certains ne peuvent s'improviser, et doivent être choisis parmi les modèles respectant les normes de sécurité. D'autres peuvent se bricoler ou s'improviser. D'autres enfin, sont pratiques mais pas indispensables : des jeunes mamans de votre entourage pourront vous renseigner. Pour vous équiper, pensez aux copines ou cousines qui ont accouché il n'y a pas si longtemps : le marché «seconde main» se développe de plus en plus dans le domaine de la puériculture. Les bébés grandissent si vite ! Certains objets ou vêtements, nécessaires à un certain âge, n'ont pas eu le temps de s'user alors qu'ils ne sont déjà plus adaptés. Enfin n'oubliez pas que votre pharmacien peut vous louer du matériel (berceau, balance, etc.), ce qui est souvent intéressant.

Le matériel

Pour les grosses pièces, prenez le temps de visiter plusieurs magasins et de consulter les catalogues avant de vous décider. Vous gagnerez à choisir du matériel «premier âge» de bonne qualité, surtout si vous envisagez qu'il serve pour plusieurs enfants. Pour tout ce qui n'est pas urgent (qui servira lorsque l'enfant aura six mois et plus), vous pouvez, une fois votre choix fait, faire circuler une «liste de naissance» parmi la famille proche et les amis. Cela vaut mieux que d'accumuler vingt grenouillères taille naissance ou quinze chats en peluche.

C'est à vous de décider de ce que vous souhaitez acquérir, selon votre budget, vos besoins, et la place dont vous disposez.

A la maison

- Les tables à langer du commerce sont pratiques mais encombrantes. Selon la place dont vous disposez et la pièce où vous l'installerez, un dessus de commode ou une ancienne table d'ordinateur peut aussi faire usage. L'essentiel est que la hauteur soit bonne (vous ne devez pas vous pencher en avant pour changer l'enfant), que la surface soit lavable et que vous disposiez d'espaces de rangements. Quant aux matelas, rembourrés avec un bloc de mousse ils sont plus solides. Pour éviter le contact froid du plastique contre la peau du bébé, fabriquez deux ou trois housses en cousant ensemble deux vieilles serviettes de toilette, ou, plus simple encore, glissez le matelas dans une taie d'oreiller que vous changerez régulièrement.

- Un berceau, c'est ravissant, mais c'est un investissement important et pas très utile. Ne craquez que si vous en rêvez vraiment. Certains bébés héritent du berceau familial, d'autres d'un berceau loué ou prêté. La plupart des autres se contentent d'un couffin, d'un landau ou d'un lit-auto.

- Choisi solide, le couffin peut tout à fait servir de lit au nouveau-né jusqu'à ce que celui-ci ait l'âge de dormir dans un petit lit. Le couffin a l'intérêt de pouvoir être transporté de pièce en pièce et facilement emmené en déplacement. Mais attention, un couffin ne peut en aucun cas remplacer un lit-auto.

- Le transat est en revanche un équipement indispensable et vite rentabilisé. Il vous servira tant que votre enfant ne se tiendra pas assis seul. Choisissez donc un modèle solide, avec un système d'attaches réglables selon le poids de votre enfant, à armature rigide ou bien en toile.

- Inutile si vous lavez votre bébé dans le lavabo, la baignoire en plastique sera nécessaire lorsqu'il grandira. Vous pouvez la remplacer par une grande bassine à linge. Attention à votre dos si la baignoire de bébé n'est pas surélevée par rapport au sol.

S'équiper pour la balade

- Si vous rêvez depuis toujours d'un vrai landau traditionnel, allez-y. Mais sachez que le landau-poussette transformable sera nettement plus maniable et plus économique. Un landau confortable peut, dans un premier temps, servir de lit.

- Il est inutile au début d'acheter une poussette si vous avez un landau. Cependant la poussette va vite se révéler indispensable. Autant la choisir d'emblée solide, évolutive, munie d'une capote pour la pluie et de roues pivotantes si vous habitez en ville (plus maniable).

Des idées de décoration

● **Voici une décoration qui peut, avec le temps, faire le tour de la chambre. Commencez par découper la forme d'une locomotive dans un carton et par la peindre. Puis épinglez-la ou agrafez-la au mur de la chambre (pas trop haut, que votre enfant puisse voir !). A chaque fois que vous recevez une carte postale, vous n'aurez plus qu'à coller de petits ronds de carton en bas pour figurer les roues, puis à accrocher une carte postale derrière la locomotive. Voici un nouveau wagon pour le train !**

● **Dans les premières semaines après votre accouchement, vous recevrez sans doute beaucoup de cartes de naissance. Epinglées et agrafées les unes en dessous des autres sur un long ruban de velours noir, elles seront du plus bel effet, surtout si vous démarrez le ruban avec un gros nœud de velours !**

● **Une autre manière de traiter les cartes de naissance est d'en faire un mobile, avec quelques baguettes fines et des ficelles, et de l'accrocher au-dessus du lit du bébé ou encore au-dessus de la table à langer. Cela ne demande qu'un petit peu de doigté pour trouver l'équilibre final.**

Les vêtements de bébé

- **4 brassières en coton (et des bodies dès l'âge de 3 ou 4 mois)**
- **3 brassières plus chaudes**
- **6 culottes en coton**
- **6 grenouillères en tissu éponge**
- **2 gilets**
- **6 paires de chaussettes**
- **1 paire de moufles en coton (si bébé se griffe le visage)**
- **1 nid d'ange ou une combinaison molletonnée pour l'extérieur**
- **1 bonnet (un bébé se refroidit vite par la tête)**
- **6 bavoirs**
- **6 couches de coton (pour protéger l'oreiller, les vêtements)**
- **2 surpyjamas (appelés aussi gigoteuses)**
- **2 alèses pour le matelas**
- **1 couverture légère et douce**
- **4 petits draps ou draps-housses.**

- Facultatif, le porte-bébé est néanmoins très pratique et peu onéreux. La forme «kangourou» est la plus classique, mais à vous de choisir ce qui vous convient le mieux. L'essentiel est qu'il soit solide, facile à enfiler, et que vous et votre bébé vous sentiez bien l'un contre l'autre. Le porte-bébé a le mérite de vous laisser les mains libres. Quand au bébé, il s'y calme très vite.

- Dernier élément indispensable pour transporter un bébé en voiture jusqu'à l'âge de six mois (neuf pour le siège), le lit-auto ou le siège baquet «dos à la route». Procurez-vous absolument un système conforme aux normes de sécurité, et installez-le dès la sortie de la maternité. Maniable, le lit auto peut aussi servir de lit d'appoint pendant quelques mois.

Le petit matériel

Voilà pour le gros matériel des premiers mois. Mais il vous faudra encore acquérir :

- des biberons premier âge avec leurs tétines, clairement gradués (un ou deux si vous allaitez, six si vous n'allaitez pas) ;
- un système de stérilisation, à chaud ou à froid ;
- un chauffe-biberon (casserole d'eau chaude ou four à micro-ondes peuvent vous en dispenser) ;
- des bouteilles d'eau convenant à un nourrisson ;
- un stock de couches premier âge.

Dans quelques mois, enfin, il vous faudra compléter votre équipement avec une chaise haute, un siège-auto, un parc, et un lit de bébé à barreaux (ou bien un simple matelas posé sur le sol...).

Le trousseau

On ne connaît jamais précisément la date de l'accouchement, aussi le trousseau doit-il être prêt dès le huitième mois.

Durant les premières semaines, le bébé passe une grande partie de son temps à dormir. Le vêtement dans lequel il est le mieux, c'est le pyjama une pièce, en tissu extensible, autrement appelé grenouillère.

Choisissez les vêtements un peu grands (taille 3 mois pour la naissance, sauf si le bébé est tout petit). Par la suite, vous tiendrez compte, dans vos achats, plus de sa conformation que de son âge. N'achetez que des textiles doux, confortables, souples, qui se lavent en machine et, si possible, ne se repassent pas. Choisissez de préférence des vêtements qui ne se passent pas par la tête, qui ne se boutonnent pas dans le dos, et qui s'ouvrent par le bas pour changer la couche. Avec un petit bébé, faites toujours passer le confort et l'aspect pratique en priorité.

Souvent, surtout pour son premier bébé, on a envie de se faire plaisir en s'offrant ce qu'il y a de mieux, de plus chic, de plus cher. N'oubliez pas que le plaisir de votre bébé, lui, se trouve dans le confort et le temps complice que vous passez ensemble. Dans les prochains mois, vous aurez mieux à faire pour votre bébé que de lui repasser des petits plis en dentelle.

Vous avez un minimum d'achats à faire pour la toilette et les vêtements d'un bébé (à aménager selon la saison) ; mais pensez que vous recevrez probablement de la layette supplémentaire en cadeau de naissance.

Votre valise pour la maternité

Il est sage de la préparer aussi dès le huitième mois afin d'être prête si le bébé se présente avec un peu d'avance. Outre les affaires du bébé, vous devez aussi préparer avec attention vos affaires. La liste ci-contre est évidemment à moduler selon que vous souhaitez allaiter ou non, selon vos goûts et en fonction des exigences de la maternité.

Les derniers préparatifs avant de quitter la maison :

- Remplissez le congélateur (à votre retour, vous serez contente de n'avoir qu'à réchauffer plutôt qu'à cuisiner).

- Choisissez le modèle des faire-part de naissance et dressez la liste des gens à qui les envoyer (vous pouvez même déjà écrire les enveloppes).

Votre valise maternité

- 2 chemises de nuit ouvertes devant (les vieilles chemises d'homme sont très pratiques) et une robe de chambre
- 1 paire de chaussons
- 1 trousse de toilette (objets de toilette, bombe d'eau minérale, shampooing sec, mouchoirs en papier)
- 2 serviettes de toilette et deux gants
- 1 séchoir à cheveux (très utile en cas d'épisiotomie)
- 2 soutiens-gorge d'allaitement
- Des slips jetables
- Le livret de famille et le carnet de maternité
- Votre carnet d'adresses
- De quoi écrire
- 1 radio, un baladeur et vos cassettes favorites
- Des magazines et des livres... dont celui-ci !

Le séjour à la maternité

Le grand jour est arrivé. Vous êtes entrée à la maternité pour mettre au monde votre bébé. Une grande aventure commence pour laquelle ni vous ni le papa ne vous sentez vraiment préparés. Quelle joie, et quelle inquiétude mêlée parfois, à l'idée de faire enfin connaissance après cette longue attente ! Neuf mois de cohabitation vous ont déjà permis d'entamer un dialogue, qui va maintenant largement s'enrichir lors de sa venue au monde.

Salle de travail, douleurs, efforts, et enfin ce cri, le premier son de votre bébé parvenu à l'air libre. Si tout s'est bien passé, votre bébé, à peine sorti, est placé sur votre ventre, la tête enfouie près de vos seins, les jambes repliés sur vous. Il prend doucement sa respiration. C'est une fille, ou bien c'est un garçon, découverte annoncée ou confirmation de l'échographie. Il a bien tout : dix doigts minuscules, un nez retroussé... Tout commence.

La première rencontre avec son tout-petit. Comment bien profiter de ces quelques jours à la maternité.

A quoi ressemble votre bébé

● **La tête d'un bébé paraît grosse, proportionnellement à la taille du corps. Elle l'est effectivement plus que chez l'adulte. Elle prendra sa forme bien ronde progressivement.**

● **Certains bébés naissent chauves, d'autres avec beaucoup de cheveux et de poils qui tomberont rapidement.**

● **Tous les bébés naissent avec les yeux bleus foncés : ils prendront leur couleur définitive au cours des prochains mois. Les larmes ne jailliront aussi que dans quatre ou cinq mois.**

● **Il faut souvent quelques jours pour que la peau du bébé prenne sa jolie teinte rose. Les marques de naissance, très fréquentes, mettront entre six et dix-huit mois à disparaître.**

1er jour : faire connaissance

Ou plutôt continuer… parce qu'il est évident que le dialogue avec le bébé était déjà entamé pendant la grossesse. Mais les jours passés à la maternité sont vraiment le moment idéal pour que, pleine d'amour et de disponibilité, vous approfondissiez la rencontre avec bébé à peine né.

Les premières impressions

Il est là, enfin, dans vos bras… quel émerveillement ! Il a tout : deux bras, deux jambes, dix orteils… Votre bébé est le plus beau du monde. Lisse, rond et rose… Non ? Allons, il le sera dans quelques jours. Pour l'instant, il a peut-être…

… La peau couverte d'un enduit blanc et visqueux. C'est le vernix. Il a recouvert son épiderme et l'a protégé. Il a aussi aidé à le «faire glisser» lors de l'accouchement. Le vernix s'enlève lorsqu'on lave l'enfant, mais il est préférable de le laisser disparaître tout seul, ce qui est fait en un ou deux jours.

… Le teint jaune. Il s'agit de l'ictère du nouveau-né, phénomène qui traduit la destruction de certains globules rouges devenus inutiles, et qui, dans sa forme banale, ne nécessite aucun traitement.

… Une grosse tête, vaguement déformée, asymétrique ou «en pain de sucre». La tête des bébés paraît grosse en comparaison de la nôtre, car elle représente, en proportion, une plus grosse partie de son corps (un quart de sa taille globale). De plus, les os du crâne du bébé ne sont pas encore soudés et les pressions subies par le crâne lors de l'accouchement ont pu le déformer légèrement. Cela se remet en place tout seul.

… Une abondante chevelure noire et des poils sur les épaules, le dos, les oreilles ou le front. Cela est fréquent : tous ces poils disparaîtront en quelques semaines.

… Des petits points blancs sur le nez, des taches rouges sur le visage ou sur la nuque. Ils disparaîtront aussi, les premiers plus rapidement que les secondes, mais elles seront vite cachées par les cheveux.

… Les yeux bleu-gris, foncés. Cela ne signifie pas qu'il aura les yeux bleus. Il faut plusieurs mois, parfois plusieurs années, avant que les yeux du bébé prennent leur teinte définitive. Des signes qui ne doivent susciter aucune inquiétude.

Ils sont naturels et, le plus souvent, disparaîtront d'eux-mêmes. Votre bébé est vraiment unique au monde. Il vous voit, il vous entend, il aime vos caresses et apprend votre odeur. Dans quelques jours, il sera le plus beau de tous. Au moment de sa naissance, l'aspect votre nouveau-né peut vous surprendre... Ne vous inquiétez pas, tout cela va s'arranger très vite.

Juste après la naissance

Votre bébé est posé sur votre ventre, encore tout gluant, la respiration à peine établie. Placez le bébé à plat ventre sur vous, la tête près de vos seins, ses jambes repliées sur vous. Posez largement vos mains sur son dos et massez-le, tout doucement et tendrement.

Que son premier contact soit avec vous, peau à peau, quand cela est possible, et non avec une sage-femme ou avec un lange. Si le père est présent, il peut lui aussi avoir ce contact très précoce avec son bébé en posant sa main près de la vôtre.

D'abord une puéricultrice ou une sage-femme va emmener votre bébé quelques minutes pour un examen rapide : dégagement des voies respiratoires et digestives, collyre, toilette, pose du petit bracelet d'identification. Puis votre bébé vous sera rendu, et vous pourrez faire mieux connaissance. Parfois un bain lui sera donné juste à côté de vous. Enfin, au bout d'une heure ou deux si tout va bien, vous vous retrouverez ensemble dans la chambre et vous pourrez faire connaissance tout à loisirs.

Dans les heures qui suivent

Si l'accouchement s'est bien déroulé, sans trop de souffrances pour l'un ou pour l'autre, le bébé reste près de sa mère pendant deux heures environ, en salle de travail. Même si l'enfant est en couveuse, vous pouvez demander que celle-ci soit placée près de vous, à portée de main.

Vous serez étonnée de voir votre enfant aussi éveillé, calme, tranquille et attentif. Comme si cette «tempête» dont il sortait était déjà oubliée. Le nouveau-né est, à ce moment, totalement réceptif à votre regard, à vos paroles et sensible, n'en doutez pas, à l'accueil que vous lui faites.

Ces deux heures de doux tête-à-tête écoulées, vous allez vous rendre dans votre chambre pour prendre un peu de nourriture et de repos. Vous retrouverez votre bébé un peu plus tard, vêtu et couché au fond de son berceau, désireux, comme vous l'êtes, de vous retrouver.

Il arrive qu'un problème de santé affectant la mère ou l'enfant les empêche de profiter au mieux de ces toutes premières heures. Si c'est votre cas, n'en soyez pas trop déçue : dès que vous le pourrez, vous rattraperez le temps perdu par un surcroît d'attention et de tendresse.

L' «accordage»

Ce que les spécialistes appellent parfois «l'accordage», c'est-à-dire l'accord qui se crée entre le nouveau-né et sa mère, mais aussi avec son père, commence dès la venue au monde.

Utilisez ces moments pour :

● **parler doucement à votre bébé, lui souhaiter la bienvenue ;**
● **continuer à le caresser tendrement, sur la tête, le long du dos, puis sur tout le corps ; de vraies caresses lentes et douces, et non des effleurements, peuvent être, en plus du plaisir que vous en retirerez tous les deux, d'un grand bienfait sur le plan physiologique ;**
● **placer votre bébé au sein si vous souhaitez l'allaiter;**
● **échanger avec le papa vos toutes premières impressions et lui demander de prendre les premières photos.**

Tout contre vous, une place privilégiée pour l'enfant

● Il retrouve le bruit des battements de votre cœur, qui l'a bercé pendant toute la période intra-utérine. Retrouver ce même bruit «au-dehors» est un élément important d'apaisement chez le bébé et développe certainement un sentiment de sécurité.

● Contre vos seins, le bébé repère votre odeur et présente déjà le réflexe de s'y enfouir.

● Si vous et son père parlez à votre bébé, l'appelez par son nom, il retrouvera vos voix, dont il a perçu les vibrations avant même de les entendre. Bien sûr, ces voix sont perçues différemment de ce que le bébé entendait in utero, mais parce qu'elles ont les mêmes inflexions et les mêmes accents, le bébé les reconnaîtra.

Se découvrir

Durant les premiers jours de sa vie, le contact d'un nouveau-né avec sa mère est très important. C'est à travers ce contact physique précoce que se construit un lien unique et inaltérable.

Les premières rencontres

Les quelques jours que vous allez passer à la maternité, dégagée normalement des responsabilités et des soucis matériels, seront bénéfiques si vous en profitez pour :

1. Vous reposer.
2. Faire connaissance avec votre bébé.
3. Poser toutes les questions qui vous viennent à l'esprit, même celles que vous craignez trop simplistes. Pour ne pas oublier, écrivez vos questions sur une feuille au fur et à mesure où elles vous viennent : vous les poserez d'un coup lors de la visite de la puéricultrice ou du médecin.

Essayez, quelles que soient les règles en vigueur dans la maternité, d'avoir votre bébé avec vous pendant ses temps d'éveil, assez courts. Dans vos bras, votre bébé retrouve le rythme de votre cœur, qu'il connaît si bien, apprend à identifier votre voix et découvre votre odeur, qu'il sera vite capable de reconnaître. Parfois des problèmes de santé empêchent la mère ou le bébé de se retrouver rapidement et de profiter pleinement de ces jours d'intimité. Si c'est votre cas, ne soyez pas trop déçue. Demandez que l'on glisse dans le berceau de votre bébé un foulard ou un tee-shirt portant votre odeur et allez le voir autant que vous le pourrez.

L'amour maternel

Contrairement à ce que l'on imagine, l'amour maternel n'est pas toujours immédiat. Si certaines mères fondent immédiatement de tendresse devant leur petit, d'autres, épuisées par l'accouchement, déçues par rapport à leurs attentes ou inquiètes, s'étonnent de ne pas ressentir d'élan envers leur bébé.

Rares sont les accouchements parfaits et les bébés qui ressemblent exactement à l'enfant rêvé. Il faut prendre en compte les hormones et la fatigue...

Finalement, l'amour des parents pour leur enfant se développe au fil des premiers jours, puis s'approfondit au cœur du quotidien, à travers les mille petits liens qui se tissent en une toile solide.

Le baby-blues ou dépression du post-partum

Ces quelques jours sont à vous et à votre bébé. Ni lui ni vous n'êtes malades. Le personnel médical est là pour les soins, mais aussi pour vous aider tous les deux à bien débuter votre vie commune.

Un contrecoup très fréquent

Ces quelques jours et ces lieux qui ont vu la naissance de votre bébé resteront dans votre souvenir toute votre vie. Ce que vous apprendrez au cours de ce séjour vous donnera confiance en vous lorsque vous rentrerez à la maison. Aussi est-il, à tous points de vue, très important. Souvent, dans les jours qui suivent l'accouchement, la jeune maman se sent vide, triste, abattue, alors qu'elle est bien entourée et qu'elle a «tout pour être heureuse».

Différentes raisons

Ce contrecoup, très fréquent, s'explique par différentes raisons.
- Certaines sont physiologiques : chamboulement hormonal, amaigrissement brutal, manque de sommeil.
- D'autres sont psychologiques : sentiment de solitude et de terrible responsabilité, séparation d'avec l'enfant, etc.
Pour échapper à cet état, heureusement passager :
- Ne restez pas seule : appelez votre mère, une copine ou bien demandez à votre conjoint de prendre un jour de congé.
- Laissez tomber tout ce qui n'est pas indispensable pour vous consacrer totalement et uniquement à votre bébé.
- Faites du «peau à peau» avec votre bébé et laissez-le vous exprimer combien il est heureux d'être venu chez vous et comme il a bien fait de vous choisir comme mère.
- Reposez-vous le plus possible.
- Pensez à vous accorder les «petits plaisirs» qui remontent le moral.
- Prenez patience.

Des conseils pour la maternité

● Sauf dans les cas d'urgence médicale, vous avez votre mot à dire sur la façon dont on s'occupe de votre bébé. Si vos demandes sont raisonnables (avoir votre bébé près de vous la nuit par exemple, ou le contraire), exprimez-les avec gentillesse et fermeté, sans craindre ce que l'on pensera de vous.

● Si vous allaitez, vous avez le droit de le faire à la demande du bébé et non aux horaires du service.

● Il existe des médicaments pour soulager vos petites douleurs (hémorroïdes, constipation, tranchées, seins engorgés, etc.) : demandez-les (en vous renseignant sur leurs effets secondaires).

● Si vous êtes fatiguée, donnez-vous le droit de refuser ou de limiter les visites. Vous vous rattraperez lorsque vous serez rentrée chez vous.

● Levez-vous et marchez dès que possible.

● Demandez à faire vous-même un soin et un bain à votre bébé, en compagnie de l'auxiliaire de puériculture.

● Posez toutes vos questions. Préparez celles que vous poserez au pédiatre lors de la visite de sortie.

A LA MATERNITÉ

Les principaux points du bilan de santé

● **Examen des sutures des os du crâne et des fontanelles, qui sont des espaces membraneux souples situés au sommet du crâne du nouveau-né.**
● **Ecoute du rythme cardiaque et auscultation pulmonaire pour la recherche d'éventuelles anomalies ou malformations.**
● **Palpation de l'abdomen et des organes internes principaux.**
● **Inspection des mains, des pieds et des organes génitaux.**
● **Contrôle de la tonicité : est-ce que l'enfant réagit bien aux stimulations, suit des yeux, communique, etc.**
● **Vérification de la cicatrisation de l'ombilic (nombril) et des hanches (afin de dépister une éventuelle luxation).**
● **Prises de mensurations (taille, poids, périmètre crânien).**
● **Vérification des réflexes archaïques. Dès la naissance, le bébé «sait» déjà faire un certain nombre de choses, dont certaines seront oubliées dans quelques semaines et qu'il devra réapprendre. Citons : le réflexe de marche automatique, le grasping (l'enfant s'agrippe très fort des mains), le réflexe de succion (le bébé tête spontanément), le réflexe d'allongement croisé des jambes.**

Les compétences des nouveau-nés

Le bébé naît toujours aussi démuni, inachevé et dépendant. Mais depuis l'avènement de la «bébologie», science qui se donne pour objet l'étude des compétences et comportements des bébés, on sait que ces derniers sont des «vraies personnes» - ce dont, il me semble, les mères n'avaient jamais douté.

Dans le monde entier, les équipes travaillent dorénavant sur ce sujet. Les scientifiques ont élaboré un matériel basé sur la «succion non nutritive» : plus le bébé est intéressé par une situation et plus il tire fort sur une tétine reliée à un capteur.

Des certitudes sur les capacités de bébé

On sait maintenant avec certitude que :
- le nouveau-né entend et voit, il réagit aux caresses ;
- il reconnaît l'odeur et la voix de sa mère, puis de son père ;
- il est sensible aux voix et aux paroles prononcées ;
- il marque des préférences auditives, visuelles et gustatives ;
- il est plus attiré par le complexe que par le simple ;
- il cherche le regard et le fixe ;
- il imite des mimiques faciales ;
- il apprend et sait moduler son comportement face à une même situation ;
- il cherche à communiquer avec d'autres êtres humains.
Cette dernière compétence est la plus importante et la plus réelle. Le bébé, comme l'écrit M. Thirion, «est capable d'anticiper sur son propre développement et de montrer un cerveau actif et agissant, capable, dès la naissance, de communication sociale profonde et de choix.»

Le premier bilan de santé

Avant de quitter la maternité, votre bébé passera, en votre présence, un examen médical approfondi effectué par le pédiatre de l'établissement et destiné à vérifier que tout va bien. Il est important que ce bilan se déroule à un moment où le bébé est en éveil, disponible et calme. Tout cet examen est un peu éprouvant pour le bébé, mais émerveille souvent les parents qui en profitent pour poser leurs dernières questions au pédiatre.

Allaiter ou non ?

En France, environ une femme sur deux choisit d'allaiter (90% dans les pays scandinaves). Sein ou biberon, le choix est difficile. Il dépend de beaucoup d'éléments : la tradition familiale, l'influence des médecins, le rapport que la femme entretient avec son propre corps, l'idée qu'elle se fait de son rôle de mère.

Le plus souvent, le choix de la mère d'allaiter ou non son bébé est déjà fait avant qu'elle n'accouche. Il peut être différent pour un premier ou pour un second bébé. En parler avec le père de l'enfant permet de prendre à deux une décision qui engagera chacun. Mais, au fond des choses, c'est à chaque jeune maman de s'interroger sur son intime conviction et de prendre le plus librement possible sa décision. Le choix qu'elle fera en accord avec ses sentiments profonds sera le bon. A chacune de trouver sa propre façon d'être mère, selon son tempérament, ses désirs et son histoire. Le point de vue des parents est parfois différent : si l'allaitement exclut le père de l'intimité des repas, il est en revanche très contraignant pour la mère dont il exige une grande disponibilité.

C'est un choix personnel que chaque femme est libre de faire, sans oublier pour autant que le lait maternel est l'aliment idéal du bébé.

Les idées reçues

Vrai

● **Allaiter fatigue : reposez-vous chaque fois que c'est possible.**
● **Il faut boire beaucoup (deux litres d'eau par jour en plus des repas).**
● **L'alcool que vous buvez passe dans le lait. Donc abstenez-vous au maximum.**
● **Certains aliments à odeur forte donnent un goût au lait (poireaux, asperges, choux, etc.).**
● **Allaiter renforce les défenses naturelles du bébé contre un certain nombre de maladies.**
● **Mettre le bébé au sein fait monter le lait.**

Faux

● **Allaiter fait grossir (ou empêche de maigrir).**
● **Allaiter déforme les seins (non, c'est la grossesse).**
● **On ne peut pas allaiter quand on a les seins trop petits (le volume ne fait rien à l'affaire).**
● **La bière fait monter le lait (ou les lentilles, ou autre).**
● **Mon lait, trop clair, n'est pas assez nourrissant.**
● **Mon bébé ne supporte pas mon lait, qui le fait vomir.**
● **Ne pas être allaité traumatise un bébé.**

Etre mère selon son propre tempérament

On n'est pas une mauvaise mère parce qu'on n'allaite pas son bébé. Ou parce qu'on ne sent pas instantanément la puissance de l'instinct maternel vous envahir. C'est à chacune de trouver sa façon d'être mère, selon son propre tempérament.

Mais il faut savoir que les moments du repas sont des moments extrêmement privilégiés pour le bébé, surtout à un âge où il passe une grande partie du reste de la journée à dormir. Le biberon, comme le sein, peut être donné dans un contact de grande intimité. Le bébé est blotti dans vos bras, il apprend votre odeur, vous lui parlez doucement, vous lui souriez, il vous regarde…

C'est cette ambiance de calme, de douceur, de plaisir intime et partagé, qui est essentielle, bien plus que le lait lui-même (les laits de remplacement sont d'excellente qualité) ou son contenant.

Voici quelques éléments qui peuvent faciliter votre choix.

Le colostrum

Si vous choisissez d'allaiter votre bébé, le mieux est de commencer dès l'accouchement. Vos seins ne produiront du lait à proprement parler que dans trois jours seulement. Mais d'ici là, ils produisent un liquide jaunâtre, qui précède l'apparition du lait, et qui s'appelle le colostrum.

Riche en protéines et en sels minéraux, pauvre en graisse et en sucre, il convient parfaitement aux besoins du nouveau-né. Comme il est légèrement laxatif, il aide à l'expulsion du méconium qui est une substance noirâtre présente dans les intestins du bébé à sa naissance.

Le colostrum contient également de nombreux anticorps, que la mère transmet ainsi à son bébé et qui le protègent contre les infections.

Vous voyez combien ce colostrum est précieux : n'en privez pas votre bébé ! Dans certaines maternités, l'habitude consiste à séparer les mères de leur bébé afin que celles-ci se reposent. C'est alors à vous de demander que l'on vous amène votre bébé, afin de le mettre au sein chaque fois qu'il le demande.

L'allaitement au sein

Vous avez choisi d'allaiter votre bébé. Dans ce cas, on vous a sûrement proposé de le mettre au sein dans les heures qui suivaient sa naissance. Cette mise au sein précoce favorise la montée de lait. Dans les premiers jours, les seins sécrètent du colostrum. Puis la composition du lait va évoluer au cours d'une même tétée (la teneur en matière grasse augmente), au cours de la journée (le lait est plus riche la nuit) et au fil des semaines, pour s'adapter aux besoins de l'enfant. Le lait maternel apporte à l'enfant exactement ce dont il a besoin.

Le lait maternel est le meilleur que le bébé puisse recevoir. Parfaitement adapté aux besoins du nouveau-né, sa composition apporte à l'enfant des anticorps pour lutter contre les infections et semble satisfaire mieux que la tétine les besoins de succion du bébé. Enfin, le lait maternel, plus facilement et plus vite digéré, provoque moins de renvois.

Le point de vue affectif est tout aussi important. Pour la mère qui l'a choisi, allaiter son bébé est une aventure merveilleuse qui maintient l'intimité et crée entre eux une complicité durable.

Le point de vue du bébé est simple : l'allaitement lui convient parfaitement.

Pour plusieurs raisons :
● Il est fabriqué spécifiquement pour cet enfant-là et se modifie en qualité et en quantité, selon ses besoins.
● Il contient des anticorps qui immunisent l'enfant contre bon nombre de maladies.
● Il permet au bébé de régler seul son appétit et ses besoins, donnant à sa mère l'occasion de connaître intimement ses rythmes. Symboliquement, il renforce la relation en maintenant un lien corporel.
● Il est parfaitement digeste et n'entraîne aucune allergie.
● Il comble le besoin de contact, de proximité et de corps à corps avec la mère, satisfaisant ainsi la demande affective du bébé.

Quelles femmes peuvent allaiter ?

A part quelques rares contre-indications, toutes les femmes peuvent allaiter, quelles que soient la taille de leurs seins et la forme de leurs mamelons.

Au début, la sage-femme saura vous aider. Passée une mise en route parfois délicate de quelques jours, l'allaitement deviendra plus facile et plus régulier.

Quelques conseils
● **Alternez les seins d'une tétée à l'autre.**
● **Aidez l'enfant à prendre tout le mamelon dans sa bouche.**
● **Evitez de compléter les tétées par un biberon.**
● **L'hygiène des seins doit être rigoureuse.**

Bien s'installer pour donner le sein
Une position confortable est très importante. La nuit, la maman peut se coucher sur le côté, en appui sur un gros oreiller, et installer son bébé face à elle, au creux de son bras. De jour, il est agréable d'être assise dans un fauteuil assez bas, les bras en appui, l'enfant en position semi-verticale, sa tête se reposant dans le creux du coude.

Lorsque l'on faisait jeûner les bébés
Autrefois, il était de tradition de faire jeûner les bébés dans les heures qui suivaient l'accouchement. Jusqu'à ce que l'on constate que le réflexe de succion est fort et précoce ; une mise au sein dès l'accouchement a de bonnes chances de se dérouler naturellement et sans problèmes.

Si vous hésitez encore...

● **Sachez que l'on peut toujours passer du sein au biberon, mais pas l'inverse. Alors commencez quelques jours, et vous verrez bien...**

● **Toutes les mères, peuvent allaiter, sauf rares exceptions médicales, et leur lait n'est jamais «trop pauvre».**

● **L'allaitement fatigue parfois mais il ne fait pas tomber les seins, il n'empêche pas de retrouver la ligne et il permet une bonne rétraction de l'utérus.**

● **L'hormone qui active la production de lait stoppe aussi l'ovulation. Mais en aucun cas vous ne devez considérer cela comme une méthode contraceptive fiable.**

● **Allaiter est économique et pratique : le repas est toujours prêt !**

Les horaires

Ne vous inquiétez pas si les horaires des tétées vous semblent très fantaisistes : le nourrisson se mettra spontanément à réclamer à heures fixes dans quelque temps.

Pas de régime particulier

La femme qui allaite peut se nourrir absolument librement et manger tout ce qu'elle aime. Si les aliments donnent un goût au lait, cela ne peut que favoriser la diversification alimentaire ultérieure du bébé ! Elle doit boire de l'eau en quantité suffisante. En revanche, il est indispensable d'éviter le tabac et l'alcool, ainsi que tout médicament dont le médecin n'a pas affirmé l'innocuité.

Offrir à la demande

Au début, l'allaitement doit se faire à la demande. C'est le bébé qui sait lorsqu'il a faim et c'est à lui de déterminer le rythme de ses repas et la quantité qu'il doit absorber.

Faites confiance à votre bébé : il connaît parfaitement ses besoins. Y répondre, c'est lui donner confiance en lui et en vous : ce monde est bon, où l'on vous prend tendrement et l'on vous nourrit lorsque votre ventre crie famine ! Inutile, donc, de réveiller pour le nourrir un bébé qui dort. Chaque bébé trouvera le rythme qui lui convient, différent de celui d'un autre bébé. N'usez qu'avec parcimonie de la balance (une pesée chaque jour, puis chaque semaine, suffit largement) et de la pendule.

L'allaitement au biberon

Inutile de vous culpabiliser si, par choix ou par nécessité, vous avez choisi de nourrir votre bébé au biberon. Sachez que les préparations lactées du commerce sont tout à fait adaptées à ses besoins.

De bonnes conditions d'hygiène sont nécessaires dans la préparation et le nettoyage des biberons. Mais avant tout le bébé a besoin d'amour, de temps et d'attention. Le repas est un moment privilégié d'échange et d'intimité où le bébé apprend votre odeur, votre regard, votre sourire... Cela est beaucoup plus important que la façon d'allaiter. Et puis le papa peut ainsi participer également et nourrir son bébé, ce qui peut être important pour lui et soulager la maman.

Alors, si vous avez opté pour le biberon, faites-le d'un cœur joyeux : bébé sera tout aussi heureux et bien nourri.

La tétée

Que vous allaitiez ou que vous donniez un biberon, il est important que vous vous installiez confortablement. Le bébé ressent le bien-être comme la tension musculaire de celui qui le tient dans ses bras et cela n'est certainement pas sans incidence sur son appétit.

S'installer confortablement

La meilleure position consiste à s'asseoir dans un fauteuil et à appuyer le bras qui soutient la tête du bébé sur un accoudoir. Tant que le bébé est tout petit, il est moins fatigant de le poser sur un coussin ou sur un oreiller placé sur les genoux de celui ou de celle qui le nourrit, afin de le hausser à la bonne hauteur. Si la mère allaite couchée, elle peut s'allonger sur le côté, le haut du corps surélevé par un oreiller, et allonger son bébé contre elle. Il n'est pas recommandé que le bébé boive en position totalement horizontale.

Chaque mère, au bout de quelque temps, saura trouver la position où elle se sent le mieux.

Votre bébé pleure encore après la fin de la tétée ?

● Il se peut qu'il ait encore faim : proposez-lui une petite ration supplémentaire pour vous en assurer.

● Il se peut qu'il souffre d'une digestion difficile ou d'une crampe intestinale : tenez-le dans vos bras, bercez-le et caressez-lui doucement le ventre.

● S'il pleure de fatigue, bercez-le un peu, puis couchez-le. Il ne devrait pas tarder à s'endormir.

● Enfin, il est possible et fréquent qu'il pleure parce qu'il n'a pas assez tété. Aidez-le à prendre ses doigts ou donnez-lui une tétine : cela l'apaisera.

Les biberons

Faire les biberons est le premier problème auquel vous allez être confrontée, à peine rentrée chez vous, si vous avez choisi de ne pas allaiter votre bébé. Même si cela semble compliqué au début, sachez que vous prendrez très vite la main ! Ce n'est pas une question bien compliquée si vous suivez les précau-

Le sourire aux anges

Quel parent ne l'a attendu impatiemment, ce premier sourire de son bébé, signe évident de bien-être ? Au cours des deux ou trois premières semaines de sa vie, vous surprenez sur le visage de votre bébé ces tout premiers sourires que l'on nomme les «sourires aux anges» parce qu'ils semblent davantage tournés vers le ciel (ou vers l'intérieur) que vers une personne précise.

Un sentiment de plaisir

Ces premiers sourires ne concernent que la partie basse du visage : le plus souvent, ils n'entraînent pas de plissement des yeux. Mais qu'ils sont émouvants, pourtant ! Car même s'ils ne semblent pas dirigés vers quelqu'un, ils reflètent bien un sentiment de plaisir. A quoi sont dus ces sourires ? C'est bien difficile à dire. Apparaissant souvent après une tétée, on pourrait penser qu'ils témoignent d'une sensation de plénitude et de satisfaction. Mais peut-être répondent-ils à une image intérieure ? Je ne sais pas. A chacun d'imaginer...

Préparer un biberon

Vous pouvez préparer les biberons de la journée à l'avance, à condition de les conserver ensuite dans le réfrigérateur (pas plus de vingt-quatre heures) et de les réchauffer au fur et à mesure. Mais ne conservez jamais le lait que le bébé a laissé au fond de son biberon pour un prochain repas. Si vous disposez d'un four micro-ondes, il est aussi rapide de préparer les biberons au moment du repas. Voici comment procéder :
● **Versez dans le biberon la quantité d'eau nécessaire.**
● **Chauffez l'eau (micro-ondes, bain-marie, chauffe-biberon...). L'eau à température ambiante (20°C) ou tiède suffit.**
● **Versez juste le nombre de mesures de lait arasées correspondant à la quantité d'eau.**
● **Ajustez la tétine et le capuchon.**
● **Agitez doucement le biberon pour diluer la poudre.**
● **Versez quelques gouttes de lait sur le dos de votre main pour contrôler la température.**
Le biberon est prêt.

tions d'usage. Au vingtième, le père et la mère sont généralement parfaitement au point !

Le matériel dont vous avez besoin : des biberons, des tétines, de quoi stériliser, de l'eau minérale en bouteille (Evian, Volvic, Vittel), du lait en poudre.

Vous aurez besoin d'environ 7 biberons par jour. Si vous ne voulez pas stériliser trop souvent, prévoyez donc d'acheter 7 biberons de grande taille (220 g) et 1 biberon de petite taille (pour l'eau, les jus de fruits). Les biberons doivent être tous stérilisables et de préférence incassables (un jour votre bébé s'en servira tout seul…).

Prévoyez un nombre légèrement supérieur de tétines : elles s'usent plus rapidement que les biberons et doivent être changées aussi souvent que nécessaire.

La stérilisation

Vous avez le choix entre deux systèmes :
● La stérilisation à chaud : dans un stérilisateur, ou dans un autocuiseur, ou simplement dans une casserole pleine d'eau bouillante. Biberons, bagues et tétines, au préalable bien lavés et rincés à l'eau chaude, doivent bouillir 20 minutes.
● La stérilisation à froid, la plus pratique : vous faites fondre une pastille stérilisante (Milton, Solustéril, etc.) dans un récipient d'eau froide muni d'un couvercle. Vous y disposez biberons et tétines propres, de façon à ce qu'ils soient recouverts d'eau.

Vous laissez tremper 15 minutes. Vous pouvez aussi laisser tremper et sortir les biberons au fur et à mesure de vos besoins. Il est inutile de rincer les biberons. En revanche, il est souhaitable de bien les égoutter et de rincer les tétines avec l'eau dont vous vous servez pour reconstituer le lait. La solution doit être renouvelée chaque jour.

Le lait en poudre

En fait de lait, il s'agit d'un ALD (aliment lacté diététique), premier âge. Ces aliments sont fabriqués à partir de lait de vache, modifié et transformé afin de correspondre aux besoins du bébé. Ils sont tout à fait adaptés à l'alimentation du bébé, de la naissance à quatre mois.

Un seul impératif : respectez les quantités indiquées pour la reconstitution, qui sont généralement d'une cuiller-mesure arasée (non bombée) pour 30 g d'eau. «Forcer» sur la proportion de lait en poudre ne pourrait que nuire à la santé de votre bébé.

La préparation des biberons

Un nouveau-né boit environ toutes les trois heures, puis rapidement toutes les quatre heures. Mais cela dépend beaucoup du poids et de l'appétit de votre enfant. Le mieux est de vous laisser guider par lui. Un bébé qui a faim sait parfaitement se faire comprendre par ses cris.

Au début, le rythme des repas sera forcément irrégulier. Inutile, si bébé dort depuis trois heures, de le réveiller pour manger. La faim s'en chargera. Suivre les besoins de son bébé demande une grande disponibilité, mais c'est ainsi que les choses se mettent en place le plus facilement. Vous verrez rapidement que ses horaires se stabiliseront au fil des semaines.

Le débit de la tétine

Les tétines premier âge n'ont qu'un débit. Elles conviennent bien pour le lait et l'eau pendant les premières semaines. Si vos tétines ont trois débits, choisissez le plus petit pour commencer. Les autres débits seront utiles lorsque vous épaissirez les biberons.

Pour savoir si le trou de la tétine est correct, retournez le biberon rempli : une tétine bien percée laisse passer un goutte-à-goutte rapide. Si le jet est trop rapide, changez de tétine et gardez celle-ci pour les futures bouillies. S'il est trop lent, agrandissez le trou avec une aiguille chauffée.

Quelle quantité de lait donner au bébé ?

Cela dépend de son âge et de son poids. Commencez par 45g, puis laissez-vous guider par votre médecin. Mais le meilleur guide reste votre bébé, qui doit manger à sa faim, mais n'être jamais forcé. S'il n'a plus faim, il arrête de boire. En revanche, s'il finit d'une traite tous ses biberons, il est temps d'augmenter les quantités.

Si vous avez un doute, préparez des biberons un peu plus remplis que nécessaire, et laissez bébé prendre ce qui lui convient. Cette quantité peut varier d'un repas à l'autre.

Nourrir à l'heure ou à la demande

Votre bébé n'est pas une mécanique : les horaires de ses repas ne peuvent être réglés comme par ordinateur. Il a son rythme

Questions sur les biberons

● **Combien de biberons donner par jour ?**
Un nouveau-né boit environ toutes les trois heures, puis rapidement toutes les quatre heures, ce qui fait sept, puis six tétées par jour. Ce nombre est variable et dépend du poids des enfants.

● **Comment conserver bien frais un biberon en promenade les jours de forte chaleur ?**
Remplissez le biberon au quart. Déposez-le au congélateur. Au moment de partir, complétez avec du jus d'orange ou de l'eau. Emballez le tout dans du papier journal. La glace fondra lentement et le biberon sera encore bien frais au moment de le boire.

● **Que faire si vous avez besoin de lunettes pour lire les petits numéros ou les points correspondant aux débits sur la tétine ?**
Voici une astuce qui vous simplifiera la vie. Mettez un trait de vernis à ongle en face du débit souhaité sur la bague du biberon : vous ne vous tromperez plus.

● **Comment éviter que vos biberons coulent dans votre sac ?**
Enroulez un morceau de film plastique transparent autour du pas de vis avant de revisser la tétine par-dessus. Cela rend la fermeture hermétique. N'oubliez surtout pas d'enlever le plastique avant de nourrir votre bébé.

Encore quelques considérations sur les biberons

● **Beaucoup de mères réchauffent les biberons au micro-ondes : c'est pratique et rapide... mais beaucoup de bébés se sont brûlés. Le biberon est tiède mais le lait brûlant. Soyez donc très prudente : versez toujours une goutte de lait sur le dos de votre main, pour en vérifier la température.**

● **A quelle température donner un biberon ?**
La température ambiante est suffisante pour le bébé, soit un biberon à 20° C environ.
Si vous souhaitez qu'il soit un peu plus chaud, laissez la bouteille d'eau minérale sur le radiateur. Si le biberon était déjà prêt au réfrigérateur, mieux vaut le tiédir au chauffe-biberon, au bain-marie, ou quelques secondes dans le four à micro-ondes.

propre, que vous allez découvrir progressivement. Il peut avoir davantage d'appétit certains jours ou à certaines heures. De plus, tous les bébés sont différents. Selon leur poids, ils ont des besoins différents en nombre de tétées, en quantité ou en régularité. Ne vous laissez pas contraindre par des paroles comme «donnez-lui un repas toutes les trois heures» ou «laissez-le dix minutes à chaque sein». Ces trois heures ou ces dix minutes ne sont pas à prendre à la lettre et ne doivent pas vous faire vivre l'œil sur la pendule. Concentrez plutôt votre attention sur votre bébé, afin d'apprendre rapidement à interpréter les «signes» qu'il vous envoie sur son appétit ou sur sa satiété. Il est vrai qu'une certaine régularité dans les heures des repas est bénéfique à l'enfant et vous permet, en tant que parents, de prévoir et de vous organiser. Mais cette régularité va se mettre en place doucement, sans que vous ayez à forcer les événements, même si vous admettez que «trois heures» peut aussi bien être deux heures et demie que quatre heures.

Comprendre les besoins de son enfant

Le lait maternel est plus vite digéré que le lait en poudre. Vous avez allaité votre bébé il y a deux heures, mais il pleure déjà. Allez-vous le laisser pleurer de faim jusqu'à ce qu'il soit l'heure prévue ? C'est totalement inutile et nuisible. L'avantage du sein est justement que le bébé prend la quantité qu'il veut, sans que vous ayez à vous en inquiéter.

Tâchez de faire de même si votre bébé est au biberon. Lui aussi a le droit d'avoir plus ou moins faim, avant ou après l'heure. Ne laissez pas votre bébé hurler de faim, ne le forcez pas non plus à finir ses biberons.

Contraindre un bébé à adopter un rythme rigide qui ne serait pas le sien risque de provoquer malaises et difficultés.

Un moment d'intimité

Toutes ces notions donnent une image un peu technique de l'allaitement. En réalité, tout cela devient vite une routine qui s'effectue sans aucune difficulté particulière.

Il ne faut pas que cela fasse oublier, ou passer au second plan, que le plus important est l'échange d'intimité et de tendresse qu'offre le moment des repas.

Pour donner le biberon, ne vous laissez pas déranger par le téléphone ou la télévision. Votre bébé vous regarde souvent dans les yeux : il cherche à communiquer. Souvent il va émettre des petits signes ou grognements que vous apprendrez à interpréter. Détendue, vous lui souriez, vous lui parlez. Lorsque le bébé a fini de manger, il se sent comblé et heureux. Il arrive qu'il s'endorme rapidement, dans un état de totale béatitude. Lorsque le papa donne le biberon, non seulement il soulage la mère (la nuit, notamment !), mais encore il se donne l'occasion de créer, lui aussi, un lien étroit et privilégié avec son bébé. Toutes ces techniques semblent compliquées : vous vous y mettrez vite. L'essentiel réside dans le plaisir du tendre tête-à-tête que sont les moments des repas.

Prenez le temps de le laisser boire à son rythme, même s'il s'arrête parfois pour se reposer. Prenez le temps du rot, sans en faire une obsession. Avec son père comme avec sa mère, le bébé aime faire du temps des tétées des moments de douce complicité, et s'endormir calmement dans les bras qui l'enserrent.

Le rot

Le rot est un réflexe digestif qui correspond à un rejet d'air par le bébé, parfois accompagné d'un léger renvoi de lait. Cet air a été généralement avalé avec le lait en cours de tétée, peu par les bébés au sein, davantage par les bébés au biberon. Certains bébés attendent la fin du biberon pour émettre rapidement un rot bien sonore. D'autres ont besoin de deux ou trois pauses en cours de repas pour expulser à chaque fois un peu de l'air ingurgité. Vous le repérerez au fait que le bébé cesse de téter, repousse la tétine et se tend légèrement. Il est de toutes façons conseillé de ménager, en cours de repas, une «pause rot».

J'ignore pourquoi il est fait tant de cas de ce fameux rot. Si certains bébés sont incommodés et font de gros rots, parfois plusieurs en cours de tétée, d'autres bébés ne le sont pas du tout et se contentent d'un rot en fin de tétée, voire pas du tout. Cela est sans importance.

«Faire son rot» n'est pas indispensable et ne nécessite pas que l'on réveille le bébé endormi sur le sein ou qu'on lui tapote vigoureusement le haut du dos. Une fois la tétée finie, prenez votre bébé contre vous, le menton appuyé sur votre épaule, et câlinez-le. Si le rot ne vient pas dans les dix minutes, vous pouvez remettre votre bébé au lit.

Comprendre les besoins de bébé

Faites confiance à votre bébé : il est merveilleusement équipé pour connaître ou exprimer ses propres besoins. Il désire seulement, pour se sentir heureux et en sécurité, que vous le compreniez et que vous y répondiez.

Le hoquet

Les bébés ont souvent le hoquet : ils l'avaient déjà dans votre ventre. Soyez sans inquiétude : cela ne leur fait pas de mal et disparaît tout seul.

Aider bébé à faire son rot

● **Posez un linge propre sur votre épaule.**
● **Installez votre bébé face à vous, le buste bien droit contre votre corps, sa tête dépassant sur votre épaule.**
● **Massez son dos de bas en haut, des fesses vers les omoplates.**
● **Vous pouvez aussi tapoter doucement, au milieu du dos, au niveau de l'estomac, avec la main à plat. Le repas est fini et bébé n'a pas fait de rot ? Inutile de vous inquiéter. Gardez bébé un moment dans vos bras ou bien installez-le dans son transat. Puis couchez-le sans souci.**

Des précautions en cas de régurgitation :

● épaissir les biberons ;
● après le repas, tenir quelque temps le bébé en position verticale contre son épaule ;
● incliner le matelas du lit de 30° environ ;
● donner au bébé, avant chaque repas, un médicament pour calmer les contractions de l'estomac. Enfin, il ne faut pas oublier que des régurgitations importantes peuvent aussi être provoquées, en l'absence de toute malformation de l'estomac, par une intolérance alimentaire au lait choisi. Ne prenez pas l'initiative d'en changer. Seul le médecin pourra vous conseiller utilement et vous indiquer comment nourrir votre bébé.

Les régurgitations

Tous les bébés recrachent un peu de lait après avoir bu leur biberon. Ces petites régurgitations sont banales, n'empêchent pas la prise de poids et sont souvent le fait des bébés goulus. Il est banal et absolument pas inquiétant que le bébé régurgite une petite quantité de lait en même temps qu'il fait son rot, ou un peu plus tard. Leur odeur acide et l'aspect caillé du lait rejeté signifient simplement que la digestion était déjà commencée. Mais si bébé semble souffrir, s'agite et rejette du lait caillé, il s'agit alors d'un vrai vomissement, douloureux pour le bébé. Si cela se répète, c'est un signe d'alarme à ne pas négliger : il faut consulter rapidement un médecin. Il peut en effet s'agir d'une béance du cardia ou d'un reflux gastro-œsophagien, qui demandent tous deux un traitement rapide. Des mesures concrètes sont à prendre que le médecin vous expliquera.

Ces régurgitations sont souvent un phénomène de reflux, consécutif à une mauvaise fermeture du clapet fermant le haut de l'estomac. Cette béance disparaît d'elle-même vers dix ou douze mois. Mais elle nécessite, d'ici là, que vous preniez un certain nombre de précautions pour éviter ces reflux acides. Sinon, ils pourraient, à la longue, provoquer des brûlures très douloureuses de la paroi de l'œsophage.

Tant que les régurgitations sont peu abondantes, qu'elles n'ont aucune influence sur la courbe du poids du bébé et qu'il ne semble pas en souffrir, il est inutile de vous inquiéter. Il s'agit d'un «trop-plein» dont le bébé se débarrasse.

Les débuts
à la maison

Vous rentrez chez vous avec votre bébé endormi dans son couffin et vous savez que plus rien ne sera jamais comme avant. Tout le matériel est là ; la maison est prête à recevoir son nouvel occupant. Que vous soyez inquiète ou bien prise par la magie de ces premières heures, sachez qu'il vous faudra bien quelques jours pour trouver vos marques et devenir une championne de l'organisation. C'est maintenant que vous allez, son papa et vous, faire vraiment connaissance avec votre bébé. Pas de précipitation, pas de panique. Votre bébé ne peut rêver meilleurs parents que vous. Vous êtes ceux qu'il a choisis et il vous aime déjà. Faites-lui confiance : c'est lui qui vous fera parents, en vous faisant comprendre ce qui est bon pour lui. Faites-vous confiance, également, en suivant votre intuition et votre tendresse. Tout ira bien.

A la maison,
les premiers jours
peuvent être
déroutants.

Bien connaître les
besoins de son bébé.

Savoir à quoi
s'attendre.

Vivre en douceur.

De la douceur

Le bébé est extrêmement sensible à la douceur dont font preuve ceux qui s'occupent de lui. Un soupçon de nervosité ou d'impatience, une absence de chaleur dans le contact, sont suffisants pour qu'il se sente malheureux et pleure.

Le contact corporel

La douceur du contact, d'abord. Le bébé, parce qu'il est totalement dépendant, est manipulé pendant de longs moments. Changements de couche, bain, déplacement, repas, sont autant de situations où le corps de bébé est entre vos mains, au sens propre. Il sent si vos mains sont chaudes, calmes, accueillantes, ou si elles sont froides, techniques, pressées d'en finir. Dans ce dernier cas, le bébé manifeste son insatisfaction et devient facilement irritable. La relation corporelle est si importante pour lui, son sens du toucher est si délicat, qu'il ne peut supporter la brusquerie.

La douceur de la voix, ensuite. Autant un bébé est vite sous le charme d'une voix chaude, douce, sûre d'elle, s'adressant à lui avec des mots tendres, autant il crie ou se replie sur lui-même s'il est au contact d'une voix revêche, agressive, criarde ou angoissée.

Certains bébés sont hypersensibles à ce manque de douceur. Si vous avez remarqué que c'est le cas du vôtre, tenez-le bien à l'abri de ceux qui ont perdu ce sens de l'intimité avec les bébés et qui le font douter de la bonté du monde.

Les besoins fondamentaux du bébé

Pour se développer harmonieusement, un bébé n'a pas besoin que de lait, mais de bien autres choses. Je peux vous assurer qu'il s'agit pour lui de besoins dont la revendication est légitime et dont la satisfaction lui est due. Nullement de caprices. En répondant à ces besoins, non seulement vous ne gâterez pas votre bébé, mais vous lui permettrez de devenir un enfant plus facile, parce que plus heureux.

Tenir son bébé

Dans les premières semaines de sa vie, le nouveau-né semble si petit et si vulnérable que certaines mères, mais surtout cer-

A LA MAISON

Des conseils très importants

● Dormez, ou au minimum reposez-vous, lorsque bébé dort. De jour comme de nuit.
● Tenez une feuille de rythme avec ses heures de sommeil et de repas. Cela vous aidera à vous y retrouver.
● Branchez un répondeur téléphonique quand vous vous reposez.
● Ne restez pas seule, occupez-vous de vous, faites-vous aider et donnez sa place au père.

Soutenir la tête

Le bébé ne tient pas encore sa tête : cela demande quelques précautions. Durant les premières semaines, il est important de ne jamais soulever l'enfant sans soutenir sa tête. Même lorsqu'il est tenu le dos bien droit, le nouveau-né a toujours besoin d'avoir la tête en appui.

La tenue de la tête au fil des semaines

Voici (page 37) comment évolue la façon dont le bébé tient sa tête au cours des premières semaines de sa vie. Le nombre de semaines indiqué n'est qu'un point de repère, les différences individuelles étant absolument normales.

tains pères, hésitent à le manipuler. En réalité, le bébé est souple et robuste. Douceur et fermeté sont les règles de base pour que le bébé se sente en confiance et en sécurité contre vous.

Des positions qu'il affectionne...
- Celles où il se sent tout près de vous, dans votre odeur et votre chaleur. Il aime blottir sa tête dans votre cou et que vous le souteniez sous les fesses, mais il aime également être face à vous et pouvoir regarder votre visage.
- Le bébé a besoin de contact physique. Toute position où il sera confortable et en contact avec vous le satisfera. N'hésitez pas à le tenir fermement et à le blottir contre vous, surtout dans ses premières semaines : cela lui donne un sentiment de sécurité. C'est le cas aussi de toute position où, le dos du bébé étant en position verticale, vous soutenez bien sa colonne vertébrale par un appui fessier solide.

... et d'autres qu'il déteste
Lorsque vous soulevez votre enfant, évitez :
- de tenir simplement votre bébé sous les aisselles ;
- de le prendre par derrière ou par surprise, sans qu'il ait pu anticiper votre geste.

Bercer son bébé

Autrefois, les petits bébés étaient couchés dans des berceaux, soit suspendus avec des sangles, soit que l'on balançait doucement avec le pied. Les nourrices et les mères savaient bien qu'habitués au bercement aquatique du ventre maternel, les bébés se calmaient et dormaient mieux ainsi balancés. Une douce chanson fredonnée en rythme les accompagnait.
Il s'éloigne - et heureusement - le temps où l'on déconseillait de bercer les bébés, sous prétexte que cela leur donnait «de mauvaises habitudes». Si vous avez hérité du berceau de vos grands-parents, vous savez qu'il était alors de tradition d'installer le nouveau-né dans un petit lit à sa taille et que l'on pouvait balancer. Les vrais berceaux sont en voie de disparition : c'est maintenant aux parents de tenir ce rôle et de bercer. Pourquoi ne pas s'installer confortablement dans un rocking-chair qui bercera à la fois le père ou la mère et son bébé ?
De nombreuses études ont mis en évidence que les bébés bercés et régulièrement pris dans les bras se développaient mieux et étaient plus calmes que les autres. Ils développent des liens

A LA MAISON

Naissance :
● La tête ne tient pas et retombe en avant ou en arrière si elle n'est pas tenue.
● Couché le visage face au matelas, le bébé peut détourner sa tête.

4 semaines :
● Si le bébé est tiré doucement et tenu en position assise, il peut tenir sa tête verticale un bref instant.

6 semaines :
● Couché sur le ventre, l'enfant commence à pouvoir relever sa tête en même temps que le corps, à 45°, une minute environ.
● Couché sur le dos, l'enfant tourne sa tête à droite et à gauche et tente de la relever.

8 semaines :
● En position assise, la tête tient mieux dans l'alignement du corps, mais sans stabilité.

12 semaines :
● Couché sur le dos, le bébé peut garder sa tête au milieu et la soulever.
● Allongé sur le ventre, il peut soulever sa tête et la garder ainsi un moment s'il est en appui sur les coudes.

16 semaines :
● Allongé sur le ventre ou sur le dos, l'enfant peut soulever sa tête pendant de courtes périodes. En appui sur les avant-bras, il peut rester plusieurs minutes, la tête bien décollée du sol.
● Maintenu en position assise, il tient sa tête bien droite.

Attention !

Vous ne parviendrez à calmer l'enfant, à créer un climat paisible, que si vous êtes vous-même calme et paisible. Inutile de faire semblant, s'il est trois heures du matin et que vous avez plutôt envie de l'enfermer dans un placard pour retourner dormir ! Le bébé de cet âge est en prise directe avec vos émotions réelles : il ne sentirait que votre tension intérieure et votre impatience d'en finir. Alors si vous ne vous sentez pas d'humeur câline et tendre, mieux vaut laisser l'enfant dans son lit, avec sa boîte à musique, et l'aider à trouver son pouce, que lui transmettre un surcroît de nervosité…

Berceaux, bercements… et berceuses

Vous en avez sûrement retenu de votre enfance, vous sauriez en inventer de douces. Alors n'hésitez pas à chanter pour votre bébé. Rien ne «l'enchantera» davantage au moment de glisser dans le sommeil. Mieux que tous les disques, c'est votre voix fredonnant un air qui remonte loin dans votre enfance que votre bébé préférera. Une main posée légèrement sur son corps, des mots chantés au rythme de sa respiration, et bébé s'endort heureux.

de confiance avec leurs parents, car ils se sentent aimés. Alors suivez votre instinct s'il vous souffle de tenir votre petit au chaud tout contre vous.

La modernité et la technique aidant, les bébés sont aujourd'hui couchés dans des petits lits immobiles et la boîte à musique a remplacé la chanson. Des professionnels ayant affirmé qu'il ne fallait pas trop prendre les bébés dans ses bras au risque de les rendre capricieux, bien des nouveau-nés d'aujourd'hui n'ont plus ni bercement, ni berceau, ni berceuse.

Quel dommage ! Bercer son bébé, confortablement installé ou au fond d'un rocking-chair, non seulement ne rend pas son caractère plus difficile mais l'aide à acquérir une sécurité intérieure qui est un bien précieux. Quelle idée du monde veut-on donner à un petit qui vient d'y entrer ? Celle d'un monde froid où on vous laisse seul faire face à vos malaises, ou celle d'un monde chaleureux où des bras accueillants viennent à votre secours ? Des chercheurs commencent à mettre en évidence aujourd'hui que les contacts corporels étroits entre la mère et le bébé n'ont pas seulement des effets psychologiques, mais également des effets biologiques. Chez les bébés-rats, à nourriture égale, la synthèse des protéines s'opère mieux si la mère les a léchés…

Bruit du cœur et odeur maternelle

Votre bébé est propre, nourri, et pourtant il pleure. Il n'arrive pas à trouver son sommeil. Prenez-le contre vous et appuyez son oreille sur votre poitrine, côté gauche. Il entendra le bruit rythmé de votre cœur, bruit qui a bercé les neuf mois de sa vie dans votre ventre. Ce bruit va le rassurer. Tenez-le là tendrement, vous verrez qu'il se calmera.

Vous devez bouger ? Installez votre bébé dans un porte-bébé ventral. En plus du bruit de votre cœur, il retrouvera le rythme de vos pas, le balancement de votre démarche. Pour votre bébé, le contact physique avec vous, parce qu'il permet de retrouver le corps, l'odeur, le mouvement, tout ce qu'il aime et le rassure, sera toujours mieux qu'un landau ou un berceau rigides. Votre enfant connaît votre voix : il l'entendait avant de naître. Il connaît déjà l'odeur de votre peau, la douceur de vos mains. Dans les premières semaines de sa vie, il a réellement besoin de se retrouver à votre contact, suffisamment proche pour percevoir votre odeur, sentir votre cœur, vous regarder droit dans les yeux (il voit net à 25 cm) et sentir la douceur de vos mains.

Il vient d'être expulsé du paradis, du seul lieu qu'il ait connu. Le corps à corps avec sa mère l'aide à faire le lien avec sa vie actuelle et trouver bon le monde où il entre.

Une passion pour les visages et le regard

Les jeunes bébés sont passionnés par les visages, celui de leur mère en particulier, et par les yeux. Cette partie du visage est en effet la plus contrastée, donc celle qui ressort le mieux au milieu d'un visage (les bébés voient surtout les couleurs à fort contraste).

Mais le regard est avant tout la partie du visage qui «parle» le mieux. Sourires, clignements, éclats, ouvertures et fermetures, les yeux sont constamment mobiles et vivants. Ils sont le reflet de l'état d'esprit et une source inépuisable de communication non verbale.

Le bébé cherche le regard : aussi est-il très important de ne jamais le lui refuser. Au contraire : pour qu'une bonne relation se crée, il faut entrer dans ce jeu de contact visuel à toute occasion. Au cours de la tétée, bien sûr, quand vous parlez à votre bébé ou lorsque vous vous tenez face à lui. Ces longs échanges souvent silencieux, les yeux dans les yeux, sont des moments riches d'amour et de reconnaissance. Ce tout premier dialogue concerne aussi le père et les frères et sœurs : à eux de prendre le temps d'échanger longuement et de se faire reconnaître par le bébé.

Les compétences de bébé : la vue

Les activités réflexes deviennent plus nettes et plus efficaces. Dès que l'on frôle la paume ou la plante du pied de bébé, il s'agrippe fortement. Il peut même saisir un objet, mais il va le lâcher involontairement très vite. Ceci prouve notamment que sa vue s'est bien améliorée.

Il peut distinguer les contours des objets. Son champ visuel s'est élargi, mais il faut toujours lui présenter les objets de face, à une trentaine de centimètres, afin qu'il les voie correctement. L'enfant commence également à pouvoir suivre des yeux un objet qui se déplace lentement dans son champ de vision.

Et le papa ?

Son rôle n'est pas moins important. Personne ne niera que la mère a, dans les premiers temps, un rôle privilégié. Parce qu'elle a porté son enfant neuf mois, par la préparation psy-

---

A LA MAISON

Votre bébé a des coliques ?

Des crises de larmes que vous ne comprenez pas ? Si votre instinct et votre bon sens vous poussent à le prendre dans les bras et à le bercer tendrement, surtout n'hésitez pas. Posez-le sur votre cœur et chantez-lui une chanson douce, paisible, qui remonte à votre propre enfance. Vous ne pourrez lui faire plus plaisir.

De nombreuses études ont montré que le bébé est plus intéressé :

● **par les personnes que par les objets ;**
● **par ce qui bouge que par ce qui est immobile ;**
● **par les contrastes que par les couleurs tendres ;**
● **par les visages que par toute autre chose.**

Profitez-en pour accrocher au-dessus ou sur le côté du lit de votre bébé des dessins très simples faits avec de gros feutres noirs. N'oubliez pas de changer de temps à autre ces dessins afin de renouveler la curiosité et l'intérêt du bébé : cercles concentriques, grosses rayures alternées noires et blanches, visages stylisés, etc.

Il a du mal à s'endormir ?

Asseyez-vous près du lit, posez une main légère sur le bébé et chantez doucement, au rythme de sa respiration, puis de plus en plus lentement. Ne vous arrêtez pas au fait que vous ne connaissiez pas de berceuse. La plus jolie sera celle que vous inventerez, avec vos mots à vous, ceux qui rassurent l'enfant : papa, maman, son prénom, etc.

Les pleurs du soir

Nombreux sont les bébés qui, en fin de journée, se mettent à pleurer de façon systématique et bien mystérieuse. On a avancé plusieurs explications :

● le bébé a besoin d'exprimer et de décharger toutes les émotions accumulées dans la journée ;

● c'est l'heure où la mère est elle aussi pressée et fatiguée : le bébé ne fait que renvoyer la tension ambiante ;

● Il ressent l'angoisse du soir qui tombe.

Ces pleurs réguliers, à l'heure où le repas est à préparer, où le père rentre du travail, sont parfois bien difficiles à supporter. Essayez de rester calme : plus l'entourage est énervé et plus l'enfant pleurera. Dites-vous que votre bébé a sans doute besoin de décharger ainsi sa tension.

chologique et hormonale qui s'est effectuée en elle, par sa disponibilité quotidienne lors de son congé de maladie, la mère vit dans une intimité totale avec son bébé.

Mais cette intimité ne doit pas exclure le père. Son rôle, indispensable, spécifique et fondateur, commence bien avant la naissance. Présence chaleureuse auprès de sa femme, il doit être présent d'emblée auprès de son bébé. Parce qu'il est différent de la mère, parce qu'il représente l'extérieur, le monde du dehors, il apporte une dimension d'éveil et d'ouverture qui n'existerait pas sans lui.

Le père exerce peu à peu un rôle de contrepoint face à l'amour de la mère, évitant que mère et enfant ne s'enferment trop longtemps dans une relation duelle, exclusive et fermée. Il rappelle également à sa femme que, devenue mère, elle n'a pas cessé d'être sa compagne.

Le père est tout aussi important que la mère, mais leurs rôles ne sont pas interchangeables : c'est parce qu'ils sont différents, qu'ils ont des tâches et des comportements complémentaires, que l'enfant, situé à la croisée de deux influences, trouvera son chemin et sa personnalité propres.

On a montré que, si le père participe à l'éducation, le bébé semble pousser plus fort, plus malin, et mieux contrôler son impulsivité. Dès six mois, on constate que bébé se calme en présence de sa mère. Alors qu'il semble éveillé et stimulé par la présence de son père. Il faut dire que les pères en général développent plus les activités corporelles avec leur petit et le poussent davantage à faire des efforts et à trouver son individualité. Le père complète donc la mère et permet à l'enfant d'aller de l'avant.

Un bébé, cela pleure...

C'est une vérité que beaucoup de jeunes mères (et pères...) ignorent. A la maternité, passe encore : l'agitation, les pleurs des autres bébés... on comprend que le sien soit énervé. Mais une fois à la maison et installé au calme dans son rythme, bébé pleure encore et souvent.

Les cris, un message à l'attention de ses parents

Le nouveau-né crie : c'est un signal de malaise, ou bien il vide une tension intérieure. Progressivement, il apprend que crier vous fait venir et que vous savez trouver les gestes qui apaisent son malaise. Ainsi naît la confiance entre vous. Non, répondre à son nouveau-né lorsqu'il pleure ne le rend pas capricieux. Cela lui donne confiance dans ce monde où il vient de faire irruption. Progressivement, vous serez plus à même de comprendre le sens des cris de votre bébé : il a faim, il a soif, il a froid ou chaud, il est fatigué, il est sale, il a mal quelque part. Le bébé ne ressent qu'un malaise dans la globalité de son être, et il appelle pour que vous le soulagiez. C'est vous qui allez donner du sens à ses cris et en faire un langage. Bien sûr cela ne se fera pas du jour au lendemain : c'est un processus délicat au cours duquel vous apprendrez à vous connaître l'un l'autre.

Un moyen pour s'exprimer

Il faut tout d'abord savoir que le jeune bébé partage son temps en trois états : il dort, il est en éveil calme ou il est agité (pleurs, cris, etc.). Ces pleurs sont, à son âge, le seul moyen dont il dispose pour communiquer ce qui ne va pas et tenter de vous faire comprendre ce qu'il désire. Il est donc positif que votre enfant pleure : il a l'espoir de se faire comprendre de vous et compte sur vous pour lui venir en aide. Au fil des semaines, les cris se différencient et les parents comprennent de mieux en mieux ce que signifie telle ou telle manifestation. Ils apprennent à différencier leur réponse en fonction du cri entendu, et cet échange est déjà un début de dialogue. Pen-

A LA MAISON

Parfois, rien ne console votre enfant

Les pleurs d'un bébé inquiètent. Parfois, on en trouve la cause et le bébé se calme. Mais d'autres fois, on s'épuise à essayer de détendre un bébé qui ne veut rien savoir. Tous les bébés traversent de tels moments. Si votre bébé refuse même vos bras, installez-le simplement dans son petit lit, dites-lui que vous l'aimez, que tout va bien, et laissez-le vider sa tension intérieure. Revenez le voir de temps en temps. Il finira par trouver en lui le moyen de se calmer et de s'endormir.

Les pleurs de bébé sont souvent stridents, déchirants. On ne peut rester sans réagir, sans s'inquiéter et il est bien difficile de ne pas finir par s'énerver soi-même (surtout la nuit !), ce qui n'arrange pas les choses. Les crises de larmes peuvent se répéter quatre ou cinq fois par jour, et durer des périodes qui vous semblent des heures. Vous vous épuisez parfois à chercher : de quoi a-t-il besoin ? Où a-t-il mal ? Que veut-il dire ? Il a mangé, il a dormi, il n'a mal nulle part, et il pleure quand même... Êtes-vous une mauvaise mère parce que vous ne pouvez rien pour lui ?...

Pas de remède miracle

On ne connaît pas de remède miracle à ces crises de larmes du soir. Peu à peu, l'enfant finit par se calmer et l'âge aidant, ses crises s'espacent et disparaissent. Ne vous croyez pas de mauvais parents parce que vous n'arrivez pas à calmer votre bébé. Une fois que vous avez tout essayé, le mieux est d'attendre que cela passe, tout en restant tendre et compatissant. Si l'enfant avait un réel besoin que vous n'avez pas compris (de boire, de téter, d'être découvert, etc.), il risque d'entrer dans une véritable rage. Une fois sa crise de larmes finie, s'il n'est pas tombé directement dans le sommeil, il est important de le câliner, de le rassurer et de lui affirmer que vous l'aimez toujours autant malgré sa «colère» et ses cris.

dant les neuf mois de la vie intra-utérine de votre bébé, tous ses besoins ont été comblés : il n'avait ni froid ni chaud, ni faim ni soif, ni mal à l'estomac ni le nez bouché. Soudain, à la suite de sa venue au monde, il découvre toutes ces sensations si désagréables. Plus bien d'autres : la fatigue, les lumières vives, les bruits violents, la peau nue, etc. Il découvre en même temps qu'il ne possède pas les moyens de réagir, qu'il est trop petit et dépendant. Que feriez-vous à sa place ? J'ai toujours pensé que les jeunes bébés pleuraient autant sur leurs besoins légitimes que sur leur impuissance à les satisfaire... Il faut savoir ensuite que le bébé est très sensible aux émotions de sa mère, et notamment à sa tension nerveuse. Le bébé d'une mère fatiguée aura tendance à pleurer pour l'appeler et dire son inquiétude. Ce qui ne fera que crisper davantage sa mère. Mais ne vous culpabilisez pas pour autant si votre bébé pleure beaucoup : c'est sa façon de communiquer avec vous ; il vaut mieux cela qu'un bébé apathique qui ne s'exprime pas. Tentez de garder votre calme et de répondre au mieux à votre bébé avec ce que vous êtes.

Il a trop chaud, il a trop froid

Les jeunes bébés sont, d'une manière générale, trop couverts. On a si peur qu'ils attrapent froid ! En réalité, ils risquent d'attraper froid lorsqu'on les déshabille pour leur donner leur bain ou lorsqu'on les laisse dans un courant d'air, mais sinon...

Votre bébé est comme vous : si vous avez chaud, il a chaud aussi. Si vous vous sentez bien avec une chemise et un gilet, inutile de lui en mettre deux. Regardez bien votre bébé, qu'il soit éveillé ou qu'il dorme. Il a la nuque humide ? Découvrez-le : il a trop chaud. Mais laissez-lui ses chaussons : les bébés ont souvent les pieds froids.

Si, en revanche, vous avez froid, votre bébé a plus froid que vous. Sa masse musculaire est plus faible et il se défend moins bien contre le froid. Aussi ne tardez pas à lui rajouter un gilet ou une couverture. Lorsque vous lui donnez son bain, branchez au besoin un radiateur d'appoint dans la salle de bains. Une température de 19 °C dans sa chambre est bien suffisante. Une seule couverture de laine en plus de son pyjama, et votre bébé sera tout à fait «confortable».

Bain
et soins
du corps

Les parents sont souvent anxieux de donner le
bain, prodiguer les soins du corps, changer
ou encore habiller leur tout-petit. Les brèves
explications données à la maternité ne suffisent
pas toujours à les rassurer. Pourtant, en quelques
jours, les choses deviennent simples et se révèlent
être un vrai plaisir. Avec le temps, le bain deviendra une grande source de joie pour le bébé et un
moment de délicieuse complicité avec sa maman
ou son papa.

Mais certains nouveau-nés détestent être nus ou
s'habiller : le froid sur leur peau leur est très désagréable. D'autres redoutent d'être plongés dans
l'eau. Tout cela s'arrangera au fil des mois. D'ici-
là, il est inutile de brusquer le bébé. Hormis le
crâne, le visage et les fesses, un bébé n'est pas sale,
et une toilette locale où l'on ne déshabille pas
entièrement le bébé peut souvent suffire.

Le bain et les soins
de toilette,
un moment d'intimité
et de plaisir partagé.

Les produits indispensables pour la toilette du bébé :

- eau,
- gant de toilette,
- coton hydrophile,
- brosse à cheveux,
- linge de rechange,
- savon de Marseille,
- serviette de toilette,
- gaze,
- couches propres,
- séchoir à cheveux,
- au besoin : éosine, huile d'amandes douces, pommade, etc.

Précautions

Le jour où vous tentez «l'immersion» en baignoire, veillez particulièrement au confort (température de la pièce et de l'eau, serviette de bain sur le radiateur).

L'horaire du bain

Il est sans importance, s'il vous convient ainsi qu'au bébé. Le lieu (cuisine, salle de bain ou chambre) également.

Le bain de bébé

Sans doute les puéricultrices de la maternité vous ont-elles expliqué comment vous deviez procéder pour donner le bain à votre bébé. Le nez, les oreilles, les yeux, le nombril, le crâne, etc. Mais une fois rentrée chez vous, la manœuvre peut vous sembler bien compliquée.

Une bonne installation

Pour changer et laver votre bébé, vous avez certainement installé dans votre salle de bains une table à langer. A défaut, une simple planche (d'aggloméré ou de contreplaqué), posée en travers du lavabo, que vous couvrez d'un matelas de mousse, d'un plastique et d'une serviette éponge, fait très bien l'affaire. L'essentiel est d'avoir à portée de la main tous les produits dont vous avez besoin. Cependant plusieurs points sont essentiels :
- qu'il fasse bien chaud dans la pièce (22 à 24°C) et que l'eau soit à la bonne température (le thermomètre de bain doit marquer 36 à 37°C, mais cela dépend aussi du goût de votre enfant) ;
- que vous ayez tout à portée de la main, produit de toilette, couche et vêtements propres ;
- que vous ayez un peu de temps devant vous, pour être détendue, sans être dérangée.
Peu importe encore que votre bébé soit rincé dans le lavabo, dans une grande bassine ou dans une petite baignoire de bébé. Ce qui est essentiel, en revanche, c'est le confort que votre bébé ressentira et le plaisir que vous partagerez tous les deux.
Le bain quotidien se justifie par ce plaisir et par des nécessités d'hygiène, mais ne vous culpabilisez pas si vous n'avez pas le temps de baigner votre bébé entièrement. Une version abrégée quotidienne peut consister à :
- laver les fesses au savon de Marseille ;
- nettoyer visage, cou, mains et petits plis avec un coton imbibé d'eau chaude.

Attention, dangers...

Certains produits ou ustensiles de toilette, même s'ils sont vendus dans des lignes de produits pour bébés, sont, au mieux inutiles, au pire risqués pour votre nouveau-né. C'est le cas de ceux qui suivent.

● Les cotons-tiges (ou le coton enroulé autour d'une allumette). N'en utilisez jamais pour nettoyer les oreilles ou les narines de votre bébé. Un petit morceau de coton roulé en mèche et imbibé d'eau tiède suffit largement. Ne l'enfoncez pas dans les conduits : contentez-vous d'en essuyer les contours.

● Les éponges, qu'elles soient synthétiques ou naturelles. Elles sont de vrais nids à microbes. A son âge, vous pouvez laver votre bébé à main nue, ou avec un gros morceau de coton hydrophile. Plus tard, préférez le gant de toilette : il a le mérite de pouvoir être changé chaque jour et passé en machine.

● Le shampooing. Il est inutile pendant les deux ou trois premiers mois. Lavez plutôt le crâne de votre enfant avec le savon que vous utilisez pour le reste du corps. Plus tard, choisissez un shampooing «spécial bébé».

● Le lait de toilette. Il nettoie correctement, mais de façon superficielle. C'est une bonne chose d'avoir un flacon de lait de toilette car il peut dépanner, en déplacement notamment. Mais en usage quotidien, de l'eau tiède avec un peu de savon est bien préférable. De plus, certains bébés à la peau particulièrement fragile peuvent faire l'objet d'une irritation ou d'une allergie au lait de toilette en usage répété.

● L'eau de toilette. Même les eaux de toilette «spécial bébé» sans alcool peuvent, du fait des parfums, provoquer des réactions allergiques chez certains enfants. Et puis un bébé propre sent tellement bon naturellement…

● Le talc. Très utilisé autrefois, il est aujourd'hui fortement déconseillé. Avec l'urine, il favorise la macération dans les petits plis et peut être la cause d'irritations cutanées.

Laver son nouveau-né selon ses goûts

Votre nouveau-né déteste être déshabillé ? Vous ne vous sentez pas assez sûre de vous pour lui donnez un vrai bain ? Vous n'avez pas beaucoup de temps ?

Lavez alors votre bébé tout en le gardant sur vos genoux (recouverts d'une grande serviette éponge), ou bien couché sur son matelas à langer. Ne déshabillez que le haut du corps, que vous savonnez à la main, avec un morceau de coton ou avec un gant propre. Puis vous rincez, séchez et rhabillez avant de découvrir le bas du corps.

Votre bébé aime être plongé dans l'eau ? Commencez alors par le savonner entièrement, y compris le crâne, sur la table à lan-

Quelques conseils :

● **Un savon de Marseille (ou un pain sans savon surgras) convient très bien pour tout le corps du bébé, y compris le crâne. Pour le visage, de l'eau chaude sur un morceau de coton suffit.**

● **Un torchon ou un essuie-mains au fond du lavabo ou de la petite baignoire évitent que le bébé ne glisse sur le fond.**

● **Tant que vous ne vous sentez pas très sûre de vous, ne mettez que dix centimètres d'eau en fond de la baignoire.**

● **Votre bébé appréciera beaucoup que vous ayez chauffé sa serviette et ses petits habits sur le radiateur.**

● **Pour sécher les petits plis du cou, des fesses et des aisselles, et prévenir les irritations, utilisez un séchoir à cheveux.**

● **Pour protéger vos vêtements, boutonnez votre peignoir à l'arrière.**

En général, méfiez-vous des produits de toilette, séduisants mais superflus, pouvant provoquer des réactions allergiques.

● **Pour des questions d'hygiène :**

- Commencez la toilette par le haut et finissez par le bas.

- Ne prenez pas votre bain avec votre bébé, sauf si vous venez juste de vous laver soigneusement.

L'heure du bain

● **Ne laissez jamais votre bébé seul dans le bain. Même dans très peu d'eau, il pourrait s'y noyer. Apportez tout ce dont vous avez besoin à portée de main. On sonne à la porte ? Ne répondez pas, ou bien emmenez votre bébé avec vous, roulé dans sa serviette de bain.**
Débranchez systématiquement le téléphone ou bien branchez le répondeur pendant le temps du bain : ainsi, vous ne serez pas tenté de répondre.
● **Dès les premières fois où vous baignez votre bébé, agissez avec des gestes fermes et confiants. Votre bébé se sentira en sécurité et acceptera le fait d'être baigné. Si, au contraire, il vous sent hésitant, il se sentira lui-même mal à l'aise et compliquera encore la situation.**
● **Donnez ce bain gaiement, en chantant. Cela vous donnera confiance en vous et enchantera votre bébé.**
● **Enlevez votre bébé de la baignoire avant de vider l'eau : il y en a que cela effraie (craignent-ils d'être jetés avec l'eau du bain ?).**

ger. Puis plongez-le tout doucement, une main sous la tête et une main sous les fesses, dans l'eau du lavabo ou de sa petite baignoire. Gardez toujours la main sous la nuque et servez-vous de l'autre pour le rincer. Quand votre bébé est bien propre et qu'il a profité un moment de ces nouvelles sensations, sortez-le et enveloppez-le dans une grande serviette de toilette.

Il n'aime pas l'eau

Le bébé passe les neuf premiers mois de sa vie dans le ventre maternel, en milieu liquide. La sensation de l'eau sur sa peau lui est donc connue et normalement très appréciée. Le premier bain, donné parfois en salle de travail, le prouve.

Pourtant certains bébés, dans les jours ou les semaines qui suivent, se mettent apparemment à détester l'eau. Ils refusent le bain et hurlent chaque fois qu'on les y plonge.
Pourquoi ? C'est difficile à dire. Il semble qu'une seule expérience désagréable suffise. Le bébé peut avoir eu du savon dans les yeux, ou un sentiment d'insécurité parce qu'il n'était pas bien soutenu. Si un jour, à la maternité par exemple, un bain a été donné de façon trop brusque ou dans une eau trop froide, cela peut suffire. Le bébé a associé bain et souvenir désagréable. Depuis, il pleure chaque fois. D'autant qu'il déteste le plus souvent sentir l'air sur sa peau nue.

Ne jamais forcer un bébé qui n'aime pas l'eau

Vous devez prendre le temps, très progressivement, de le réconcilier avec le plaisir de l'eau. Pendant ce temps, interrompez le bain si nécessaire. Vous pouvez, à la place, laver votre bébé avec un gant de toilette et du savon, et le rincer avec une éponge que vous trempez dans une eau bien chaude, sans crainte pour son hygiène. Si, de plus, vous prenez soin de laver alternativement le haut, puis le bas du corps sans jamais le mettre entièrement nu, il y a de fortes chances pour que tout se passe bien.

Le bain de l'enfant plus grand

Lorsque bébé a trois ou quatre mois, il a pris confiance en lui et appris à apprécier le bain. Il est souvent devenu trop grand pour sa baignoire de bébé et se baigne désormais dans la grande. Pendant une période intermédiaire, vous pouvez déposer sa petite baignoire au fond de la grande, afin de l'habituer, puis la remplacer un temps par une grande bassine à linge.

Au fil des mois, le bébé, qui court partout, a davantage besoin de son bain quotidien. Assis dans l'eau, il trouve un grand plaisir à éclabousser et jouer avec ses objets de bain. Se baigner est alors une détente pour l'enfant et un temps de partage privilégié avec l'adulte.

Les plaisirs du bain évoluent avec l'âge

Beaucoup de bébés adorent le bain. L'eau le leur rend bien : elle les détend et les équilibre.

Si votre enfant fait partie de ceux qui se précipitent dans le bain et ne veulent plus en sortir, vous n'aurez pas de problèmes pour enrichir son plaisir de nouveaux jeux différents. En revanche, comme nous l'avons vu, si votre bébé fait partie de ceux qui vont se baigner à contrecœur ou en hurlant, l'apprivoiser sera plus difficile. Douceur et patience !

En grandissant, votre bébé va se baigner dans la grande baignoire. Premier conseil : attention à votre dos. Il risque de souffrir (et vous aussi) si vous passez le temps du bain penchée par-dessus le rebord de la baignoire. Imposez-vous donc de vous agenouiller après avoir posé près de vous tout ce dont vous aurez besoin.

Se détendre et se faire plaisir

Voici quelques indications qui devraient vous permettre de vous détendre un peu. L'horaire du bain importe peu, de même que le lieu (la salle de bains, la cuisine,… pourvu qu'il soit

Quelques «trucs» pour faire du bain un plaisir partagé

● Ne donnez pas le bain juste avant le repas : si votre bébé hurle dans ce cas, c'est peut-être de faim.
● Soignez particulièrement le confort de votre bébé : eau suffisamment chaude (37 °C, à vérifier avec un thermomètre), serviette sur le radiateur, chauffage d'appoint dans la salle de bains, habits à portée de la main, etc.
● Faites de l'heure de la toilette un moment privilégié de communication. C'est le temps du jeu, des chatouilles, des caresses, du bavardage. Un moment de disponibilité totale, où vous avez pris le soin de débrancher le téléphone.
● Si votre bébé est inquiet, plongez-le progressivement dans la baignoire, juste pour le rincer. Mettez d'abord peu d'eau, puis davantage le jour suivant. Tenez fermement votre bébé dans vos bras et plongez-le doucement dans l'eau tout en continuant à lui parler d'une voix douce et tendre pour le rassurer.
● Trouvez un ou deux jouets de bain que le bébé aura plaisir à retrouver chaque jour et à voir flotter. Si vous vous y prenez en douceur, en confort et en sécurité, le bain ne tardera pas à devenir un plaisir.

Avec quoi jouer ?

En plus des jouets de bain qui sont prévus à cet effet, pensez aux :
● **tasses et gobelets en plastique ;**
● **petite bouteille plastique percée de trous (avec une aiguille à tricoter chauffée) ;**
● **louche, passoire, entonnoir ;**
● **balles de ping-pong de couleurs vives ;**
● **pot-verseur de moutarde ou de sauce tomate en plastique ;**
● **interdit : tout contenant en verre.**
Pour varier les plaisirs, vous pouvez un jour donner le bain au baigneur en même temps qu'au bébé, un autre jour mettre des sels de bain dans un petit gobelet, etc. Pour tout ranger, utilisez un seau de plage ou un filet en plastique.

bien chauffé) et le récipient de l'eau (bassine, évier, lavabo, baignoire, etc.).

Les plaisirs du bain seront nombreux pour votre enfant, si vous vous souvenez que le temps du bain n'est pas seulement destiné à se laver, mais aussi à s'amuser et à se relaxer.

Laissez couler l'eau, lentement, à une douce température, pour que l'enfant puisse jouer avec le filet d'eau. C'est souvent un grand amusement. Un autre plaisir est constitué par les éclaboussements. Bien sûr, vous devrez d'abord vous envelopper dans un peignoir, ensuite passer une serpillière dans la salle de bains. Mais cela n'est rien en comparaison du plaisir que l'enfant prend à jouer avec l'eau.

Sachez que les enfants qui apprennent ainsi à ne pas craindre l'eau sont aussi ceux qui auront le plus de plaisir à aller à la piscine ou à la mer et à nager.

Autre grand plaisir du bain : la patouille. Dès que votre bébé se tient assis dans le bain, vous pouvez lui fournir un grand nombre de joujoux avec lesquels il jouera tout à loisir. Remplir, vider, transvaser... il ne s'en lasse pas.

Le bain : les dangers

Nous avons vu les plaisirs du bain : ils ne seront complets et bénéfiques que si vous prenez bien garde aux dangers, petits et grands.

● Tant qu'il ne tient pas bien assis, gardez toujours un bras sous la nuque de votre bébé.

● Mettez peu d'eau dans la baignoire.

● Couvrez le robinet d'eau chaude avec un gant de toilette afin que le bébé ne risque pas de se brûler.

● Pour la même raison, soyez très prudente si vous ajoutez de l'eau chaude dans la baignoire lorsque l'enfant y est.

● Evitez le bain moussant qui décape l'eau et risque de lui piquer les yeux.

● Ne lui confiez aucun flacon en verre pour jouer.

● Placez systématiquement un tapis antidérapant au fond de la baignoire.

● Ne laissez pas votre bébé se mettre debout, sauter ou grimper ou s'entraîner à la gymnastique lorsqu'il est dans la baignoire.

Les soins

Fontanelle et croûtes de lait

On appelle fontanelle la partie molle qui se trouve au sommet du crâne de l'enfant. Il s'agit d'une zone de la forme d'un losange correspondant à un cartilage de croissance, là ou les os du crâne ne sont pas encore soudés (cela prendra entre un et deux ans). La fontanelle, élastique, est recouverte par le cuir chevelu et ne présente aucune fragilité particulière. Pourtant, bien des parents croient le contraire, au point qu'ils hésitent à savonner correctement la tête de leur bébé.

Or, il se trouve que le crâne de bébé produit des sécrétions graisseuses entraînant la formation de petites croûtes que l'on nomme couramment des «croûtes de lait». Pour les éviter ou les faire disparaître, il ne faut pas hésiter à laver chaque jour la tête du bébé, en s'aidant au besoin d'un petit peigne ou d'une brosse de soie douce.

Cela fait partir les croûtes de lait et s'effectue sans aucun risque ni désagrément pour le bébé.

Le change et les couches

Encore un domaine où vous allez vite devenir très habile !

Quand changer le bébé ?

A chaque repas. Avant, après ou pendant la tétée ? Cela dépend de vous et de votre bébé. Si vous le changez avant, ne lui mettez qu'une couche rectangulaire «provisoire», car il y a de grandes chances pour qu'il ait une selle au cours du repas. Si vous attendez la fin du repas, vous risquez de devoir secouer un bébé qui commence à s'endormir. Alors pourquoi pas pendant, au moment du rot ?

Vous changez également votre bébé, en dehors des repas, chaque fois que c'est nécessaire (couche souillée), mais ne le réveillez jamais pour le changer.

Quelles couches utiliser ?

Les changes-complets sont très pratiques, mais le budget couches est alors important. Faites votre enquête : les marques de distributeur sont souvent meilleur marché. A vous de comparer prix et qualité. Les couches rectangulaires sont nettement moins chères et peuvent parfois être utilisées la journée.

Quelques conseils pratiques

● Si votre bébé a les fesses irritées, laissez-le les fesses à l'air aussi souvent que possible.

● Gardez un rouleau de sparadrap à portée de main : il remplacera les adhésifs déficients ou décollés par erreur.

● Projetez un peu de spray déodorant au fond de la petite poubelle où vous jetez les couches.

● Ne laissez jamais, même quelques secondes, votre bébé seul sur la table à langer. Mieux : gardez toujours une main sur lui. Vous devez vous éloigner ? Posez bébé par terre. (Nombreux sont les accidents qui surviennent pendant le change.)

● Masser doucement les fesses du bébé avec de l'huile d'amandes douces (ou une autre huile de massage végétale) est une bonne façon de prévenir un érythème fessier.

● Faites du moment du change un tendre temps d'échange, complice, ponctué de chatouilles et de petites comptines.

● Occupez l'enfant plus grand pendant le temps du change : en lui confiant un flacon de plastique vide ou une petite brosse à cheveux ou en suspendant un mobile au-dessus de sa tête.

Comment procéder pour changer bébé ?

● **Préparez tout ce dont vous avez besoin à portée de main : couche propre, gant et serviette de toilette (ou lingettes, lors des déplacements), savon de Marseille, eau tiède.**

● **Allongez votre enfant sur le matelas à langer recouvert d'une serviette de toilette.**

● **Retirez proprement la couche souillée en la roulant sur elle-même et en la refermant avec les adhésifs.**

● **Lavez les fesses avec le gant savonneux, en lavant toujours l'avant avant l'arrière, sans oublier les petits plis.**

● **Rincez soigneusement. Essuyez avec la serviette.**

● **Mettez la nouvelle couche.**

● **Si votre bébé a les fesses abîmées, demandez à votre médecin une pommade dont vous enduirez les fesses du bébé pendant quelques temps.**

● **Quand le bébé est assez grand pour se tenir debout dans la baignoire, il est pratique de lui laver les fesses après une selle directement avec le jet de la douche.**

L'érythème fessier

Il s'agit du nom technique que l'on donne aux rougeurs qui apparaissent fréquemment sur les fesses des bébés. Elles sont dues le plus souvent à la fragilité de la peau du bébé, en contact fréquent avec l'humidité et l'acidité des couches. L'urine et les selles produisent de l'ammoniaque qui brûle sa peau.

Ces rougeurs, pour banales qu'elles soient, n'en sont pas moins douloureuses et nécessitent que l'on s'en préoccupe. Voici quelques conseils :

● Changez la couche de votre bébé dès que nécessaire. Ne le laissez jamais longtemps avec une couche mouillée ou sale sur les fesses.

● Aussi souvent que possible, notamment l'été et dehors, laissez-lui les fesses à l'air. Il n'y a pas de meilleur traitement.

● A chaque change, lavez les fesses de l'enfant avec un coton imbibé d'eau chaude, et avec du savon de Marseille en cas de selles. Rincez très soigneusement et séchez longuement avec un séchoir à cheveux.

● Appliquez éventuellement une pommade ou badigeonnez avec une solution, selon ce que le médecin aura prescrit.

● Assurez-vous qu'il ne s'agit ni d'une réaction à une lessive ou à un type de couche, ni de l'effet d'une autre affection comme le muguet, par exemple.

Préventivement, vous pouvez essayer d'enduire les fesses de votre bébé, à chaque change, d'une très fine couche d'une crème protectrice à l'oxyde de zinc. Ces crèmes ont le mérite d'isoler les fesses du bébé de l'humidité. Mais cessez les applications en cas de rougeurs, car elles empêcheraient la peau de respirer, donc de guérir convenablement.

En fait, il semble que la meilleure prévention soit une parfaite hygiène basée éventuellement sur l'eau et le savon...

Une difficulté : habiller bébé

Certaines mères se sentent très maladroites lorsqu'il s'agit d'habiller et de déshabiller leur bébé. Elles n'osent pas tirer sur le bras pour enfiler la manche, et encore moins passer des encolures autour de la tête du bébé.

Par ailleurs, de nombreux bébés détestent qu'on les déshabille. La sensation de nudité leur est très désagréable et ils se mettent à hurler dès qu'ils sentent l'air frais sur la peau nue de leur corps. Plus tard, c'est rester immobile quelques minutes qui leur deviendra insupportable !

D'abord se rassurer : ni le bébé ni son crâne ne sont aussi fragiles qu'il paraît. Si vous parvenez à garder votre calme, l'expérience aidant, vous deviendrez bien vite experte en manipulation de bébé. Si vous êtes de celles pour qui le côté pratique (pour vous) et confortable (pour bébé) doit primer sur l'esthétique ou la mode, voici la tenue de base : chemise fine, grenouillère, chaussons et gilet (par temps frais). A posséder en plusieurs exemplaires…

Si vous évitez les encolures étroites qui se passent par la tête et les excès de manipulations, si vous mettez une bonne dose d'humour et de tendresse dans la situation, tout se passera vite et bien.

Que choisir et comment procéder ?

Comme nous l'avons vu précédemment, durant ses premiers mois, l'enfant n'a pas besoin d'une grande variété de vêtements. Il lui faut :

- Des grenouillères en grande quantité (il se salit beaucoup), simples et faciles à entretenir, en éponge extensible. Préférez celles qui se ferment devant : vous n'aurez pas à retourner votre bébé pour le changer.

- Des sous-vêtements. Dans les premiers temps, préférez les brassières à large encolure au «body» qu'il vous faudra changer dès qu'il sera un peu mouillé (ce qui oblige à déshabiller entièrement le bébé).

- Des chaussettes, chaussons, surpyjama ou nid d'ange.

Concrètement :

- Préparez tout à portée de main et installez-vous confortablement.

- Pour les jambes et les manches, roulez-les comme si vous vouliez enfiler un collant. Glissez votre main dans la manche et attrapez doucement la petite main.

- Tirez sur l'encolure de la chemise avant de la passer par la tête.

- Retournez le moins possible votre bébé.

- Parlez doucement à votre bébé et attirez son attention sur ce que vous faites en commentant vos actes.

Pour l'enfant plus grand

Le problème essentiel de l'enfant de quelques mois sera, comme pendant le change, de le faire patienter pendant que vous l'habillez. Dessins au plafond et comptines du style «Alouette, gentille alouette» vous y aideront. Progressivement,

Pour rappel : quelques conseils qui ont fait leurs preuves

● **Prévoyez à portée de main tous les produits, couche et vêtements dont vous aurez besoin.**

● **Installez-vous confortablement, le bébé sur le dos face à vous, soit assise sur le lit, soit debout devant la table à langer.**

● **Suspendez au-dessus de la table (ou affichez) un mobile ou des dessins variés qui occuperont bébé pendant que vous le changerez.**

● **Profitez de ce moment pour lui parler doucement, lui chanter une chanson, attirer son attention dans un doux dialogue.**

● **Évitez de mettre l'enfant totalement nu : déshabillez le haut, puis le bas (ou l'inverse !).**

● **Si l'enfant doit être mis entièrement nu (avant le bain, par exemple), enveloppez rapidement son corps dans un lange ou dans une serviette de toilette douce.**

● **Tenez compte de certains impératifs lorsque vous achetez de la layette :**
- évitez ce qui se passe par la tête ;
- choisissez des vêtements amples, doux et faciles à laver ;
- bannissez les rubans autour du cou et les épingles de nourrice.

Pour ou contre les chaussures

La coutume, il n'y a pas si longtemps, voulait que tous les petits enfants portent des chaussures montantes supportant bien les chevilles et soutenant la voûte plantaire.

Il est possible que votre mère, quand elle a vu votre bébé se mettre debout le long de son parc, vous ait conseillé de lui acheter des chaussures.

En réalité, il n'y a pas d'urgence. Si les chaussures sont évidemment utiles pour aller dehors, elles ne se justifient aucunement à la maison. Même lorsque votre enfant commencera à marcher, vous pourrez sans crainte le laisser pieds nus sur la moquette. C'est à la fois une façon de bien sentir le sol sous ses pieds, et un excellent moyen pour muscler une voûte plantaire inexistante.

Attention ! Ne le laissez pas marcher en chaussettes si le sol de la maison est couvert d'un revêtement lisse ! Une bonne idée consiste à coudre sous ses chaussettes des semelles antidérapantes (vendues très bon marché). Quand vous achèterez des chaussures, faites-le en présence de l'enfant (même s'il a horreur de cela !), afin de vous assurer qu'elles lui enveloppent bien le pied, avec confort. Une idée : en été, faites marcher votre bébé pieds nus dans le sable : c'est excellent pour la musculation.

votre enfant participera aux étapes de l'habillement, le rendant nettement plus facile.

Les conseils essentiels pour cet âge consistent dans le choix des vêtements.

- Ne vous fiez pas forcément aux tailles des fabricants, et achetez toujours un peu grand.
- Achetez préférentiellement du coton, et vérifiez les consignes d'entretien : évitez tout ce qui ne va pas au lave-linge à 30°C.
- Lorsque votre bébé commence à se mettre debout, pensez à mettre des semelles antidérapantes sous les pieds de ses grenouillères.
- Evitez les bas à élastiques à la taille qui laisse souvent le ventre à l'air. Préférez combinaisons et salopettes.
- Enfin évitez les robes pour les petites filles tant qu'elles ne marchent pas : cela les empêche de se déplacer sur le sol.
- Aux habits compliqués, préférez l'ample et le douillet.

Les séances d'habillage

Si votre enfant est particulièrement actif, il se peut qu'il ne supporte plus de rester immobile le temps nécessaire pour le changer. Dans ce cas, les séances d'habillage deviennent de véritables épreuves de force.

Vous le contraignez pendant qu'il essaie de s'enfuir, vous vous énervez parce qu'il vous met en retard, bref, c'est très dur.

Quelques trucs pour vous aider

● Pour le «haut», habillez-le pendant qu'il est assis, en train de jouer ; pour les pieds, pendant qu'il est installé sur sa chaise haute.

● Pour les couches, notamment, organisez des jeux sur la table à langer : petits jouets à manipuler, chansons reprenant les parties du corps, dialogue accompagnant vos gestes («Où elle est la main ? Elle est cachée dans la manche ? Coucou ! La voilà»). Vous en profitez pour lui apprendre le nom des différentes parties du corps...

● Pour le «bas», asseyez-vous et coincez-le entre vos jambes, debout et dos à vous.

● Apprenez-lui à participer, comme un «grand» : tendre la main, enfiler le bras, glisser son pied, sont des gestes qu'il peut faire pour vous aider.

Le sommeil du bébé

Au cours de la petite enfance, le sommeil a une fonction biologique extrêmement importante : il permet l'organisation des circuits nerveux, joue un rôle dans les apprentissages et dans la mémoire, et se révèle indispensable pour son développement physique. C'est dire si les nombreuses heures que le nouveau-né passe à dormir sont précieuses et si elles doivent être respectées. Le temps de sommeil quotidien dépend de chaque bébé.

Le sommeil est une des clés du bon développement de l'enfant. C'est lorsqu'il dort que le bébé reprend de l'énergie, qu'il libère l'hormone de croissance, qu'il fixe ses acquisitions et mûrit son système nerveux. La difficulté, c'est que tous les bébés sont différents. Si tous, vers quatre mois, peuvent faire leurs nuits, certains sont déjà de gros dormeurs, alors que d'autres ne dorment qu'en pointillés. Vers huit mois, on voit apparaître les couche-tard et les lève-tôt... Mais, de même que l'on ne force pas un bébé à manger, on ne peut obliger un bébé à dormir. On ne peut que le mettre dans la situation favorable à la survenue d'un bon sommeil...

Le sommeil du bébé peut prendre du temps à se régulariser. Les conditions de vie et l'organisation peuvent aider, mais la patience reste indispensable.

Les temps de sommeil

Voici un tableau récapitulatif qui donne une idée du nombre d'heures qu'un bébé passe habituellement à dormir quotidiennement. Ce chiffre inclut le sommeil de nuit ainsi que la ou les siestes faites dans la journée.

Nouveau-né : 18 à 20 heures
1 à 3 mois : 18 à 19 heures
4 à 5 mois : 16 à 17 heures
6 à 8 mois : 15 à 16 heures
9 à 12 mois : 14 à 15 heures

Le lit

Que vous ayez opté pour un lit à barreaux ou pour un autre système, voici ce dont vous avez besoin :
● **Un matelas ferme, recouvert d'une alèse et d'un drap housse.**
● **Une couche tissu pour recouvrir le haut du lit, ou bien glisser celui-ci dans une grande taie d'oreiller.**
● **Une couette en synthétique (lavable), avec ou sans housse, que vous tenez en place au pied du lit avec des pinces et des bandes élastiques spéciales. Ou bien un surpyjama (ou turbulette).**
● **Evitez l'oreiller, la couverture en laine, les franges.**

Pour un bon sommeil

Ce n'est qu'en observant l'enfant que l'on peut repérer quel est son rythme propre et l'aider à s'équilibrer. Au fil des mois, les temps de sommeil vont se régulariser. Un nouveau-né passe environ 60% de son temps à dormir. Vers un an, l'enfant, en plus d'une bonne nuit, dormira encore souvent deux siestes par jour, une le matin et une l'après-midi.

Autant un rythme de vie régulier aide l'enfant à développer de bonnes habitudes de sommeil, autant les parents vont devoir parfois faire preuve de flexibilité. Il est inutile de mettre au lit un enfant parfaitement réveillé qui ne présente aucun signe de sommeil. De même, l'enfant dormira bien s'il a eu, dans la journée, les temps d'affection et de présence parentale dont il a besoin.

Des besoins de sommeil différents

Le nombre d'heures que passe un bébé à dormir va diminuer rapidement de mois en mois au cours de la première année. Tous les chiffres que l'on peut donner ne sont qu'indicatifs car il existe de grosses variations individuelles. Certains bébés, gros dormeurs, feront encore une sieste le matin à onze ou douze mois. D'autres dormiront moins et s'en porteront très bien. Ces petits dormeurs qui hurlent dans leur lit pour qu'on les lève ne relèvent pas du sirop calmant…

Le sommeil du tout-petit

Dès les premiers mois, on constate qu'il existe des gros dormeurs et des petits dormeurs. Il n'est pas inquiétant que votre bébé dorme peu s'il est en bonne santé et se développe normalement. Il n'est pas davantage inquiétant que votre bébé dorme des heures, en laissant parfois passer l'heure du repas. Inutile de le réveiller : la faim s'en chargera. C'est seulement le tempérament des enfants qui varie : tel pour l'instant, il sera sans doute différent demain.

Comment l'aider à faire ses nuits ?

En l'aidant à différencier le jour de la nuit. Pour les siestes de jour, inutile de faire l'obscurité totale ou le silence dans la maison : le bébé s'accommode naturellement de cet environnement.

En revanche, la nuit, il convient de faire la pénombre dans sa chambre. Si vous venez le voir la nuit, n'allumez qu'une veilleuse et parlez tout doucement.

Supprimer de force le biberon de nuit en laissant pleurer le bébé ne l'aide pas à faire ses nuits. Tant qu'il a faim la nuit, il faut le nourrir et prendre patience.

S'il pleure lorsqu'on le met au lit ?

Les bébés s'endorment généralement facilement avec de la douceur et un gros câlin. Un petit de moins de quatre mois qui a du mal à s'endormir ou qui se réveille fréquemment en pleurs peut être un bébé qui a mal. Nombreux sont les bobos qui peuvent le gêner : un reflux gastrique, des coliques, des difficultés respiratoires, une otite, un érythème fessier qui le démange au premier pipi, etc. Même la nuit, ce n'est pas forcément la faim. Tout ceci est à contrôler auprès de votre pédiatre.

Les stades de la vigilance

Le comportement du bébé peut se résumer en cinq stades, bien différents de ceux de l'adulte, qu'il est bon de connaître.

Le stade 1 correspond à un sommeil calme. Le nouveau-né est immobile, son visage est inexpressif et sa respiration est régulière. Ses yeux sont fermés.

Le stade 2 est celui du sommeil agité. L'enfant bouge, s'étire, grogne ou baille. Il a des mouvements des yeux et des mimiques du visage. La respiration peut être rapide et bruyante. Ce stade couvre la moitié du temps de sommeil total. Attention à ne pas croire le bébé réveillé et à ne pas le prendre dans ses bras à ce moment, ce qui ne manquerait pas de le perturber.

Au stade 3, le bébé est réveillé et calme. Les yeux grands ouverts, il est attentif à son environnement et communique. C'est le moment le plus agréable à partager.

Au stade 4, le bébé est agité. Il s'énerve et n'est plus très attentif.

Le stade 5 survient si l'on n'a pas trouvé la cause du malaise : bébé pleure.

La position du sommeil

Le jour où votre bébé saura se retourner, il choisira la position la plus confortable pour lui. Mais d'ici là, il dormira dans la position où vous le coucherez.

Précautions

● Si votre bébé est sujet à des régurgitations importantes ou fréquentes, au point de vous faire craindre la position sur le dos, faites-en part à votre médecin. C'est lui qui déterminera s'il y a lieu de lui faire adopter une position de sommeil particulière.

● Pour que votre nouveau-né ne bascule pas lorsqu'il est couché sur le côté, vous pouvez le caler avec un petit traversin ou une couverture roulée. On trouve aussi dans le commerce des morceaux de mousse prévus à cet effet. Ayez soin de le coucher tantôt sur le côté droit, tantôt sur le côté gauche. Attention à ce que le pavillon de ses oreilles, encore très mou, ne soit pas retourné vers l'avant lorsque vous couchez votre bébé sur le côté. Au besoin, retrouvez l'usage des petits bonnets de batiste.

Où faire dormir bébé ?

Pour le nouveau-né, tout lieu confortable et chaud fera l'affaire lorsqu'il est fatigué. Vous pouvez donc transporter le couffin dans la pièce où vous vous trouvez, ou le garder la nuit près de vous. Mais l'enfant plus grand (passé trois ou quatre mois) a besoin d'un coin à lui, de préférence hors de la chambre de ses parents, où il retrouve, à chaque mise au lit, ses petites habitudes.

Les conditions du sommeil

● **Quel que soit le type de lit choisi (couffin rigide, berceau, lit à barreaux ou autre), l'idéal est d'y installer un matelas de mousse assez ferme et bien adapté aux dimensions. Recouvrez le matelas d'un drap housse.**

● **Au niveau de la tête du bébé, installez une couche en tissu carrée. Elle protège la literie des crachoullis et absorbe bien la transpiration. Dans un couffin, pliez la couche en deux et bordez-la. Dans un lit plus grand, accrochez-la aux quatre coins avec les quatre épingles de sûreté. Bannissez :**

- l'oreiller, inutile et dangereux ;

- la plume, qui peut favoriser la survenue d'allergies ;

- les draps et les couvertures : le bébé risque de s'entortiller ou, au contraire, de se découvrir.

Ce qu'il reste ? La couette ou la «turbulette», encore appelée «gigoteuse» ou «sac de nuit», qui garde bébé au chaud.

Assurez-vous aussi que le tour de lit est bien fixé.

La température idéale de la chambre se situe entre 18 et 20°C.

Pendant des années, la polémique a fait rage entre les partisans de la position sur le dos ou sur le ventre. Aujourd'hui, les médecins s'accordent sur la nécessité de coucher les nouveau-nés sur le côté (pendant les premières semaines), puis sur le dos. En effet, des études médicales concordantes ont mis en évidence un moindre risque de mort subite du nouveau-né dans cette position.

Un nouveau-né sera très bien sur le côté si vous prenez soin :

- de caler son dos contre une serviette éponge roulée ;

- de le changer de côté régulièrement.

Il se réveille la nuit

Beaucoup de bébés se réveillent encore la nuit, le plus souvent à la fin d'un cycle de sommeil, lorsque le sommeil est plus léger. Ils n'ont pas appris à replonger d'eux-mêmes dans le cycle suivant.

Certains se réveillent une fois, d'autres deux ou trois. Généralement, le bébé se met à crier, cela dure un certain temps, puis il se calme dans les bras de sa mère ou de son père et se rendort. Jusqu'au prochain réveil.

Quelle est la cause de ces réveils nocturnes ?

La première chose à faire est de chercher si l'on peut effectivement en trouver la cause. Voici des éléments qui peuvent être cause de réveils. Chacun appelle une solution appropriée.

● Le bébé a faim, il n'a pas assez mangé ou trop tôt.

● Il a mangé trop vite et n'a pas assez tété ou sucé.

● Il a soif : il fait trop chaud ou trop sec, le bébé est trop couvert.

● Il n'est pas «dans son assiette» (nez bouché, douleurs digestives, otite latente, régurgitations…).

Souvent, la cause n'est pas à rechercher dans un malaise physique mais psychologique.

● L'atmosphère de la maison est agitée ou anxieuse.

● L'énervement a été grand en fin de journée.

● Vous n'avez pas pris le temps de le bercer, de le rassurer et de l'aider à glisser dans un sommeil paisible.

Que peut-on faire ?

Si vous avez déterminé la cause de ces réveils, vous pourrez efficacement y remédier.

Sinon, voici quelques trucs qui ont fait leurs preuves.

● Donnez un bon repas le soir, copieux et digeste.

● Disposez un humidificateur dans la chambre d'enfant.

● Donnez-lui son bain le soir.

● Avant de le coucher, donnez-lui un biberon d'eau, contenant une légère infusion de tilleul ou de fleur d'oranger.

● Assurez-vous que l'ambiance autour de l'enfant soit calme, surtout en fin de journée.

Quand le bébé grandit

Le temps vient vite où le bébé est désormais trop grand pour continuer à dormir dans un couffin ou un berceau. Vous allez devoir lui trouver un lit. Si c'est votre premier enfant, vous n'avez peut-être pas encore choisi le lit dans lequel vous l'installerez.

Le lit traditionnel des petits enfants jusqu'à trois ou quatre ans est le lit à barreaux. Souvent, la profondeur du lit est réglable et un côté des barreaux peut coulisser à volonté. Les barreaux permettent à l'enfant de voir ce qui se passe dans la chambre tout en les empêchant de sortir de leur lit.

Le sommeil du grand bébé

De quatre mois à un an, les conditions du sommeil changent un peu. L'enfant fait normalement ses nuits, mais, parallèlement, il devient plus sensible à l'ambiance, aux habitudes et aux contrariétés.

Son sommeil se ressent facilement de sa vie éveillée. Peu à peu, il devient capable de lutter contre le sommeil, même s'il est très fatigué. Il s'énerve et l'endormir devient difficile. Vers neuf ou dix mois, se coucher veut dire se séparer de papa et de maman, donc perdre amour, tendresse, amusement, ce qu'il ne veut en aucun cas, surtout s'il a déjà été séparé de vous toute la journée.

Une autre source de difficultés vient du fait qu'il s'attache à ses habitudes. Si le bébé a des difficultés d'endormissement dès qu'il n'est plus dans ses conditions habituelles, c'est que cela l'insécurise beaucoup. Douceur et calme en viendront à bout.

LE SOMMEIL

Ce qui est vivement déconseillé :

● lui administrer des somnifères ou des tranquillisants pour l'abrutir et qu'il se calme enfin ;

● crier plus fort que lui pour le faire taire ;

● vous déplacer au moindre appel comme si effectivement le lit était pour lui un lieu pénible ou dangereux ;

● le prendre systématiquement dans votre lit ou dans vos bras, à chaque appel.

Quelques conseils

● Ne vous précipitez pas au premier appel. Qui sait ? Si la maison est bien calme, il se rendormira peut-être.

● Arrangez-vous pour qu'il ne fasse pas trop sombre le matin dans sa chambre, afin que votre bébé puisse voir ce qui l'entoure.

● Faites-le patienter cinq ou dix minutes au début, avant de le rejoindre, puis augmentez le temps progressivement.

L'importance de la confiance

Pour que l'enfant devienne autonome, il faut qu'il ait confiance en lui. Pour cela, il faut que vous ayez confiance en lui, et en sa capacité à régler seul ses problèmes de sommeil.

Des astuces pour le faire patienter dans son lit

Si vous ne pouvez vous résoudre à vous coucher plus tôt pour faire coïncider votre rythme avec celui de votre bébé et que vous êtes las d'être réveillés à six heures du matin... voici quelques idées qui pourront vous aider.

● Pour garder une certaine luminosité dans la chambre, pensez à vous procurer une veilleuse pour l'hiver tandis que de simples rideaux suffiront l'été.

● Mettez dans son lit de quoi s'occuper : hochets, tableaux de découvertes, jouets suspendus à hauteur de main ou de pied, miroir assez grand où il peut se regarder, peluche favorite.

● S'il se réveille avec une grande faim, disposez à côté de son lit, à portée de main, de quoi grignoter : biscuits, etc.

● Ne vous précipitez pas au premier appel. Donnez-lui le temps d'apprendre à jouer seul et à différer un peu son désir.

● Certains bébés, glissés dans le grand lit entre leurs parents, s'y rendorment aussitôt...

Les rythmes du sommeil

C'est un couche-tard

Certains jeunes enfants, entre huit mois et un an, ont bien du mal à s'endormir le soir. Une fois mis au lit, ils crient et appellent jusqu'à ce que papa ou maman revienne. Un câlin, on s'assure que tout va bien, on ressort de la chambre... et cela recommence, parfois pendant des heures.

Voici quelques-une des questions que vous pouvez vous poser pour mieux comprendre la situation :

- Mon bébé est-il installé inconfortablement ? Par exemple : il a trop chaud, il a mal quelque part, l'air est trop sec, etc. Explorez et voyez ce que vous pouvez faire.

- Mon bébé a-t-il eu le temps de présence et de participation à la vie familiale dont il avait besoin ?

- Est-ce que je lui ai donné des bonnes habitudes (mise au lit régulière, avec respect des petits rites de sommeil) ?

- Est-ce que je lui fais confiance pour se débrouiller seul la nuit ?

- Est-ce que je sens que mon bébé me «manipule» ? Dans ce cas, ai-je envie d'être ferme, ou bien est-ce que je prends du plaisir moi aussi à «jouer les prolongations» ?

C'est un lève-tôt

Certains bébés dorment moins que d'autres. Mais même parmi ceux qui dorment un nombre d'heures tout à fait normal, beaucoup sont des lève-tôt. Dès l'aube, ils jouent au réveil matin, exigent un biberon... puis se rendorment.

D'autres enfants, mais il arrive que ce soit les mêmes, font de bonnes nuits, mais s'obstinent à se réveiller de très bonne heure le matin. Ce n'est pas forcément la faim qui les réveille, mais leur rythme intérieur. La semaine, ça va encore, mais être réveillé à six heures pendant les week-ends peut sembler assez rude.

Certains bébés, qui ont besoin d'un nombre fixe d'heures de sommeil, peuvent gagner à être couchés plus tard. Mais cela marche rarement, car un bébé a besoin, pour son équilibre, de garder le même rythme toute la semaine. La seule solution consiste à lui apprendre à patienter gentiment seul dans on lit en attendant que vous vous leviez.

L'heure d'aller se coucher

Un jeune enfant s'endort mieux si vous le mettez au lit au bon moment. Il se repère à des petits signes : frottements des yeux, bâillements, ralentissement de l'activité. Pour d'autres, c'est une certaine excitation qui marque la fatigue : peut-être l'enfant aura-t-il besoin de pleurer un peu pour vider ses tensions avant de plonger dans le sommeil. A chaque enfant ses manifestations, mais il ne faut pas rater le train du sommeil !

Il est plus facile de repérer ce moment et d'endormir l'enfant s'il a un rythme de vie régulier. S'il est couché tous les soirs à huit heures, par exemple, son organisme le sait et se prépare à se mettre en sommeil lorsque l'heure arrive. Régularité et petites habitudes sont d'une grande aide.

Vers huit ou dix mois, le bébé qui jusque-là s'endormait calmement, repu par son dernier biberon, proteste vigoureusement lorsqu'il est mis au lit et laissé seul dans sa chambre. Il faut savoir que ces pleurs ne relèvent pas du caprice, mais témoignent souvent d'une véritable angoisse et d'une revendication légitime.

Quelles en sont les causes ? L'enfant a clairement conscience de son existence et entretient des rapports déjà complexes avec ses proches. Toute séparation lui est pénible et la mise au lit est vécue comme telle. S'il est gardé toute la journée à l'extérieur de la maison, ne retrouvant son père et sa mère que vers six ou sept heures le soir, il vit très difficilement d'en être séparé de nouveau une heure plus tard. Si son père rentre plus tard que l'heure de son coucher, il fera tout pour l'attendre. Il sait aussi que la vie de famille continue, et supporte mal d'en être tenu à l'écart.

Que faire ?

Toute la difficulté consiste à concilier la compréhension, visant à donner à l'enfant les échanges affectifs dont il a besoin, et une certaine fermeté. Le bébé doit aussi apprendre à s'endormir. Le relever ou lui tenir compagnie chaque fois qu'il proteste risquerait d'aboutir à une multiplication des appels et des réveils nocturnes. Voici quelques idées sur la façon de s'y prendre.

● Il importe d'être sensible à l'heure où «le marchand de sable» passe. Cette heure, pratiquement la même chaque soir, est celle où l'enfant s'endormira le mieux. Elle dépend en partie de l'heure de fin de sieste.

Un moment de douceur

Vous pouvez profiter de ce moment de calme du soir pour :
● coucher les peluches qui, au pied du lit, vont elles aussi s'endormir ;
● chanter une berceuse ou une chanson douce ;
● murmurer à l'oreille de votre bébé une parole magique, la même chaque soir, comme par exemple : «Tu peux dormir maintenant, tout va bien, papa et maman sont là…» ;
● placer près de son lit son objet fétiche, le préféré.

Et puis sortir pour de bon, après un dernier baiser.

Quelques conseils

● Si vous donnez l'habitude à votre bébé de s'endormir dans vos bras, il aura du mal s'endormir seul dans son lit, ou à se rendormir seul au milieu de la nuit.
● Evitez de donner à votre bébé des habitudes d'endormissement qu'il ne retrouvera pas la nuit (mobile, tétine, etc.).
● Faites du moment du coucher un temps calme et plaisant.
● Développez une régularité et tenez-vous y.
● Le bain donné le soir calme certains enfants, ainsi qu'une tisane de tilleul ou de fleur d'oranger donnée au biberon.

Quelques conseils pour aider votre enfant à se rendormir

● **Faites la part de votre culpabilité (lui donnez-vous assez de temps pendant la journée ?) et soyez convaincu qu'il est meilleur pour votre enfant de dormir seul, tranquille, toute la nuit, qu'avec votre présence intermittente.**

● **Ne l'habituez pas à s'endormir dans des conditions qui nécessitent votre présence.**

● **Ne vous laissez pas manipuler : c'est vous qui savez, c'est à vous d'être ferme et tendre.**

● **Profitez de la journée pour parler à votre enfant et l'assurer de votre amour.**

● **Trouvez-lui un «doudou», peluche ou lange, qui le rassurera en remplaçant peu à peu sa mère.**

● **Il est souvent efficace que le père se lève la nuit et explique tranquillement au bébé que sa mère dort, parce qu'elle est fatiguée, qu'elle ne se lèvera pas et qu'il veuille bien se taire pour la laisser dormir.**

● **Tant que l'enfant trouvera un «bénéfice» à se réveiller la nuit (il vous voit, il a un câlin, vous jouez avec lui, etc.), sachez qu'il n'a aucune raison d'arrêter.**

● **N'habituez pas l'enfant à finir sa nuit dans votre lit, pas plus que vous devez finir la vôtre dans sa chambre, couché à côté de son lit.**

● Une heure de coucher «raisonnable» est celle qui tient compte du temps que chaque petit enfant a envie de passer chaque soir avec son père et sa mère. Temps de rencontre, de jeux, de câlins, et pas seulement temps de repas ou de bain. Il n'est pas bien grave de ne coucher l'enfant qu'à neuf heures, dans la mesure où il peut dormir comme il veut pendant la journée.

● Certains enfants, lorsque la fatigue vient, augmentent leur niveau d'activité et d'énervement au lieu de le ralentir. Il est bon de le savoir, afin d'interpréter correctement cet état d'excitation. Pour ces enfants, les fins de journées doivent être particulièrement calmes et apaisantes. Le bain pris le soir donne parfois de bons résultats.

● Pour aider le bébé à faire face à l'angoisse de séparation caractéristique de cet âge, il est bon de mettre en place un rituel du coucher. Un quart d'heure de gestes habituels, reproduit chaque soir, détend et sécurise l'enfant.

● Enfin, n'oublions pas la peluche aimée ou le «doudou», tellement rassurant contre la solitude.

Le rituel du sommeil

La mise en place de rites, répétés chaque soir au moment de la mise au lit, aide de façon efficace les enfants à rompre avec les activités de la journée et à se préparer au sommeil.

Le bébé repère vite que l'on enchaîne dans le même ordre le bain, le dîner, etc. Cela l'entraîne naturellement vers le lit. A cet âge, il ne s'agit que d'une ébauche de rituel destiné avant tout à tranquilliser l'enfant et à l'aider à se détendre. Mais avec le temps, les habitudes vont prendre de l'importance et le rituel devenir quasiment immuable. Attention alors à ne mettre en place que des habitudes que vous pourrez tenir des années !

Les troubles du sommeil

Autant les problèmes de sommeil des tout-petits sont souvent passagers et se règlent simplement lorsqu'on en a trouvé la cause, autant ceux des plus grands bébés demandent une attention particulière.

En effet, il n'est pas rare que certains enfants de six mois n'aient toujours pas pris l'habitude de dormir seuls la nuit entière. Les parents, épuisés, se décident fréquemment à consulter, mais il est rare que le problème soit d'ordre médical. Toutefois, le pédiatre commencera toujours par s'en assurer avant d'évoquer des questions psychologiques.

Se rendormir seul

Ces enfants qui, à six mois, réveillent encore leurs parents une ou plusieurs fois par nuit, sont la plupart du temps des enfants comme les autres, mais à qui on n'a pas appris à se rendormir seuls. Il est normal que le bébé se réveille à la fin de chaque cycle de sommeil, mais il doit être capable de se rendormir rapidement et sans aide.

Certains ne le font pas. Pourquoi ?

● Il peut s'agir d'un bébé que l'on a habitué à s'endormir dans certaines conditions (dans les bras de sa mère, ou avec son mobile, etc.) et qui, lorsqu'il se réveille la nuit, a besoin des mêmes conditions pour se rendormir.

● Plus fréquemment, il s'agit d'enfants surprotégés. Le père ou la mère se précipitent au moindre appel de l'enfant, même s'il est encore à moitié endormi. Plutôt que de lui faire confiance et le laisser essayer de faire face à ses difficultés, les parents interviennent et convainquent ainsi l'enfant qu'il ne peut se débrouiller seul. L'enfant, insécurisé, devient plus exigeant. Les parents, épuisés, finissent par prendre l'enfant dans leur lit. Et pour l'enfant, qui trouve cela bien agréable, l'exception devient généralité.

Ainsi se crée un cercle vicieux dont il est bien difficile de sortir.

● Inutile de laisser pleurer l'enfant quinze ou vingt minutes pour vous lever ensuite et lui donner ce qu'il attend : vous lui avez seulement appris qu'il faut pleurer davantage et être plus patient.

● Ne vous précipitez pas non plus chaque fois que vous l'entendez. Laissez-lui le temps d'essayer de se rendormir seul. S'il n'y parvient pas, contentez-vous de le rassurer verbalement depuis votre lit.

● Vous ne pourrez apprendre à votre bébé à dormir seul dans son lit que lorsque vous serez vous-même convaincu qu'il le faut et que c'est bon pour lui. Si vous pensez, au contraire, que la solitude est effrayante et que la nuit doit être conviviale, alors n'essayez même pas ! Dites-vous que tout cela est culturel, qu'autrefois les familles dormaient toutes ensemble, et acceptez pleinement la situation.

Et si rien ne marche ?

Si, même en le cajolant, vous ne parvenez pas à calmer votre bébé, il faut consulter un pédiatre. Il y a peut-être un problème qui vous échappe et que lui peut résoudre. Un bébé qui pleure beaucoup la nuit est une source de tension et de fatigue pour les parents qui doivent souvent être aidés à cette occasion. Sinon, l'énervement de chacun ne fait qu'aggraver les choses.

Un objet très personnel

● **Certains enfants sont peu fidèles à leur doudou, d'autres, au contraire, y sont très attachés. Cela se fera tout seul, lorsqu'il aura perdu son rôle de soutien affectif. Cette relation unique que l'enfant développe avec son doudou doit être respectée, quelle que soit la forme qu'elle prend.**
● **Ayez l'œil sur le doudou lors de vos déplacements. Perdre leur doudou est pour certains enfants un vrai drame dont ils se souviennent encore à l'âge adulte.**

Y a-t-il de bons et de mauvais objets transitionnels ?

Pour l'enfant, non. Son choix est toujours le bon. Pour la mère, le bon objet sera celui qui existe en plusieurs exemplaires, qui n'est pas trop volumineux et peut passer à la machine à laver !

Quand le doudou apparaît-il ?

Le choix s'effectue entre six et douze mois, et cette histoire d'amour durera, selon les enfants, entre trois et six ans.

L'objet transitionnel ou «doudou»

Autrement appelé «doudou», «néné», «dodo», etc. selon le nom que lui inventera l'enfant (ou que lui a déjà donné l'enfant aîné), l'objet transitionnel est le terme que les psychologues emploient pour désigner l'objet qui deviendra le fétiche de l'enfant. Objet choisi et aimé au point qu'il ne voudra plus s'en séparer.

Vers huit ou neuf mois, vous constaterez peut-être que votre bébé s'endort plus facilement s'il a auprès de lui un objet privilégié qu'il s'est choisi. Cela peut être une peluche, un mouchoir, sa couche en tissu, un biberon, ou toutes sortes de choses. Pour d'autres, ce sera un geste : sucer son pouce, caresser son oreille ou ses cheveux, se balancer en rythme, etc.

Quand le bébé est fatigué, ou lorsqu'il a un ennui, cet objet privilégié participe à le réconforter et à le détendre. Aussi avez-vous intérêt à ne pas l'oublier lors de vos déplacements et, si possible, à vous en procurer plusieurs exemplaires !

Il n'y a aucune règle concernant ces objets. C'est l'enfant qui choisit et qui décide lorsqu'il en a besoin. C'est lui aussi qui décidera de s'en passer lorsqu'il se sentira assez sûr de lui. Certains enfants ont un objet privilégié auquel ils tiennent peu ou beaucoup, d'autres n'en ont pas, et tous vont bien.

Un doudou pour se consoler

Vers sept ou huit mois le bébé commence à réaliser qu'il est une personne distincte de sa maman. Celle-ci peut donc ne pas être toujours disponible, se séparer de lui, voire disparaître plusieurs heures. Même lorsque maman est là, il y a tous ces moments où l'enfant est au lit, seul dans sa chambre.

C'est à cette période que le bébé va développer un attachement très fort à un objet (tissu, peluche, poupée, ou autre) dont le rôle sera de le consoler, de l'aider à supporter la solitude ou de l'aider à s'endormir. L'enfant va choisir cet objet et s'y attacher au point de ne plus vouloir s'en séparer. Il l'aidera à lutter contre l'angoisse de séparation. Au bout de quelques mois (ou quelques années), l'objet finira sale, en lambeaux, laid, mais toujours adoré.

Certains enfants remplaceront la possession d'un objet par un mouvement rituel : faire boulocher un lainage, se frotter le nez ou tortiller ses cheveux, sucer son pouce. D'autres n'auront en apparence aucun doudou, sans que l'on puisse savoir pourquoi. Tous ces comportements différents sont absolument normaux. Ils doivent être respectés, car ils aident l'enfant à grandir et à trouver son autonomie.

Il n'y a pas de bons doudous, mais il y en a de plus pratiques que d'autres : ceux que l'on peut se procurer en double (très utile en cas de perte), ceux qui passent à la machine (l'enfant n'aime pas, car le doudou perd son odeur, mais c'est parfois indispensable), ceux qui, pas trop volumineux, tiennent dans le sac à main, etc.

De quel objet s'agit-il ?

Il s'agit de l'objet le plus doux que le bébé ait eu fréquemment à sa portée. C'est souvent un objet associé au lit : couche en tissu que l'on place sous la tête des bébés, drap, couverture, mouchoir, animal en peluche. Mais il arrive qu'un enfant s'attache à un objet plus étonnant : brassière en laine, sac de couchage, biberon, gant de vaisselle, etc.

Il se peut aussi qu'un geste bien précis soit associé à l'objet : lainage que l'on fait boulocher, drap que l'on glisse entre ses doigts, mouchoir que l'on frotte contre son nez, etc.

Finalement peu importe l'objet : c'est l'enfant qui le choisira et qui l'imposera.

Pourquoi l'enfant s'attache-t-il à tel objet et non à tel autre ?

Des règles assez mystérieuses président au choix de l'enfant. Parmi tous les objets qui remplissent son lit, il va s'attacher à l'un particulièrement. Souvent à l'insu des parents, qui comprendront après coup, lorsque l'enfant insistera pour emmener cet objet partout.

On peut seulement dire que les sens de l'odorat et du toucher interviennent certainement de façon prépondérante dans le choix de tel ou tel objet, même si ce choix reste éminemment subjectif.

LE SOMMEIL

Le mode d'emploi du doudou

● **Le doudou réconforte, console et donne du courage. Il est indispensable en cas de chagrin, de coup de fatigue, mais aussi d'événement difficile, comme la visite chez le médecin par exemple. A ne jamais oublier quand on dépose l'enfant chez la nourrice ou chez sa grand-mère.**

● **Vous pouvez inciter votre bébé a choisir un doudou pratique, comme une couche en tissu ou une petite taie d'oreiller, en en mettant toujours une sous sa tête, dans son petit lit.**

● **Habituez dès le départ votre bébé à ce que son doudou soit lavé régulièrement.**

● **Perdre le doudou est toujours un drame. Vous l'éviterez en cousant sur le tissu ou en attachant au cou de la peluche un morceau d'extra-fort avec votre numéro de téléphone écrit au stylo indélébile.**

● **Votre bébé s'est attaché à un drap ou à une couverture qu'il traîne partout. Coupez-le en quatre : le morceau sera d'une taille suffisante pour son usage, plus facile à transporter et facilement remplaçable en cas de perte.**

Peut-on supprimer le doudou ?

Je vous le déconseille vivement, si l'attachement est solide. Les parents n'ont pas à intervenir dans cette relation que l'enfant a créée parce qu'il en avait besoin. Cette étape tient une place importante dans son développement. On ne doit laver le doudou qu'avec l'accord de l'enfant, de préférence si on en a un autre, identique, à lui offrir en remplacement. Même si l'enfant maltraite son doudou, le déchire ou le frappe, il faut se garder d'intervenir.

Certains enfants sont peu fidèles, d'autres gardent leur doudou des années. Les parents ne peuvent qu'attendre que le leur s'en détache seul. D'ici là, qu'ils prennent bien garde que le doudou ne soit ni oublié ni perdu : ce serait un vrai drame et l'enfant aurait bien du mal à s'endormir sans lui.

Les enfants sans doudou

Tous les enfants ont-ils un doudou ? Apparemment non. Les enfants qui sucent avidement leur pouce ou bien une sucette semblent être plus nombreux à ne pas se choisir d'objet transitionnel. Néanmoins, en cherchant bien, on trouve fréquemment quelque chose de très discret, un geste par exemple, qui fait office d'objet transitionnel.

On ignore pourquoi certains enfants, rares, n'ont aucun objet transitionnel. Ce qui est sûr, c'est que personne n'a mis en évidence de différences nettes sur le plan du développement général ou psychologique entre ces enfants et ceux qui traînent des années un vieil ours éventré.

Quel est le rôle, pour l'enfant, de l'objet transitionnel ?

Il est multiple, et toujours très important.

Pour le bébé qui commence à prendre conscience de l'éloignement de sa mère, le doudou vient la remplacer. Il est une mère qui rassure, mais aussi une mère qui permet d'exprimer des sentiments contradictoires, sans crainte de représailles. Une mère que lui, tout petit, peut dominer.

● Au sortir de la toute petite enfance, le doudou est l'objet qui permet de retrouver la sécurité que l'on éprouvait, bébé, en se blottissant dans des bras tendres. On grandit, bien sûr, on devient plus autonome, mais pas sans peur ni nostalgie…

● Plus proche de soi que tout autre objet, le doudou réconforte et console. Il aide à récupérer en cas de fatigue ou de chagrin. Emmené partout, il donne un sentiment de sécurité face aux situations nouvelles ou inquiétantes (une visite chez le médecin, par exemple).

● Enfin, serré contre soi le soir dans son lit, le doudou aide à lutter contre les angoisses nocturnes. Quand on se retrouve seul dans sa chambre ou que l'on se réveille à l'heure où les monstres rôdent autour des matelas, il est bon d'enfouir son visage dans une odeur amie.

La réorganisation familiale

Ce bébé, qui est maintenant un nouvel habitant dans votre maison, va en bouleverser toutes les habitudes. Les vôtres, bien sûr, puisque vous êtes en première ligne. C'est vous qui avez porté cet enfant et qui l'avez mis au monde. Du fait du congé de maternité accordé aux jeunes mamans, c'est encore vous qui allez vous occuper de votre bébé de façon privilégiée pendant les premiers mois. Tout ceci est une grande joie, mais aussi une forte astreinte. Pendant les premières semaines, vous avez l'impression que tout votre temps, toutes vos préoccupations et tous vos gestes sont fonction de votre bébé. Par moments vous êtes débordée ou épuisée. Tout ceci est normal. Dans un mois ou deux, vous aurez appris à vous organiser et votre bébé se sera installé dans un rythme régulier. Voyons ce qu'il en est pour les autres habitants du foyer.

Les rôles de chacun autour de bébé.

Trouver une baby-sitter ou un mode de garde.

Organiser la vie ensemble.

Un père pour l'enfant

Son rôle est énorme. L'homme apporte à l'enfant des sensations différentes de celle de la mère, dont l'enfant a tout à fait besoin. L'odeur, le contact, la voix, la façon de le porter sont différents et permettent à l'enfant une nouvelle ouverture sur le monde. Grâce à cela, l'enfant apprend peu à peu à différencier ses parents, et à se situer lui-même en tant que petite fille ou petit garçon. Chaque père devrait se donner pour plaisir de passer chaque jour un moment en tête-à-tête avec son bébé et de s'en occuper seul chaque semaine pendant un temps plus long, une demi-journée ou une journée. Père, mère et enfant ont tout à y gagner. Trop de pères ignorent encore à quel point leur petit enfant les aime, a besoin d'eux et combien il serait parfois plus important le soir de rentrer faire un câlin plutôt que de terminer un ultime dossier.

Pères, occupez-vous de votre bébé

Les pères, semble-t-il, s'occupent de plus en plus de leurs bébés et ils y trouvent beaucoup de plaisir. Le temps est loin où ils estimaient que les jeunes enfants étaient l'affaire des femmes.

Les différents rôles

Père, mère, frères et sœurs, grands-parents... A chacun son rôle, et sa place.

Pendant cette première année où les tâches de maternage sont prédominantes, le rôle de la mère auprès de son bébé est essentiel. C'est elle qui bénéficie du congé de maternité et ce temps lui permet de faire connaissance avec son bébé et de créer, ou plutôt de prolonger, une relation d'étroite intimité. Même si ni le père ni la mère n'avaient d'expérience des bébés avant la venue de celui-ci, la mère développe vite une connaissance et une habileté particulières.

Mais le père est présent d'emblée et sa place est tout aussi importante. Auprès de son bébé où il peut, à sa manière d'homme mais de façon tout aussi compétente que la mère, donner les biberons, les soins du corps ou les calins. Le bébé appréciera toujours ces sensations différentes que le père procure : odeur et gestes différents, façon autre de s'occuper de lui. Grâce à cela, le bébé apprend progressivement à se différencier de sa mère et à adopter une identité propre ; mais le père a aussi, au cours de cette première année, un rôle très important à jouer auprès de sa femme. Il peut, en la déchargeant d'un certain nombre de tâches et de soucis, l'aider à se consacrer aux besoins de son bébé. En lui signifiant qu'elle est encore et avant tout sa femme, il l'aide à ne pas se vivre comme exclusivement mère à 100%, mais à reprendre elle aussi son identité propre de femme et d'épouse.

Avoir des parents impliqués dans l'éducation quotidienne de l'enfant est pour lui un gage important d'équilibre, d'épanouissement et d'ouverture sur le monde.

Le papa

Qu'il se montre fou de joie, attentionné, émerveillé ou un peu perdu, lui aussi vit une grande transformation dans sa vie de tous les jours. Cette nouvelle responsabilité de père peut entraîner une certaine anxiété.

Ce bébé, votre conjoint vous aide à vous en occuper. Il participe activement aux tâches quotidiennes. Peut-être se sent-il comme ces «nouveaux pères» qui trouvent une grande joie à pouponner leur nouveau-né. Mais il a certainement besoin aussi que vous le rassuriez sur le fait que vous êtes toujours et avant tout sa compagne. Etre une jeune mère attentive et présente ne doit pas vous dispenser d'être aussi et toujours une jeune femme, celle qu'il aime et dont tout l'horizon ne se résume pas à la maternité.

L'enfant aîné

Devenir un grand frère ou une grande sœur est certes une joie et une promotion. Mais cela signifie aussi que l'on va devoir dorénavant partager le temps et l'amour de ses parents avec un intrus qui pleure, qui fait pipi dans sa couche et qui ne sait même pas jouer aux dominos...

Votre aîné a besoin de comprendre, comme votre conjoint, que vous êtes restée la même pour lui. Votre cœur a grandi et la place qu'il y occupe ne s'est pas réduite. Pour cela, prenez le temps, pendant que le bébé dort, d'être disponible pour votre aîné, de parler et de jouer avec lui. Rappelez-lui combien vous êtes fière qu'il soit grand, combien vous l'aimez et comptez avec lui. Enfin soyez compréhensive envers les mouvements de jalousie bien naturels qu'il risque d'exprimer.

Chacun doit trouver sa place

Si votre bébé naît dans une famille qui comporte déjà un ou plusieurs enfants, c'est à un comité d'accueil plus vaste qu'il sera confronté. Vous aurez bien sûr préparé cette naissance avec le ou les aînés, de façon à ce qu'ils ne se sentent pas délaissés ou déçus, mais enrichis par la venue de ce nouvel arrivant. Au cours de la grossesse, ils sont souvent enthousiastes et impatients de voir ce nouveau copain de jeu que vous leur préparez. Mais l'arrivée d'un nouveau-né braillard devant qui tout le monde s'émerveille remet parfois douloureusement les pendules à l'heure..

Au cours des premiers mois, chacun va devoir trouver sa place et s'assurer qu'il est aimé totalement malgré la concurrence. Chaque enfant a besoin de savoir qu'il est unique dans le cœur de ses parents. C'est ainsi que la rivalité cédera la place à la complicité. Quant au bébé, il va vite devenir un véritable fan de ses aînés. Il va guetter leur arrivée, rechercher leur compagnie et rire à leur moindre grimace.

Apprendre à partager

Cette première année n'est pas toujours idyllique. Des manifestations de rivalité ou d'agressivité peuvent apparaître. Elles

Un changement positif

Il n'y a pas si longtemps, beaucoup de pères se seraient sentis gênés de se promener en poussant un landau ou humiliés de changer une couche. Aujourd'hui, il est banal de croiser dans la rue un jeune père avec son bébé. L'évolution s'est faite essentiellement sous la pression des femmes. Les jeunes filles font des études et travaillent au même titre que les garçons. Le jour où elles ont un enfant, elles n'ont pas davantage d'expérience qu'eux, pas plus d'heures de baby-sitting ni de jeunes frères et sœurs. Mais elles vont se mobiliser totalement sur cette nouvelle tâche.

Prendre plaisir à être papa

Impressionné par ce si petit bébé, il se sent souvent maladroit. Parce que la mère acquiert très rapidement de nouvelles compétences au contact quotidien de son enfant, l'écart se creuse avec le père. C'est alors que le cercle vicieux se referme : le père, devenu de fait moins compétent que la mère et se sentant tenu à l'écart, va la laisser s'occuper de tout.

Pourtant, s'occuper très tôt de son bébé est le meilleur moyen de dépasser son appréhension et de créer une bonne relation avec lui.

L'importance des grands-parents

● **Plus expérimentés et plus disponibles, ils peuvent offrir un relais appréciable aux parents débordés et peuvent leur offrir la possibilité de retrouver, à deux, un peu de leur intimité.**

● **Les grands-parents témoignent que l'enfant n'est pas seulement le fils de l'un ou la fille de l'autre. Cela introduit l'enfant dans un monde symbolique où le temps reprend sa place.**

● **Les grands-parents sont les témoins d'un temps où leurs parents ne se connaissaient pas encore, où ils étaient des petits enfants faisant des tas de bêtises. Cela fait du bien à l'enfant de sentir que ces parents parfaits, si forts et puissants, ne l'ont pas toujours été. Ainsi lui, si petit, le sera un jour.**

● **N'étant pas responsables de l'éducation de leurs petits-enfants et disposant souvent de temps libre grâce à la retraite, les grands-parents ont plus de loisirs et de patience pour les confidences, les berceuses, les secrets, les compotes «maison» et les promenades au zoo.**

doivent être reçues comme des marques d'inquiétude et de difficultés à dépasser ensemble. La vie en commun, le partage, le respect de l'autre, cela s'apprend, souvent dans la frustration. Cette période sème les bases de l'apprentissage de la vie en commun et exige des parents un mélange de compréhension, d'amour et de vigilance.

Les grands-parents

Si, jusqu'ici, j'ai surtout fait allusion aux parents et aux frères et sœurs dans la vie de l'enfant, il est clair que son environnement familial ne se limite pas là. Dès la première année de sa vie, il est bon pour l'enfant de savoir qu'il existe, au-delà de son noyau familial, une famille plus large, sorte de tribu dont il fait d'emblée partie.

Une histoire de famille

Oncles, tantes, cousins, parrain et marraine, grands-parents, sont autant d'adultes ou d'enfants avec lesquels il va pouvoir nouer des liens d'affection sincère et confiante. La «tatie» de la crèche ou l'assistante maternelle sont payées par les parents pour s'occuper de l'enfant et il les quitte lorsqu'il rentre à l'école. Au contraire, les membres de la famille offrent un amour «gratuit» et durable. A cela, les enfants sont sensibles très tôt, bien avant qu'ils ne puissent réellement le comprendre.

L'environnement du bébé ne se limite pas à sa famille étroite, parents, frères et sœurs. Il s'enrichit grâce aux grands-parents, aux oncles et tantes, aux cousins.

Un rôle privilégié

Les grands-parents ont, dans cet ensemble, un rôle privilégié, qui n'est aucunement celui de se substituer aux parents.

- Ils offrent souvent un relais appréciable aux parents débordés, ou qui souhaitent retrouver un peu d'intimité. Expérimentés, ils savent prendre de la distance vis-à-vis des problèmes et sont souvent de bon conseil.

- Les grands-parents figurent les racines de l'enfant, son histoire. Ils sont témoin du passé, du temps «où les parents étaient des enfants». Grâce à eux, l'enfant se découvre à la croisée de deux lignées, de deux cultures, dont il est l'aboutissement. Il se découvre un passé familial qui a commencé bien avant sa naissance.

- Les grands-parents ne sont pas tenus aux mêmes impératifs éducatifs que les parents. S'ils peuvent se rendre disponibles pour les confidences, les promenades, les comptines et les gaufres, ce sera merveilleux pour leurs petits-enfants.

L'entente entre les générations demandent parfois des efforts et un respect mutuel, mais elle enrichit finalement chacun et participe à l'équilibre de l'enfant. Aussi, quelle que soit l'entente qui règne entre le gendre, la bru et les belles-mères, ne privez pas vos enfants de leurs grands-parents. Au contraire, faites tout ce que vous pouvez pour les laisser ensemble, en votre absence, sans vous en mêler. Les grands-parents apprendront de leur côté à respecter vos façons de faire et ainsi tout se passera bien.

L'animal domestique

Si un chien ou un chat avait déjà, avant la naissance, une place «d'enfant de la maison», lui aussi va devoir s'adapter au nouveau-né et risque de manifester des signes de jalousie.

Les animaux et les jeunes enfants s'entendent généralement très bien. Les enfants sont très attirés par les animaux, qui leur rendent bien cette affection. Avoir un animal à la maison est une grande chance pour le petit, surtout s'il est enfant unique. Il arrive que les choses ne soient pas aussi faciles, surtout si l'animal était au foyer avant la naissance du bébé. Quelques réactions de jalousie de l'animal peuvent être prévisibles. Quant au bébé, en grandissant, il ne sera pas toujours tendre pour l'animal qui pourrait ne pas apprécier d'être maltraité et le manifester brusquement.

Pour le chien, le mieux est que, durant le séjour à la maternité, le papa ramène régulièrement à la maison les pyjamas portés par le bébé et les fasse sentir par le chien.

Quant au chat, c'est son sens du confort qui est un peu dangereux : il risque d'aller se coucher aussi dans le berceau ! Durant les premiers mois, il est recommandé de ne jamais laisser un bébé seul dans une pièce en compagnie d'un animal, aussi gentil soit-il.

Quelques conseils si vous avez un animal domestique

● **Si vous avez un animal à la maison à la naissance de votre bébé, prêtez-lui beaucoup d'attention pendant les premiers jours. Laissez-le renifler longuement le bébé, ses vêtements, sa chambre. Ramenez un pyjama de la maternité pour lui faire reconnaître l'odeur du bébé avant même qu'il soit revenu à la maison.**

● **Ne laissez jamais le bébé et l'animal seuls dans la même pièce.**

● **N'autorisez pas le chat à se coucher dans le berceau ou le lit du bébé.**

● **Apprenez très tôt à votre enfant à reconnaître et accepter les moments où l'animal veut être tranquille, par exemple quand il mange ou quand il dort.**

● **Soyez très exigeant sur le respect dû à l'animal, la manière de le caresser, etc. N'acceptez en aucune façon que votre enfant lui fasse mal. Apprenez-lui ce que l'animal aime et encouragez-le à le faire.**

Les premiers vrais sourires

Ils diffèrent des sourires aux anges sur deux points essentiels :

● ils engagent la totalité du visage du bébé, non seulement sa bouche mais aussi ses yeux qui se plissent ;

● ils sont dirigés explicitement vers quelqu'un (bébé vous regarde droit dans les yeux) ou quelque chose (un visage d'ours ou de poupée, avec des yeux bien dessinés) et font partie d'un dialogue. Le bébé est sensible à la voix, au regard et aux caresses. Aussi aura-t-il tendance à sourire facilement dans les situations où il se sent bien.

Pour inciter votre bébé à sourire

● **Vous parlez à votre bébé d'une voix douce et calme, en l'appelant par son prénom, puis avec des petites phrases affectueuses toutes simples.**

● **Vous le bercez ou vous lui caressez la tête, les joues ou le ventre.**

● **Vous le regardez dans les yeux, en lui parlant, en tout cas en lui souriant. Le rôle de l'imitation est important : votre bébé sera souriant (entre autres) si vous lui souriez beaucoup. Même si l'on a montré que l'aptitude à sourire était innée, elle se développera mieux dans un environnement lui-même souriant.**

La vie quotidienne et sociale

Il est vrai que le bébé, dans les premiers temps, requiert une attention de tous les instants. Cette préoccupation maternelle est absolument normale. Mais rester isolée chez soi en tête-à-tête avec son bébé, en ne s'occupant que de lui, ne peut avoir qu'un temps. Vous existez aussi, et vous allez pouvoir progressivement recommencer à vous occuper de vous et de votre bien-être.

S'occuper de soi

Physiquement, où en êtes-vous ? N'est-ce pas le moment de :

● commencer les séances de kinésithérapie ;

● manger une alimentation équilibrée qui vous permettra de perdre en douceur les derniers kilos de la grossesse ;

● aller vous faire faire un nettoyage de peau ;

● prendre rendez-vous chez le coiffeur ;

● décider de vous reposer chaque fois que bébé dort ;

● faire une cure de vitamines... ?

Les tâches ménagères, pour ne pas occuper vos précieux instants de repos, doivent être organisées et simplifiées au maximum. Par exemple :

● Faites vos courses d'épicerie par Minitel et demandez à être livrée à domicile ; pensez congélateur et four à micro-ondes.

● Prévoyez des repas simples.

● Ne faites porter à la famille que les vêtements faits dans des textiles ne demandant pas ou très peu de repassage.

● Demandez à vos parents de vous offrir vingt heures de femme de ménage.

Les connaissances

Certaines mères souffrent de solitude et d'enfermement. C'est le moment de téléphoner aux copines. Privilégiez celle :

- dont les enfants sont grands et qui sera ravie de pouponner un peu votre bébé ;

- qui saura arriver avec une tarte aux poireaux, faire chauffer l'eau du thé et repartir lorsque vous serez fatiguée.

Si vous n'avez pas de copine à appeler :
- invitez votre voisine à boire un café ;
- osez aborder cette maman seule avec son bébé que vous avez vue au square plusieurs fois ;
- glissez votre bébé dans son sac kangourou et sortez faire du lèche vitrine.

D'autres mères souffrent d'être envahies par la famille qui s'impose, les copines sans gêne et les visites qui n'en finissent pas :
- apprenez à dire «non» gentiment ;
- achetez un répondeur téléphonique ;
- à la visiteuse qui bavarde, assise sur le canapé, proposez de faire votre repassage pendant que vous allaitez le bébé ;
- gardez du temps pour des tête-à-tête avec votre conjoint.

Se faire plaisir

On n'a encore rien trouvé de mieux pour le moral. Pour l'une, il s'agira de feuilleter un gros catalogue et de se commander un nouveau pull. Pour une autre, de mettre sur la chaîne ses disques de jazz favoris. Pour une troisième, de se repasser «Autant emporte le vent» sur le magnétoscope (même s'il faut le voir en plusieurs épisodes) ou de relire tous les vieux Astérix... A chacune de savoir, sans culpabilité, se faire du bien. L'ambiance n'en sera que meilleure et bébé plus heureux.

Communiquer avec bébé

Un nouveau-né que l'on se contenterait de nourrir et de soigner, sans échanger avec lui, aurait bien du mal à se développer de manière harmonieuse. Il lui manquerait deux choses essentielles à son développement : les câlins et le langage.

Les câlins

Le nouveau-né a besoin de se sentir au plus près, au plus chaud du corps de sa mère. Dans ce contact corporel intime, il puise un sentiment de protection et découvre progressivement les limites de son propre corps. Il va se construire, au fil des jours, en mettant en lui les expériences vécues par l'intermédiaire du corps maternel. Un contact chaleureux, paisible et tendre l'aidera à s'adapter au monde et à développer sa confiance en lui.

Choisir un pédiatre

Votre médecin généraliste est tout à fait compétent pour suivre l'évolution de votre bébé et le soigner lorsque ce sera nécessaire. Mais vous pouvez décider, si vous le souhaitez, de vous adresser d'emblée à un médecin spécialisé en pédiatrie. Dans ce cas, le problème du choix se pose. Faites votre enquête de voisinage. Voici, pour vous aider, les critères du «bon» pédiatre.

● **Il vous a été recommandé par des parents qui ont de bonnes raisons d'en être satisfaits.**

● **Il habite assez près de chez vous (vous pouvez être amené à le consulter en urgence).**

● **Il vous prend personnellement au téléphone, ne se montre pas désagréable si vous le dérangez «pour rien» et sait vous trouver une place dans son planning si nécessaire.**

● **Il peut éventuellement être joint les week-ends ou en début de soirée.**

● **Sa salle d'attente est accueillante, pleine de jouets pour faire patienter les enfants.**

● **Il crée d'emblée un bon contact avec l'enfant, lui parle et le traite avec respect et douceur. Dans son cabinet, il a des joujoux, un pot et des bonbons.**

● **Rassurant, il sait prendre son temps pour vous écouter et répondre clairement et simplement à toutes vos questions.**

LA RÉORGANISATION
FAMILIALE

Le droit de changer de pédiatre

Rappelez-vous que vous avez le droit de changer de pédiatre si vous n'en êtes pas satisfaits ou si, au bout de plusieurs vaccinations ou soins divers, votre bébé l'a «pris en grippe» et hurle systématiquement à son approche.

Comment se dire au revoir ?

● **Prévenez votre bébé que vous allez vous absenter et dites-lui au revoir. Même s'il ne comprend pas le sens exact des mots, votre voix le rassurera. Si possible, évitez de partir pendant qu'il dort. Sinon, dites-lui au revoir avant.**
● **Le petit bébé est plus sensible à l'anxiété de sa mère qu'au fait qu'elle le laisse quelques heures à une autre personne ; alors, une fois que la décision est prise et que tout est organisé au mieux, partez de bon cœur et amusez-vous.**
● **Si tout s'est bien passé, appelez la même baby-sitter la prochaine fois : elle s'habituera au bébé et lui à elle.**

La parole

Parler à son bébé, c'est l'introduire dans le monde des humains. On lui parle de tout ce qui le concerne : le biberon qui n'est pas encore chaud, papa qui rentrera bientôt, ce petit pyjama bleu qui lui va si bien... L'enfant comprend. Le sens précis des mots, peut-être pas, mais il comprend que vous vous adressez à lui avec amour et sollicitude. Ces premiers mots qui lui sont adressés sont aussi importants que les caresses. Ils l'aident à entrer lui aussi dans l'échange et le langage, et à bâtir sa personnalité à venir.

Votre bébé a beaucoup de façon de communiquer, par ses cris, ses mimiques, ses regards. Vous répondez par un geste, une phrase, un sourire. Ainsi il sait qu'il est aimé.

La baby-sitter, la première fois

Un jour vient où la mère a de nouveau envie de sortir de chez elle. Soit la journée, pour faire des courses ou aller chez le coiffeur, soit le soir, pour sortir avec son mari ou voir des amis. Après la «passion symbiotique» des premiers jours, où la mère et son bébé étaient collés l'un à l'autre, la mère éprouve la nécessité de recommencer à vivre une vie «normale». Elle ne doit pas culpabiliser de cela, car il en va de l'équilibre de son enfant comme du sien. Progressivement, tous deux vont devoir apprendre à s'éloigner l'un de l'autre et l'enfant va comprendre que sa mère ne lui appartient pas.

Lorsqu'il n'y a pas de famille ou d'ami proches de la maison qui puissent s'occuper du bébé, la solution consiste à faire appel à une baby-sitter.

Comment choisir la baby-sitter ?

Il est toujours préférable de confier votre enfant, surtout pour la première fois, à quelqu'un que vous connaissez déjà, ou que l'on vous a recommandé, et en qui vous avez toute confiance. Peut-être une jeune fille est-elle venue vous aider à la maison dans les semaines précédentes ? Dans ce cas, faites appel à elle : l'enfant et elle se connaissent déjà, ce qui est un bon point. Si vous ne connaissez pas encore la personne qui va venir en votre absence, demandez-lui de venir chez vous la veille, afin que vous voyiez comment elle se comporte avec votre bébé et puissiez faire connaissance.

Que vous choisissiez une fille ou un garçon, une personne jeune ou plus âgée, peu importe. L'essentiel n'est pas tant l'expérience des enfants que le cœur et le bon sens. Ce qui compte, c'est que vous trouviez une personne de confiance, que vous considérez comme sûre, qui aime les enfants et qui a des gestes tendres. C'est le caractère de la baby-sitter, bien plus que son habitude des enfants, qui vous permettra de partir ou non en toute quiétude.

Les parents qui travaillent

Dans un nombre croissant de familles, surtout s'il n'y a qu'un enfant, les parents sont deux à travailler. Ils ne peuvent s'empêcher de se poser des questions. Est-ce que je passe assez de temps avec mon enfant ? Est-ce que ma présence pendant sa toute petite enfance ne lui aura pas trop manqué ? Comment faire pour compenser tout ce temps que l'on passe séparés ? Sachez d'abord que l'intensité et la qualité du temps de présence comptent davantage que la quantité. Vous pouvez passer des heures à côté de votre enfant, s'il s'occupe seul et vous aussi, si vous ne créez aucun contact, il ne bénéficie pas de votre présence. Mais cette qualité est d'autant plus importante que la quantité est faible. C'est-à-dire que moins vous partagez de temps avec votre bébé, plus il faut que ce temps soit fait de moments intenses et riches. Ceci est bien sûr valable pour le père comme pour la mère.

Toute mère ou tout père qui travaille doit avoir à cœur de dégager un maximum de temps pour son enfant et de se rendre disponible pour lui quoi qu'il arrive. Les structures sociales et l'organisation des entreprises n'y sont pas toujours très favorables, c'est le moins que l'on puisse dire. A chacun, depuis sa place, de tenter de les faire évoluer et de faire ses choix. Un enfant ne reste pas petit longtemps. Il a besoin de la présence de ses parents. Profitez-en avant qu'il ne soit trop tard.

Même si vous travaillez tous les deux à temps plein, le temps qu'il vous reste à passer avec votre enfant est suffisant s'il est bien utilisé.

Les différents modes de garde

Si vous devez reprendre votre travail bientôt, il y a de grandes chances pour que vous sachiez déjà à qui vous allez confier votre bébé. Mais la recherche d'une solution satisfaisante est parfois si longue et si difficile, qu'il se peut que vous hésitiez encore.

LA RÉORGANISATION FAMILIALE

Comment doit-on s'organiser pour partir tranquille ?

Voici quelques conseils qui peuvent vous servir de points de repère.

● **Préparez à l'avance tout ce dont la baby-sitter aura besoin : biberon, lait, eau, couches, crème, etc. Vous lui éviterez ainsi d'avoir à ouvrir tous les placards pour trouver un pyjama propre.**

● **Demandez à la baby-sitter d'arriver un quart d'heure avant votre départ, afin d'avoir le temps de tout lui expliquer calmement et de partir sans précipitation.**

● **Mettez la baby-sitter à l'aise : si besoin est, présentez-lui le bébé et faites-lui visiter les pièces principales de la maison (salle de bains, chambre de bébé, cuisine, salon…). Indiquez-lui où sont rangés le linge de rechange, les couches ou le lait en poudre.**

● **Indiquez à la baby-sitter, au besoin par écrit si ce doit être précis, les habitudes de bébé : médicaments, soins, bain, biberon, etc.**

● **Mettez également par écrit le ou les numéros de téléphone où vous êtes joignable et les numéros utiles tels que médecin, voisins, urgence ou famille proche.**

● **Enfin, allez là où vous l'avez dit. Prévenez la baby-sitter si vous modifiez votre programme et rentrez à l'heure dite.**

Si vous faites tout cela, partez le cœur en paix !

Que faire pour que bébé ne souffre pas de la séparation ?

Comment l'y préparer dans les semaines qui restent ?

● Si vous allaitez encore, n'attendez pas les derniers jours pour le sevrer. Donnez-vous deux ou trois semaines, afin de remplacer très progressivement les tétées par des biberons, sans que cela soit lié à une séparation. Vous pouvez garder les tétées du matin et du soir.

● Dans le mois qui précède votre reprise professionnelle, essayez de faire garder votre bébé, tantôt une heure, tantôt un après-midi. Vous donnerez ainsi à votre bébé la confiance en votre retour.

● Si ce n'est pas encore fait, préoccupez-vous rapidement de savoir à qui vous allez confier votre bébé. La séparation ne se passera bien pour lui que s'il vous sent profondément en accord avec la personne qui le garde et sûre de vos choix.

● Enfin, prévoyez du temps pour une adaptation progressive.

La collectivité

La crèche collective peut être municipale, départementale ou privée. Elle accueille les enfants selon des horaires stricts et le prix à payer est fonction de vos revenus. Elle favorise l'éveil, la sociabilité et… la propagation des microbes. Le nombre de places étant très inférieur au nombre de demandes, il est bon de s'inscrire avant même d'accoucher et de «soutenir» son dossier par tous les moyens possibles.

● La crèche familiale est à mi-chemin entre les deux précédentes : il s'agit d'un regroupement d'assistantes maternelles, disposant d'un certain suivi et d'une formation, sous l'autorité d'une puéricultrice. Les tarifs sont ceux de la crèche collective.

● La halte-garderie n'est pas conçue pour les mères qui travaillent, mais pour dépanner de temps à autre les mères au foyer. Les horaires sont variables (certaines crèches prennent les enfants une journée entière) et les places sont souvent très demandées.

L'assistante maternelle

L'assistante maternelle (anciennement appelée nourrice) est une mère de famille qui accueille votre bébé chez elle, ainsi que deux ou trois autres enfants. Si elle est agréée, elle est suivie par une assistante sociale et les services de la PMI. Les horaires et les tarifs sont à décider conjointement. La mairie pourra vous fournir une liste d'adresses d'assistantes maternelles habitant près de chez vous.

Le système D

Les autres solutions vont de la crèche parentale à la jeune fille à domicile que l'on partage avec la voisine, en passant par la concierge-nourrice-au-noir et la grand-mère complaisante. Cette dernière solution est évidemment agréable pour l'enfant comme pour sa mère, mais c'est un luxe de plus en plus rare. Les familles sont souvent éloignées et les grands-mères pas toujours disponibles…

L'entrée à la crèche (ou chez une nourrice)

Cette fois, votre congé de maternité est vraiment terminé. Vous allez faire votre rentrée professionnelle et votre bébé, sa rentrée à la crèche ou chez l'assistante maternelle.

Cette séparation risque, sans quelques précautions, d'être mal vécue de part et d'autre. Un bébé de cet âge est très sensible à la séparation d'avec sa mère et ses besoins affectifs sont importants. Il ne possède ni les moyens de comprendre la situation ni ceux d'exprimer sa détresse.

Pour l'aider, vous devez faire face à deux exigences.

● La première, c'est de fonctionner en douceur. Le temps de l'adaptation est fondamental pour que le bébé s'habitue. Peu à peu, il apprendra à s'y retrouver dans ses deux cadres de vie et parmi les différentes personnes qui prennent soin de lui. Mais l'adaptation n'est pas une simple immersion progressive dans un milieu.

C'est un temps où vous, sa mère, allez accompagner votre bébé dans son nouveau lieu, y être avec lui, vous tenir dans toutes les pièces où il se tiendra bientôt seul. Ce lieu sera pour lui «investi» de votre présence et votre bébé se souviendra de vous lorsqu'il s'y retrouvera seul. L'adaptation est aussi le moment de faire bien connaissance avec l'auxiliaire ou l'assistante qui s'occupera de votre bébé.

● La seconde, c'est de préserver la sécurité intérieure de votre bébé. Pour cela, il est bon qu'il n'y ait ni rupture ni conflit entre la crèche et la maison. Une phase de transition de quelques minutes, matin et soir, destinée à échanger au sujet de votre bébé, de sa nuit, de sa journée, de son rythme est nécessaire.

N'oubliez pas que les craintes d'un enfant font souvent écho à l'anxiété et à la culpabilité de sa mère. Si vous êtes sûre de votre choix, votre enfant l'acceptera paisiblement. Mais si vous êtes malheureuse, culpabilisée ou mécontente du mode de garde choisi, l'enfant va le ressentir. Il va se dire que, si vous êtes inquiète, c'est certainement que vous avez des raisons de l'être et qu'il y a un danger pour lui. Alors il va refuser. Inutile de tricher, cependant, de faire semblant d'être bien. Souvenez-vous que votre enfant est en contact direct avec la réalité de vos émotions. Mieux vaut, dans ce cas, lui parler simplement : «Tu sens que je suis triste de te laisser toute la journée, mais peu à peu, nous nous habituerons l'un et l'autre. Je suis sûre que tu seras bien ici et nous serons très heureux de nous retrouver ce soir.»

Etre disponible pour son enfant

Le risque provient du fait que les parents rentrent souvent épuisés de leur travail et qu'ils ont bien du mal à trouver la patience et la disponibilité nécessaires. Leur énervement reten-

Choisir un mode de garde

En théorie, vous avez le choix entre plusieurs possibilités. Dans la pratique, le choix est malheureusement beaucoup plus restreint. Pour toute mère qui travaille, cette question de la garde est une question-clé. Elle sait qu'elle ne pourra travailler le cœur en paix que si son bébé est dans un bon environnement et semble heureux. Le mieux est de s'y prendre assez tôt pour choisir d'abord en fonction de son goût et pour prévoir une solution de rechange en cas de refus. Une fois le mode de garde choisi, sachez vous y tenir afin d'offrir au bébé la possibilité de s'habituer à ce nouveau «chez lui».

A la crèche ou chez l'assistante maternelle

● Installez dans le lit de votre enfant deux ou trois jouets qui viennent de la maison, pour créer un lien.

● Glissez près de son oreiller un petit foulard de soie que vous aurez gardé au cou plusieurs jours. Imprégné de votre odeur, il rappellera votre présence à votre bébé et le rassurera.

Se retrouver le soir

● **Jusqu'à ce que votre enfant soit couché, laissez de côté tout ce qui n'est pas indispensable ou qui ne le concerne pas : ménage, courses, courrier, repas des parents, télévision, etc. Dites-vous bien que passer le balai est moins important que de monter une tour avec ses cubes.**

● **Servez-vous utilement du temps passé ensemble. Le bain, le repas, le change, la mise au lit peuvent être autant de moments de communication, d'échanges et d'éveil.**

tit sur leur enfant. Pour attirer leur attention, celui-ci, vers 18 mois ou 2 ans, va multiplier les bêtises, car s'il reste sage, on ne s'occupe pas de lui. Au lieu que les retrouvailles soient un moment de joie, elles tournent à l'affrontement. Les parents se disent qu'ils ne vont pas utiliser le peu d'heures qu'ils partagent avec leur enfant à faire de la discipline. Ainsi la situation risque d'empirer et les fins de journées de devenir difficiles.

Pour éviter cela, il faut absolument que les parents trouvent le moyen de se détendre avant de retrouver leur enfant : celui-ci n'est pas responsable de la pression professionnelle et n'a pas à en subir les conséquences. C'est aux parents d'établir, lorsqu'ils sont avec lui, une bonne qualité de communication. Ainsi l'enfant n'aura pas besoin de se servir de troubles divers (arrêter de manger, se réveiller la nuit, etc.) pour établir un dialogue et réclamer son dû de tendresse et d'amour.

L'alimentation du bébé

Que votre bébé soit nourri au sein ou au biberon, le lait qu'il reçoit suffit à ses besoins pendant environ trois ou quatre mois. Il n'y a, sauf cas particulier, aucune nécessité de diversifier son alimentation plus tôt. De même, le rythme de cette diversification dépend de la réaction de chaque bébé face à la nouveauté et à l'introduction progressive de nouveaux aliments.

Jusqu'à la fin de la première année, le lait reste un élément de base de son alimentation, progressivement remplacé par des équivalents lactés (fromage, yaourt, etc.).

Cette période de transition sera d'autant mieux vécue que l'on aura pratiqué en douceur, en tenant compte des goûts du bébé, et sans inquiétude excessive. N'oubliez jamais que l'élément essentiel du repas tient dans le plaisir de la rencontre et d'un moment de bonheur et de satisfaction partagé.

Du sevrage à l'alimentation solide : quoi manger, comment manger, les goûts et les dégoûts du bébé.

Quelques conseils

● **Dès la naissance, habituez votre bébé à boire au biberon. Donnez-lui de temps à autre de l'eau ainsi que du jus d'orange au biberon.**
● **Familiarisez-le aussi avec le goût du lait artificiel. Pourquoi pas lors du biberon de nuit, que le papa peut ainsi donner pendant que la maman en profite pour faire une grande nuit ?**
● **Donnez-vous environ deux semaines pour remplacer la totalité des tétées par des biberons. Commencez par le repas de la nuit, puis par le goûter, etc.**
● **Si votre bébé a plus de trois mois lorsque vous reprenez votre travail, vous pouvez coupler le sevrage avec les débuts de la diversification et donner alors le goûter à la petite cuiller.**

Le sevrage

Si vous devez reprendre votre travail bientôt et déposer pour la journée entière votre bébé à la crèche ou chez une assistante maternelle, vous vous dites peut-être qu'il est temps de mettre fin à l'allaitement.

Si vous êtes dans le cas de ces mamans qui allaitent leur bébé et qui doivent le sevrer pour reprendre leur travail en fin de congé de maternité, sachez qu'il est préférable de ne pas attendre le dernier jour pour amorcer la transition vers le biberon. Votre bébé risque, les premiers temps, de ne pas apprécier le changement. Aussi devrez-vous vous y prendre en douceur et progressivement. Certains bébés apprécieront très vite ces biberons d'où le lait coule si facilement. Pour d'autres, il faudra prendre des précautions. Ne plus allaiter son bébé peut être vécu comme une séparation douloureuse par les deux protagonistes...

Vous avez raison de vous y prendre à l'avance, car un sevrage progressif est toujours préférable, pour vous comme pour l'enfant, à une brusque rupture. Mais sachez que nombreuses sont les mères qui continuent, même après avoir repris leur travail, à allaiter leur bébé deux fois par jour, le matin et le soir, alors même qu'il mange comme les autres bébés à la crèche.

En revanche, il se peut que, la fatigue aidant, vous n'ayez plus assez de lait pour satisfaire l'appétit grandissant de votre bébé. Si vous compensez les tétées par des biberons de complément, il y a de fortes chances pour que votre production de lait diminue encore. D'une part parce que les montées de lait diminuent en même temps que les exigences du bébé. D'autre part parce que celui-ci, une fois qu'il aura pris goût à la facilité du biberon, ne «tirera» plus assez de lait pour assurer la production. Progressivement, sur une semaine, votre bébé n'aura plus que des biberons et s'en trouvera très bien. Ne vous culpabilisez pas, au cas où votre rêve aurait été d'allaiter encore plusieurs mois : vous lui avez donné le meilleur départ possible. Son père et vous pourrez maintenant alterner les biberons donnés avec tout autant d'amour.

Une autre alimentation

La première bouillie, les légumes, la viande, le poisson et les œufs, les fruits, les boissons...

Commencer à diversifier

Pendant trois mois, votre bébé n'a besoin que de lait. Mais son estomac ne peut en contenir qu'une certaine quantité à chaque repas. Vient un moment où le bébé, bien qu'ayant bu tout son biberon, a encore faim, ou bien n'a pas absorbé assez de calories pour tenir jusqu'au repas suivant. Vous le sentirez si votre bébé semble insatisfait après les repas. Ou bien si, alors qu'il était réglé sur quatre repas, il se met à réclamer bien avant l'heure du repas suivant. D'autres encore réclament à nouveau un biberon la nuit alors qu'ils avaient appris à s'en passer.

Cela arrive, selon les bébés, entre deux mois et demi et quatre mois. Trois ou quatre mois, c'est aussi le moment où ils commencent à avoir moins besoin de téter. C'est le moment de diversifier l'alimentation et d'introduire la petite cuiller. Mais sans diminuer pour autant les rations de lait : les besoins en lait du bébé restent importants. On compte :
- à quatre mois, environ 210 ml, quatre fois par jour ;
- à six mois, environ 240 ml, trois fois par jour.

Quels aliments donner ?

Tous les bébés étant différents, vous allez devoir adapter le moment de la diversification et la façon de procéder aux goûts du vôtre. Il saura clairement vous faire comprendre ce qu'il aime et ce dont il ne veut à aucun prix. L'essentiel, dans les repas, est toujours le plaisir de partager un moment privilégié.

Les bébés étant plus spontanément attirés par les goûts sucrés, vous pouvez commencer la diversification par une petite quantité de purée de fruits (pomme, banane, poire, abricot, pêche) donnée au goûter, à la petite cuiller ou dans le biberon. Vu la quantité dont vous aurez besoin au début (une ou deux cuillerées à café), le mieux est de vous servir des petits pots de compote aux fruits vendus dans le commerce.

Attention !

Les bouillies, très en vogue autrefois, sont un peu passées de mode. Grâce à cela, on voit moins de bébés bouffis. Les calories apportées par les farines sont en grande partie stockées sous forme de graisse : en donner trop peut faire grossir un bébé de façon exagérée. Il faut savoir résister à la variété des produits proposés et à la facilité d'emploi. Donnée en quantité raisonnable (celle du pédiatre plutôt que celle marquée sur la boîte), la bouillie peut rendre de grands services et contribuer à l'équilibre nutritif de votre enfant.

La farine que vous choisirez doit être :

● **«1ᵉʳ âge» : destinée aux enfants de trois à six mois ;**
● **«sans gluten» (cela est spécifié sur l'emballage) car celui-ci n'est pas toléré par le bébé de cet âge ;**
● **«instantanée», car plus facilement assimilable ;**
● **simple, comme une farine composée d'une association de plusieurs céréales, ou une farine diastasée ;**
● **ni sucrée, ni salée.**
Laissez de côté pour l'instant les farines aux légumes, aux fruits ou au cacao qui ne correspondent pas à l'enfant très jeune. Quand votre bébé aura huit ou neuf mois, vous pourrez lui donner la farine de votre choix et varier ses plaisirs.

La préparation de la bouillie

Si les farines «à cuire» demandent une petite préparation, les farines instantanées, comme leur nom l'indique, sont prêtes à l'emploi et se dissolvent rapidement, en agitant, dans le biberon de lait chaud ou tiède. Le lait à utiliser est le même que celui que vous donnez habituellement à l'enfant, dilué dans les mêmes proportions.

Les farines dites «lactées» se préparent à l'eau. Ajoutées à du lait, elles formeraient une préparation trop concentrée pour le bébé. Ne les utilisez que sur le conseil de votre médecin. Enfin, n'ajoutez ni sucre, ni sel, ni miel à la bouillie de votre bébé. Même si vous la trouvez décidément très fade !

Quelle quantité de bouillie donner ?

Une cuillerée à café dans le biberon du soir est la quantité généralement admise et suffisante pour commencer et aider votre bébé à passer une nuit plus longue. Elle devrait «caler» votre bébé davantage que le lait et lui permettre de passer une nuit plus longue. Selon l'âge de votre bébé, vous augmenterez les quantités, au petit déjeuner par exemple. Certains bébés peuvent avoir une quantité plus importante de farine, mais cela est à décider en accord avec votre pédiatre.

Rapidement, vous introduirez également la purée de légumes. Très bien mixée, elle peut être ajoutée au lait du biberon. Le bébé s'habitue ainsi progressivement à son goût. Toutefois, pour procéder en douceur, vous pouvez, pendant une semaine, faire son biberon de lait du midi avec du bouillon de légumes plutôt qu'avec de l'eau. Il aura ainsi déjà le goût des légumes sans avoir encore le changement de consistance.

Si vous donnez à votre bébé un seul nouvel aliment à la fois, vous pouvez plus facilement apprécier sa réaction et lui laisser quelques jours avant de passer à un autre.

Evitez dans tous les cas de forcer votre bébé à manger ce qu'il ne veut pas. Il lui arrive de ne pas avoir faim ou de ne pas aimer. Transformer alors le repas en rapport de force serait sans aucun bénéfice, voire dangereux, pour la suite de son éducation alimentaire.

La première bouillie

La règle diététique actuelle (elle a varié) veut que l'on attende environ trois mois avant de diversifier l'alimentation d'un bébé et, notamment, d'ajouter de la farine dans son biberon.

En effet, jusqu'à cet âge, le lait, qu'il soit maternel ou maternisé, suffit à couvrir les besoins du bébé. S'il semble que le bébé n'a pas une quantité suffisante de lait, il est toujours possible d'augmenter légèrement la quantité proposée.

Pourtant autour de trois mois, parfois une ou deux semaines avant, certains bébés se réveillent de faim la nuit ou se mettent à réclamer un biberon supplémentaire. D'autres ont tendance à régurgiter et tirent bénéfice d'un lait un peu épaissi. Enfin, la bouillie est une bonne transition entre un régime lacté strict et la diversification alimentaire. Elle apporte au bébé des calories supplémentaires et des éléments nutritifs que l'on ne trouve pas dans le lait.

Les légumes

Grâce à leur grande variété et leur intérêt diététique (sels minéraux, vitamines, cellulose, etc.), les légumes sont à la base de la diversification alimentaire. Leur qualité nutritionnelle dépend surtout de leur fraîcheur.

A quatre mois, on commence par les légumes verts comme les haricots, les courgettes, les poireaux. On leur ajoute un peu de carottes, pour leur goût sucré, et une pomme de terre, pour l'onctuosité. Vers six mois, on peut introduire les épinards, les aubergines et les artichauts.

Vers huit mois, il est intéressant de ne plus mélanger les légumes en purée, mais de faire goûter au bébé des saveurs séparées : purée de carotte et de brocolis sont côte à côte. Dans les soupes, on peut ajouter semoule, vermicelle et petites pâtes.

Quand introduire la soupe de légumes ?

Le bébé risquant d'être surpris par cette nouvelle saveur, il convient de l'introduire progressivement. Le mieux consiste à n'utiliser, les premiers jours, que le bouillon de cuisson des légumes.

Remplissez le biberon à la hauteur normale, mais en remplaçant l'eau par le bouillon de légumes. Ajoutez le nombre de mesures de lait habituel. Donnez-le ainsi à votre bébé.

Pendant quelques jours, n'ajoutez pas de légumes écrasés dans le biberon. Ainsi le bébé s'habituera à un nouveau goût avant de s'habituer à une nouvelle consistance.

Quand vous ajouterez de la purée de légumes au biberon, veillez à y mettre, dans un premier temps, une ou deux mesures de lait en poudre. L'enfant aimera en retrouver le goût.

La préparation des légumes

Utilisez les légumes du marché les plus frais possible. Épluchez-les et coupez-les en petits morceaux. Faites-les cuire dans de l'eau du robinet (elle va bouillir longuement) : vingt minutes en autocuiseur sous pression, une heure environ en casserole (cuisson normale).

Ne salez pas l'eau de cuisson. Le mieux est de cuire une petite quantité de fruits ou de légumes dans un peu d'eau, ou bien à la vapeur, puis, lorsqu'ils sont moelleux, de les réduire en purée ou de les mixer.

Un jeune bébé préfère généralement les purées très lisses. Mais l'habituer rapidement à la consistance grumeleuse peut être un atout pour la suite.

Quelles quantités donner ? Là encore, c'est votre enfant qui vous guidera. Les premières étapes doivent être franchies en douceur : 10 à 20 g de purée finement mixée mélangée au biberon suffisent. Puis on augmente, si bébé est d'accord, de 20 à 30 g par semaine. Progressivement la purée devient plus épaisse et se donne à la cuiller. Salez très peu.

Que faire si l'enfant refuse le biberon de soupe ?

Si l'enfant refuse le biberon de lait fait au bouillon de légumes, revenez au biberon de lait pur. Vous ferez une nouvelle tentative dans une semaine.

Si le bébé refuse l'introduction de légumes mixés dans le biberon :

● **En avez-vous mis suffisamment peu pour commencer (une ou deux cuillerées à café) ?**

● **N'avez-vous pas mis de légumes au goût trop fort dans la soupe (poireau ou oignon par exemple) ?**

● **Avez-vous suffisamment agrandi la tétine du biberon pour que la soupe coule sans trop d'efforts de la part du bébé ?**

● **Si bébé refuse le biberon de soupe, attendez quelques jours avant de lui en proposer de nouveau. La diversification alimentaire doit se faire avec beaucoup de douceur. Entretemps, continuez à faire le biberon au bouillon de légumes.**

Les avantages du biberon de soupe

● Il apporte les vitamines, les sels minéraux et la cellulose dont le bébé a besoin sur le plan nutritionnel ;

● il permet d'augmenter la quantité de nourriture donnée au bébé sans excès de sucre ou de farine, donc sans trop augmenter sa ration calorique.

Autre qualité de la soupe de légumes : elle régularise le transit intestinal et agit sur les légers troubles digestifs : Bébé est constipé ? Forcez sur les légumes verts.
Bébé a la diarrhée ? Misez sur les carottes.

Petits pots ou produits frais

Il ne servirait à rien d'opposer les deux. Les petits pots sont soumis à des contrôles de qualité très stricts. Ils représentent un gain important de temps et d'énergie et permettent de varier facilement les menus du bébé. Ils ont pour inconvénients de ne pas restituer le même goût ni les mêmes textures que les préparations «maison» et d'être souvent plus riches en sucre et en graisse.

En conclusion, ils sont une solution de remplacement tout à fait convenable aux repas faits maison, mais il n'est pas souhaitable qu'ils représentent l'alimentation exclusive du bébé.

Quels légumes choisir ?

Commencez par les légumes les plus classiques : pommes de terre, carottes, poireaux (en petite quantité : certains enfants n'en aiment pas trop le goût). Lorsque bébé sera habitué (un mois ou deux plus tard), vous pourrez, selon la saison et vos réserves, ajouter haricots verts, courgettes, salade, bettes, persil, épinards, tomates, fonds d'artichaut.

Attendez encore un mois ou deux de plus (vers cinq mois) avant d'introduire les autres légumes : navet, chou-fleur, céleri ou aubergine.

Il sera bientôt temps de varier le goût de la soupe et d'initier l'enfant à de nouvelles saveurs. La plupart des bébés aiment beaucoup les biberons de soupe de légumes. Profitez-en pour donner au vôtre le goût des légumes verts que tant d'enfants refusent plus tard pour n'y avoir pas été habitués.

A quelle heure donner le biberon de soupe ?

A midi ou le soir, comme cela vous arrange. Il est déconseillé de donner à un petit bébé une soupe ou un bouillon cuits depuis plus de vingt-quatre heures. Vous pouvez, en revanche, cuire de la soupe pour plusieurs jours et la congeler, sous forme de purée épaisse, en petites quantités. Au repas, vous décongèlerez juste la quantité de soupe dont vous avez besoin. Dans quoi congeler de la soupe en si petites quantités ? Pensez aux emballages, parfaitement lavés, de petits-suisses ou de flan. Pensez aussi aux bacs à glaçons et aux gobelets en plastique.

Les petits pots de purée

Que penser des petits pots de purée de légumes tout prêts ou des différentes préparations de soupe commercialisées ? Du bien : les fabricants de produits pour bébé sont astreints à des contrôles de qualité très stricts. Ces préparations, de goûts très variés, peuvent agréablement vous dépanner les jours où vous n'avez pas eu le temps de cuire les légumes de bébé. Bientôt, vous pourrez utiliser également, pour les soupes de légumes de votre bébé, les purées de légumes surgelées présentées sous forme de galets. Elles existent dans de nombreuses variétés et sont aussi bonnes que pratiques à utiliser.

Les surgelés

Dans les premiers temps, votre bébé ne mangera que peu de soupe ou de purée de légumes à la fois. Vous pouvez donc parfaitement faire de la soupe pour plusieurs jours et la conserver au congélateur. De même pour les compotes de fruits.

Vous pouvez également acheter des surgelés pour les donner à votre bébé. Les galets de purée de légumes, notamment, sont très pratiques, puisqu'ils permettent de n'utiliser que la quantité souhaitée. Vous avez ainsi à disposition une grande variété de légumes, cueillis au moment de leur maturité.

La seule précaution à prendre est celle de n'avoir jamais rompu la chaîne du froid. Achetez dans un magasin à débit de surgelés important, transportez les produits dans un sac isotherme et ne recongelez jamais un produit qui a été décongelé.

La viande, le poisson et les œufs

Vers six mois, lorsque votre bébé prendra bien sa purée de légumes à la cuiller, vous pourrez commencer à introduire dans son alimentation la viande et le poisson. Commencez par une cuillerée à café de jambon ou de poisson maigre haché. Vous pourrez varier le repas avec un demi-jaune d'œuf, puis un entier. Pour donner l'œuf entier, vous attendrez que l'enfant ait dix mois environ. Dans tous les cas, l'essentiel est la fraîcheur des aliments que vous allez donner à votre bébé.

Vous augmenterez les quantités progressivement, selon son appétit et ses réactions.

Donner de la viande ou du poisson au déjeuner est suffisant pour la journée. Le soir, le bébé retrouvera une soupe de légumes, donnée à la cuiller ou au biberon selon l'âge et le goût du bébé.

Les fruits

Vers six mois, les compotes peuvent laisser une place aux fruits frais. Bien mûrs, pelés et écrasés à la fourchette (ou râpés ou mixés grossièrement selon les fruits), ils seront un délice pour les enfants et une source importante de vitamines.

Vers huit ou neuf mois, l'enfant peut goûter tous les fruits et profiter de ceux de la saison : framboises, cerises dénoyautées, grains de raisin (au début, vous ôterez peau et pépins), prunes, mangues, quartiers de mandarine ou d'orange pelés, etc.

Les boissons

Dès la naissance, l'eau est indispensable au bébé. Il arrive, par forte chaleur, que l'apport d'eau dans le lait ne suffise pas au nouveau-né. Ou bien qu'il souffre de diarrhée ou de vomissements. Dans ce cas, il faut lui en proposer au biberon dans la

Les autres boissons

● **Les tisanes, aux herbes et aux fruits, sont désaltérantes, calmantes, digestives et souvent très appréciées des bébés. De préférence, vous les donnerez sans sucre.**

● **Les jus de fruits, frais maison ou «pur jus», sont un bon apport en vitamine C, mais ne doivent pas être donnés en trop grande quantité, car très nourrissants.**

● **Les sirops, sodas ou boissons aux fruits sont à éviter. Ils contiennent une grande quantité de sucre et n'ont aucun intérêt diététique. Ils habituent l'enfant à boire sucré et le détournent souvent de l'eau pure et fraîche, qui doit rester sa seule boisson de base.**

Idées sympa pour les plus grands

● **Pour fabriquer des boissons amusantes meilleures pour la santé que les sodas, procédez ainsi. Mélangez dans une même bouteille ou dans une même verre du nectar de fruits (ananas, abricots, fruits exotiques...) et de l'eau pétillante non salée, à part égale.**

● **Faites vous-même des petites glaces : dans des bacs à glaçons, versez du chocolat au lait ou du jus de fruits (dans ce cas, déposez au milieu une petite fraise ou une tranche de mandarine). Quand cela commencera à geler, plantez au milieu une pique à apéritif.**

Quelle eau lui donner ?

L'eau que vous utilisez pour les biberons convient bien : pure et peu minéralisée. Votre médecin vous dira quand vous pourrez commencer à donner à votre bébé de l'eau du robinet. C'est le plus souvent vers cinq mois, mais cela dépend de la qualité de l'eau, donc de votre région. Mais c'est tellement plus pratique ! A partir de ce jour, vous pourrez aussi laisser votre bébé, l'été, s'amuser avec quelques glaçons (nature ou parfumés).

Après le régime anti-diahrrée

La réintroduction du lait et des laitages doit se faire de façon progressive, sur plusieurs jours, par exemple en ajoutant une, puis plusieurs mesures de lait en poudre dans une purée de carottes légère.

journée. Mais il est de toutes façons important, dès l'âge de quatre mois, d'habituer le bébé à boire autre chose que du lait, et tout particulièrement un peu d'eau chaque jour.

Le régime anti-diarrhée

La diarrhée est une affection fréquente chez les bébés. Banale, elle peut être due à un refroidissement, à une mauvaise digestion ou à une poussée dentaire. Plus sérieuse, elle peut être le signe d'une gastro-entérite, par exemple.

Si la diarrhée est liquide, durable et qu'elle s'accompagne de fièvre ou de vomissements, si le bébé semble apathique et perd du poids, il vous faut consulter rapidement votre médecin. Il vous donnera un traitement spécifique et vous recommandera de mettre immédiatement votre bébé au régime anti-diarrhée. Aussi, dès que vous constatez que les selles de votre bébé deviennent liquides (ou même très molles), vous pouvez mettre en place sans tarder ces mesures alimentaires.

Modifier son alimentation

Supprimez immédiatement de l'alimentation de votre bébé :
● le lait ;
● les laitages : yaourts, petits-suisses, flans, fromages blancs ;
● les fruits et les légumes crus, les jus de fruits.
Remplacez par :
● de la soupe de carottes. La soupe de carottes se fait tout simplement en cuisinant des carottes pelées et lavées dans de l'eau. Puis mixez les carottes et délayez la purée ainsi obtenue avec de l'eau minérale. Cette préparation peut tout à fait être remplacée par un biberon composé à l'aide d'un petit pot de purée de carottes et d'eau minérale. Ce biberon peut être légèrement sucré si votre bébé le préfère ainsi.
● de la farine de riz ou de l'eau de cuisson de riz (non prétraité ou précuit).
● une banane pochée et mixée ou de la compote de pomme et coing (il existe des petits pots en vente dans le commerce). La banane, quant à elle, doit être bien mûre et pochée, c'est-à-dire plongée avec sa peau pendant quelques minutes dans de l'eau bouillante. Puis ouvrez la peau, mixez la pulpe et délayez-la avec de l'eau minérale.

Au quotidien

L'essentiel est que le repas se déroule dans une ambiance détendue et ne se transforme jamais en un rapport de forces. On ne peut en aucun cas obliger un bébé à manger. Tant pis s'il ne finit pas son biberon ou s'il se trémousse sur sa chaise haute pour quitter la table. Quand il aura faim, il mangera.

L'appétit se stabilisera d'autant mieux que venir à table sera un plaisir. C'est lorsque l'enfant commence à associer repas et contrainte, ou soupe et anxiété maternelle, que les difficultés alimentaires risquent de s'installer.

Pour le nourrisson, manger est une source de sensations de plénitude très agréables. Elle est aussi un échange tendre. Mais si on oblige le bébé à absorber la quantité que l'on a jugée correcte pour lui, il perd le contact avec ses propres besoins intérieurs, puis éventuellement tout plaisir à s'alimenter.

Le jeune enfant a d'abord besoin d'amour et les aliments seront bien assimilés si le repas est un moment privilégié de complicité. Alors ne soyez surtout pas inquiète ou rigide : l'équilibre alimentaire de votre enfant découlera de son équilibre psychologique et de sa joie de vivre.

Si votre enfant est particulièrement éveillé et actif, il se peut que ses repas commencent à devenir difficiles. Curieux de tout, il devient vite capable d'attraper ce qui passe à sa portée, ou de jeter ce qui pourrait produire un résultat intéressant.

Petits et gros mangeurs

Certains bébés, dès la naissance, ont un petit appétit. Ils boudent souvent les fins de biberons, ou se détournent des purées amoureusement préparées. Les mamans s'inquiètent et ne savent comment réagir. Le bébé a-t-il eu assez ? Est-il malade ? D'autres bébés ne sont jamais satisfaits par la quantité qui leur est donnée. Ils ont toujours faim avant l'heure et se jettent sur leur repas avec voracité. Jusqu'où faut-il augmenter les quantités ?

Etre flexible

Toute mère a vite fait de s'inquiéter des particularités alimentaires de son bébé et se demande chaque jour s'il a pris assez. La réponse est oui. Vous pouvez faire confiance à votre bébé : il

Que faire si l'enfant ne veut pas manger ?

Rien. Un jeune enfant peut avoir bien des raisons pour ne pas manger : il manque d'appétit, il couve un rhume, il n'aime pas ce nouveau légume, etc. Si vous retirez simplement son assiette au bout d'un temps raisonnable (dix à quinze minutes) pour passer au dessert, il y a de fortes chances pour qu'il se rattrape au repas suivant. Il n'y a pas lieu de s'inquiéter. En revanche, si vous montrez votre anxiété et si vous transformez le repas en rapport de forces, vous prenez le risque de figer le comportement de l'enfant. Chaque repas sera désormais un temps d'opposition entre votre volonté et celle de votre enfant. Plus vous forcerez votre enfant, plus il s'entêtera dans son refus. Ce qui ne l'empêchera pas de manger tout à fait normalement avec son père ou avec sa nourrice. Le repas est le lieu habituel où se jouent les conflits.

Votre bébé est capable de tenir seul son biberon. Pouvez-vous le laisser boire seul ?

Attention. Sauf s'il peut continuer à boire son biberon dans des bras accueillants, le bébé estimerait vite que l'autonomie est une voie peu attirante. De plus, une «fausse route» est vite arrivée.

Alimentation : simplifiez-vous la vie

Dès qu'il sera en âge de le faire, confiez à votre bébé une timbale à couvercle avec bec perforé afin qu'il puisse boire seul. En plastique, donc incassable, munie d'anses, à fond alourdi, donc difficile à renverser, elle est l'objet qu'il faut pour aider votre bébé à faire la transition entre la tétine et le verre. Confiez-lui cette timbale vide, dans un premier temps, afin qu'il fasse connaissance avec l'objet : il va la retourner, la secouer, la jeter par terre, etc. Puis remplissez-la d'une boisson qu'il aime particulièrement et montrez-lui comment s'en servir. Il apprendra vite et gagnera chaque jour en habileté.

Un autre objet va vous simplifier la vie lors des repas que votre bébé va prendre à la cuiller : il s'agit du bavoir en plastique rigide qui se fixe autour du cou de l'enfant sans lien, donc rapidement et sans danger. Le bas du bavoir étant moulé en creux, il recueille la nourriture que l'enfant laisse tomber. Il est donc non seulement sûr, mais très pratique. Après le repas, un simple coup d'éponge suffit à le nettoyer.

sait ce dont il a besoin. Un bébé qui a faim mange. S'il ne veut plus de son biberon ou de sa purée, c'est qu'il n'en a plus besoin. Si son apport alimentaire n'est pas équilibré sur la journée, il l'est certainement sur la semaine, alors inutile de s'inquiéter. Surtout si sa courbe de taille et de poids évolue normalement.

Si votre enfant réclame toujours davantage, il est peut-être en période de forte croissance. C'est à votre pédiatre de décider avec vous des quantités à lui donner. Veillez surtout à ne pas augmenter exagérément les quantités de farine et de sucre, pour «caler» votre bébé, à cause des risques d'obésité. Sinon, il est nécessaire qu'il mange à sa faim, même grande.

Tout comme nous, le jeune enfant a certains jours un grand appétit et d'autres jours moins. A nous de nous adapter à son appétit du moment.

Il ne tient pas en place

Distrait par ce qui peut se passer dans la cuisine, il s'agite sur sa chaise haute et en oublie de manger. Vous essayez souvent en vain de le convaincre de rester assis tranquillement et de manger ce qui est devant lui.

Ne vous inquiétez pas : ses refus de manger, si vous n'en faites pas une histoire, ne dureront pas. Pour lui, la vie est trop passionnante et il a trop de choses à faire pour perdre du temps assis à table. Cela s'apaisera et l'appétit reviendra !

Une solution consiste à le faire manger seul avec vous à la cuisine, au calme, sans trop de distractions. Bien sûr, ne le forcez pas à finir et ne vous mettez pas en colère face à sa façon de se tenir. Vous pouvez aussi essayer de lui confier un ou deux jouets en plastique avec lesquels il s'occupera en même temps qu'il mangera.

Pourquoi ne pas lui offrir aussi la possibilité de partager parfois le repas familial ? Manger à table avec tous est un grand plaisir pour l'enfant, autant que l'occasion pour lui d'expérimenter de nouvelles odeurs et de nouvelles saveurs. C'est ainsi que commence l'éducation du goût !

Il ne veut rien manger

Il arrive fréquemment qu'un enfant refuse son repas, ou n'en accepte que quelques petites cuillerées. La mère, qui a préparé avec soin et attention ce petit repas, admet mal que l'enfant n'en veuille pas.

Si ce manque d'appétit dure plusieurs jours, elle va s'inquiéter pour sa santé et craindre qu'il ne dépérisse. Le médecin consulté, après avoir vérifié que la croissance de l'enfant est normale, va essayer de dédramatiser la situation, mais souvent sans effet. La mère va alors tenter toutes les ruses possibles pour faire manger l'enfant : insister, choisir les plats qu'il aime, lui chanter des comptines, lui raconter une histoire, ou le placer devant la télévision pendant qu'il engloutit passivement. En vain. Souvent le résultat obtenu est contraire au résultat visé : les repas deviennent de plus en plus longs et pénibles.

En route vers l'autonomie

Les repas sont pour lui une occasion exceptionnelle de découverte : quelle joie de plonger les doigts dans la purée ou d'attraper seul son biberon ! Bien sûr, le résultat n'est pas toujours heureux. Mais il serait dommage de ne pas profiter du temps des repas pour le laisser s'exercer à attraper, porter à sa bouche et manipuler.

Vous pensez bien que, pour lui, ce qu'il y a de plus intéressant à manipuler et à porter à la bouche, c'est la nourriture.

De fréquents conflits lors des repas

● Votre enfant veut attraper la cuiller et le biberon, manger seul, avec ses doigts, le tout très salement.

● Vous voulez le faire manger pour être sûre de ce qu'il a avalé, pour que cela aille plus vite et que ce soit plus propre.

C'est votre enfant qui a raison. Si vous sentez que votre bébé veut manger seul, il est bon de l'y encourager. Si vous refusez, vous risquez de compromettre sa future autonomie. Même s'il mange moins que si vous vous battez pour garder la cuiller en main, ce repas lui est infiniment plus profitable, parce qu'en accord avec son développement. Donc éducatif au sens fort. Pour prendre patience, dites-vous qu'un enfant qui s'exerce beaucoup sera plus vite autonome qu'un autre et plus habile. Essayez de vous convaincre que le résultat est une des premières formes de sa créativité… et nettoyez le tout avec une serpillière !

Manger avec les doigts

Vient un moment où votre bébé veut manger tout seul et vous le fait savoir en vous prenant la cuiller ou le biberon des mains. Cette étape est importante pour lui. Prendre soin de son propre

Eviter ce qui se transforme vite en cercle vicieux

● Ne perdez pas de vue qu'un repas est un moment de gaieté, de découvertes et de retrouvailles. Soyez détendue et refusez de vous mettre en colère pendant ce temps-là.

● Tenez compte des goûts et des dégoûts alimentaires de votre bébé, ce qui n'empêche pas de lui faire essayer de nouvelles saveurs lorsque l'occasion se présente.

● Ne forcez jamais votre enfant à finir son assiette.

● Mieux vaut lui servir une petite quantité, à renouveler au besoin, qu'une grosse qui le découragerait s'il a peu faim.

● Ne lui donnez pas à manger, «pour compenser», entre les repas.

● Ne soyez pas obnubilée par sa courbe de poids.

● Faites confiance à l'organisme de votre enfant. Il est parfaitement capable de gérer seul ses besoins alimentaires. Si vous respectez cela, vous n'aurez probablement aucun problème.

Rappelez-vous enfin que, dans ce type de conflit, vous ne devez pas «gagner» à tout prix. C'est l'autonomie de votre enfant qui est en question.

Des raisons pour laisser manger votre enfant seul

● Si vous laissez passer le moment où votre bébé veut manger seul, l'envie risque de disparaître et de ne pas revenir de sitôt. Certaines mères doivent ensuite continuer à nourrir leur enfant jusqu'à deux ou trois ans.

L'enfant a besoin de regarder, manipuler, goûter, sentir les aliments : ses sens sont plus libres et plus fins que les nôtres. Si ce besoin est respecté, le bébé aura plaisir à venir à table, ce qui est un point important pour l'avenir. Il aimera manger, goûter des aliments nouveaux et ne sera probablement pas un enfant «difficile».

● Il se peut que votre enfant mange davantage, grâce à la dimension du plaisir et du jeu, que si vous tenez la cuiller. Cela vient compenser sa maladresse. En tout cas, il apprend à réguler son appétit.

● L'enfant qui peut manger seul apprend vite à manger de plus en plus proprement. Vers un an, le plaisir de manipuler la nourriture laissera progressivement la place au désir de «faire comme maman», donc de manger correctement. Grâce à son entraînement, votre enfant sera plus vite autonome et propre à table qu'un autre enfant. Le temps perdu maintenant sera rattrapé plus tard.

corps, donc devenir autonome, cela commence par savoir se nourrir. Bien sûr, le laisser faire entraînera beaucoup de saletés dans la cuisine. Mais ce petit inconvénient se gère facilement avec un peu d'organisation et compte pour peu en comparaison des avantages que l'enfant en retirera.

Le bébé veut manger seul, mais il est encore très maladroit avec la cuiller. Et il aime manipuler. Alors il mange avec ses doigts. Il est à l'âge où il attrape pour porter à la bouche : c'est donc ce qu'il va faire avec les aliments. Pourquoi, à côté de la purée traditionnelle, ne pas concevoir une partie du repas qui peut être prise avec les doigts ? Cette période n'a qu'un temps. Vous montrer flexible maintenant vous préservera de bien des occasions de conflits. Et votre enfant acquerra vite une habileté qui lui permettra de se servir correctement de la cuiller. Voici quelques aliments qui, coupés en petits morceaux, réjouiront l'appétit de votre enfant et développeront sa capacité à les attraper délicatement avec les doigts :

- fruits et légumes. Tous ceux qui, cuits ou crus, peuvent être coupés en morceaux, faciles à attraper et avaler : cubes de pomme de terre, chou-fleur, brocolis, petits pois, pointes d'asperges, carotte râpée, pastèque, melon, avocat, concombre, maïs, ananas, tranches d'orange pelées, etc. ;

- n'oubliez pas non plus : miettes de poissons, œuf dur, fromage mou, mini-tartines, flocons de céréales, coquillettes, etc.

Manger «tout seul»

C'est vers sept mois et demi que votre bébé commence à vouloir attraper seul des morceaux de nourriture. Quelques semaines plus tard, il saisit généralement des petits morceaux de nourriture entre le pouce et les deux doigts suivants. Si la nourriture se glisse à l'intérieur de la main, il aura du mal à la récupérer. Pour porter dans sa bouche, il s'essuie généralement la bouche avec sa main pleine de nourriture. Quand il se lasse de ce difficile exercice, il peut lancer par terre le contenu de son assiette ! Prenez patience. C'est le seul moyen de développer son plaisir des repas et de le rendre rapidement autonome et correct à table. Même si vous vous sentez réticente, vous devez l'encourager sur la voie de l'autonomie.

Finalement, laisser son enfant manger seul et choisir la quantité de nourriture qu'il souhaite avaler sont les meilleurs moyens d'éviter les conflits alimentaires si fréquents et souvent si difficiles à résoudre une fois installés.

L'apprentissage de la cuiller

Certains bébés apprennent très vite à manger à la cuiller. D'autres, en revanche, ont bien du mal à s'y faire. Ils tètent la cuiller, ou la sucent, ou encore refusent carrément de manger avec.

On peut aisément le comprendre : un bébé habitué à aspirer, en pressant avec la langue, la nourriture qui arrive directement dans sa bouche, doit se livrer, avec la cuiller, à un tout nouvel apprentissage. Le contact de cet objet froid et dur dans sa bouche lui est fort désagréable. Il m'arrive de penser qu'apprendre à manger avec des baguettes ne doit pas être facile non plus…

Bébé peut donc avoir tendance à téter la cuiller ou bien à recracher. S'il refuse totalement, attendez un peu, revenez au biberon et refaites une tentative dans une semaine. Sinon, achetez des bavoirs en plastique, prenez votre temps et dites-vous qu'il y arrivera bientôt, comme les autres.

La vitamine D

Appelée aussi vitamine antirachitisme, la vitamine D est indispensable à l'organisme du nourrisson. Elle l'aide à faire face à la croissance rapide qui est la sienne pendant les premiers mois et les premières années de sa vie.

Le corps humain a la faculté de fabriquer seul cette vitamine, à condition de s'exposer au soleil. Or, c'est rarement le cas des nouveau-nés, d'abord parce que les bains de soleil leur sont déconseillés, ensuite parce qu'ils ne vivent pas tous en Provence ! De toute façon, il est nécessaire de compléter leur alimentation avec un apport en vitamines D, été comme hiver. Or, il se trouve que la vitamine D est la seule, dont le bébé ait besoin, à ne pas se trouver dans les aliments lactés diététiques (laits de bébé). C'est la raison pour laquelle vous allez devoir en donner à votre bébé, dès son deuxième mois, et pendant deux ou trois ans.

La prise de poids

Inutile de peser votre bébé tous les jours : s'il mange normalement, il grossira progressivement, comme tous les bébés. La prise de poids n'a pas de sens d'un jour sur l'autre car elle dépend de l'heure de la pesée, de l'appétit de votre enfant, etc.

Quelques conseils pour lui apprendre l'usage de la cuiller

● Commencez le repas par la purée ou la compote à la cuiller, quand le bébé a bien faim : cela l'encouragera dans ses efforts. Il sera récompensé de finir le repas par un bon biberon.

● Bébé a une petite bouche : utilisez au début une toute petite cuiller, genre cuiller à moka.

● Le contact du métal dans la bouche est nouveau et pas forcément agréable : commencez avec une petite cuiller en plastique.

● Bébé porte tout à la bouche ? Laissez-le jouer de temps en temps avec une petite cuiller en plastique, hors des repas. Il s'habituera ainsi à l'avoir dans la bouche.

● A l'âge où votre bébé veut tenir la cuiller, confiez-en lui deux, une dans chaque main. Nourrissez-le avec une troisième. Non seulement il s'exercera à manger, mais en plus il ne plongera pas ses mains dans la purée.

● Certains bébés adorent le biberon. Inutile de les en priver, en plus de la cuiller, tant qu'ils le désireront.

● Donnez-lui très tôt l'habitude de boire son jus de fruit dans une petite cuiller.

Comment administrer la vitamine D ?

La vitamine D peut s'administrer de deux façons différentes :
● **soit quotidiennement, sous forme de gouttes que l'on ajoute au jus de fruit du bébé ;**
● **soit sous forme d'une ampoule que l'on donne au bébé une fois par mois, par trimestre ou par semestre, selon les indications de votre médecin.**

Délayer ou épaissir une purée

Avec quoi délayer une purée trop épaisse :
● **pour les légumes : eau, eau de cuisson, lait, jus de tomate ;**
● **pour les fruits : lait, eau de cuisson, jus de fruit, yaourt.**
Avec quoi épaissir :
● **les légumes : farine de céréales, flocons de pomme de terre ;**
● **les fruits : petit-suisse.**

Prise de poids moyenne par mois

0 à 3 mois : 900 grammes
3 à 6 mois : 750 grammes
6 à 9 mois : 600 grammes
9 à 12 mois : 450 grammes

En revanche, elle doit s'établir de façon régulière d'une semaine à l'autre, puis d'un mois à l'autre.

La prise de poids moyenne d'un bébé au cours de sa première année est impressionnante : en douze mois, il aura généralement triplé son poids de naissance !

Les repas du bébé âge par âge (récapitulatif)

Voici des exemples de menus, que vous devez moduler selon le poids de votre bébé, le nombre de ses repas, son appétit et les conseils de votre pédiatre.

De la naissance à 2 mois

Chaque enfant a son rythme propre. Finalement, c'est votre bébé qui doit vous indiquer le nombre de repas dont il a besoin. Il se régulera progressivement de lui-même. Il existe une règle indicative permettant de savoir combien de repas le bébé doit prendre chaque jour et quand diminuer le nombre de biberons.

Cette règle est la suivante :
● quand le bébé pèse 4 kg, il prend 5 repas ;
● quand le bébé pèse 5 kg, il prend 4 repas.

Attention !

Ceci n'est qu'indicatif et doit être modulé selon chaque enfant. A neuf semaines, la majorité des bébés se réveille encore vers cinq ou six heures du matin, avec une vraie faim. Ceci impose de donner le premier biberon à cette heure-là, donc de rester à cinq repas par jour. Sinon, les écarts entre les biberons seraient trop importants pour que le bébé puisse attendre.

Quand votre bébé se réveillera plus tard le matin, vers sept ou huit heures, il sera temps de passer à quatre repas, espacés de quatre heures environ. D'autres bébés se réveillent encore la nuit pour réclamer à manger et un biberon d'eau ne les satisfait pas : il est normal de leur donner un biberon de nuit tant qu'ils en ont besoin.

Cinq repas de 160 g ou quatre repas de 200 g

Matin : biberon de lait : 180 g d'eau + 6 mesures de lait maternisé + 1 cuillerée à café de farine diastasée.

Midi : biberon de lait avec bouillon, puis soupe de légumes.

Goûter : biberon de lait avec compote de fruits cuits.

Dîner : biberon de lait avec farine (1 à 2 cuillerées à café).

Que mange-t-il à quatre mois ?

Voici, à titre d'exemple, comment peuvent être composés les menus de votre bébé à quatre mois, mais cela peut varier beaucoup d'un enfant à l'autre, selon son poids et son appétit, ainsi que d'un jour à l'autre.

Matin : biberon de lait de 180 g d'eau + 6 mesures de lait + 1 ou 2 cuillerées de farine.

Midi : - 120 g de purée de légumes délayée dans du lait. Au choix : carottes, pommes de terre, petits pois, haricots, potiron, épinards, etc.

- 30 g de poisson maigre haché (colin, limande, truite, etc.) ou de jambon blanc maigre, ou un jaune d'œuf.

Dessert : au choix, compote de fruits, petit-suisse, yaourt, fruit mûr écrasé, etc.

Goûter : biberon de 180 g d'eau + 6 mesures de lait en poudre.

Dîner : biberon de lait (180 g) + farine. Alterné avec : biberon de lait + soupe de légumes.

A 5 - 6 mois

Maintenant que votre bébé est bien habitué à sa soupe de légumes du déjeuner, et peut-être aussi du dîner, vous allez pouvoir diversifier davantage son alimentation.

L'essentiel est toujours de vous y prendre progressivement, afin de n'introduire dans l'alimentation qu'un aliment nouveau à la fois. Ce mois-ci, vous allez faire goûter à votre bébé le jaune d'œuf (un demi), la viande et le poisson (haché finement, la valeur d'une cuillerée à soupe).

Vous pouvez varier à volonté les viandes et poissons, mais choisissez de préférence les chairs maigres. Pour les desserts et le goûter, vous allez également proposer des nouveautés à votre bébé : petit-suisse, yaourt nature, fruit poché et écrasé, compote de fruits.

Voici un exemple de régime d'un bébé de six mois environ (à moduler selon votre enfant, son poids, et les conseils de votre pédiatre).

Matin : bouillie faite avec un biberon de lait (210 g d'eau + 7 mesures de lait deuxième âge) et deux à trois cuillerées à soupe de farine.

Midi : purée de légumes, avec fromage râpé dessus :

- 1/2 pomme de terre + une cuillerée à soupe de haricots verts, le tout mixé et délayé avec un peu de lait.

L'ALIMENTATION DU BÉBÉ

Quelques conseils

● **Commencez par ne donner de la viande qu'une fois par jour. Le soir, une soupe de légumes coupée de lait suffit.**

● **Epluchez soigneusement les fruits avant de les cuire et/ou de les mixer.**

● **Ne rajoutez pas de sucre blanc dans les compotes de fruits et ne salez que très légèrement vos préparations.**

● **Faites confiance aux surgelés (qui permettent de ne préparer qu'une petite quantité de purée ou de viande). Vous pouvez aussi surgeler vous-même vos préparations.**

Il reste encore des interdits

Ce que vous ne devez pas donner à votre enfant : les fritures, les viandes et poissons fumés, les fruits de mer, les fruits secs ou les fruits à pépins (ou alors ôtez-les) et, d'une manière générale, les aliments trop épicés, trop gras ou trop sucrés. Enfin, ne le nourrissez pas exclusivement de petits pots (ils contiennent trop de féculents et pas assez de viande ou de poisson).

Vers la fin de la première année

vous allez abandonner le lait maternisé en poudre et le remplacer, sur deux ou trois jours, par du lait UHT demi-écrémé. Le biberon du matin contiendra environ 240 g de lait, avec de la farine. Il ne devient plus nécessaire de stériliser les biberons, pourvu qu'ils soient soigneusement lavés à l'eau très chaude.

Il commence à apprécier les purées faites avec un seul légume : épinard, haricot vert, chou-fleur, petits pois, carotte. Il aime également que vous couvriez sa purée d'un peu de gruyère râpé et que vous y ajoutiez une noisette de beurre.

La quantité de viande et de poisson a augmenté jusqu'à trente grammes environ par jour et les variétés se sont diversifiées. Enfin, votre bébé accompagne désormais ses goûters d'un biscuit ou d'un morceau de pain qu'il mange très bien tout seul.

- 30 g de poisson haché, ou de viande maigre, ou jambon blanc, ou jaune d'œuf dur.

Dessert : yaourt, petit-suisse, fromage blanc.

Goûter : compote de fruit, avec un biscuit. Biberon de lait (180 à 200 g).

Dîner : biberon de soupe de légumes délayée avec du lait (environ 150 g de lait et 50 g de purée de légumes mixée).

A 8 mois

Voici des exemples de menus qui peuvent composer les repas d'un enfant de huit mois.

Matin : un biberon plein de lait deuxième âge + farine (il en existe de nombreuses variétés) ou biscuits. Ou bien bouillie épaisse à la cuiller (selon ce que l'enfant préfère).

Déjeuner : purée de légumes avec une noisette de beurre. 30 g de viande ou de poisson ou jambon hachés. Début de l'œuf à la coque et des crudités.

Dessert.

Goûter : biberon de lait (200 g) avec biscuit, ou laitage, ou fruit avec biscuit.

Dîner : soupe de légumes dans le biberon de lait + compote ou fruit frais écrasé. Ou purée de légumes + laitage.

A 9 - 10 mois

Désormais, votre bébé ne mange plus ses aliments tout broyés et mélangés dans de grandes soupes de légumes. Les menus du bébé sont semblables à ce qu'ils étaient à huit mois, si ce n'est que :

● les quantités augmentent progressivement, selon l'appétit de l'enfant ;

● le bébé mange couramment des crudités et des purées de légumes faites avec un seul légume (et non plus toujours liées avec une pomme de terre), des pâtes, du riz, etc. ;

● il mange un œuf entier et, d'une façon générale, élargit son régime à la totalité de la cuisine familiale. Il «goûte» à tout (cervelle, foie, flocons d'avoine, flan, etc.).

Ses menus évoluent peu jusqu'à l'âge de un an. Vous allez maintenant devoir tenir compte de ses goûts et introduire progressivement de nouveaux aliments. Au fil des mois, il boira moins de biberons et mangera davantage soit avec les doigts, soit avec une cuiller.

Les pleurs du bébé

L es cris et les pleurs sont le premier et le plus efficace des moyens de communication dont dispose le bébé. Signaux de détresse, ils visent à faire venir l'adulte, qui fera ce qu'il faudra pour ramener l'état de bien-être. Mais les pleurs des tout-petits sont aussi une expression physiologique normale dont on ne comprend pas toujours la signification exacte.

Certains bébés peuvent pleurer quatre ou cinq fois par jour pendant vingt ou trente minutes, d'autres concentrer leurs pleurs sur la fin de journée ou la nuit, mais pendant une période de deux ou trois heures.

Les bébés diffèrent beaucoup dans leurs tempéraments. Certains bébés aiment être stimulés, entourés, distraits, quand d'autres ont besoin de beaucoup de calme et supportent peu de stimulations. Certains sont plus faciles à calmer que d'autres qui ont besoin de vider leurs tensions intérieures pendant un moment avant de pouvoir s'endormir.

Les pleurs sont un langage. Progressivement, les parents apprennent à les décrypter, pour mieux répondre au bébé.

Et si bébé était malade ?...

Garder son calme

C'est parfois difficile, mais très efficace. Un bébé perçoit les tensions ambiantes et y répond par un surcroît de cris. Le laisser pleurer quelques minutes, puis le prendre doucement dans ses bras, lui proposer un petit biberon d'eau, puis le garder contre son cœur dont le bruit des battements le rassure, est parfois un bon moyen de le calmer. Mieux vaut toujours déléguer (ou laisser pleurer) plutôt que de s'énerver.

Chercher la raison des pleurs

Un bébé qui fait ses nuits et a un rythme de vie régulier a des pleurs plus faciles à comprendre. Il peut crier parce qu'il a faim (même si ce n'est pas encore l'heure), soif (le chauffage rend souvent l'air très sec), d'inconfort, de douleur, de fatigue, etc. Tout petit, il peut pleurer par excès d'excitation, pour demander qu'on le laisse en paix. Plus grand, pour attirer la compagnie et qu'on s'occupe de lui. A tout âge, pour qu'on le prenne dans les bras, ce qui n'est pas pleurer «pour rien» ou par caprice. D'ailleurs, tout bébé, les caprices n'existent pas : seulement l'inconfort ou le besoin d'amour.

Face aux pleurs

Votre bébé est unique, il a son caractère et ses besoins propres. Ce n'est qu'en l'observant que vous saurez quel est son rythme de pleurs, ce qu'il aime dans ce cas, ce qui le calme préférentiellement. Mais surtout ne vous croyez pas une mère incompétente si vous n'arrivez pas à calmer rapidement votre bébé. Tous les bébés pleurent, et il semble qu'une certaine dose de pleurs soit inévitable, voire même nécessaire. Chaque passage à un nouveau stade de développement s'accompagne de conflits intérieurs et d'une période où l'enfant est grognon. On a même remarqué que les bébés les plus éveillés et vigoureux sont aussi ceux qui crient le plus... avant de devenir des petits enfants charmants !

Comprendre ses pleurs

Ce n'est que vers six ou sept semaines que le bébé commence à s'organiser. Il comprend mieux son environnement, s'est habitué à ses rythmes et à ses parents, pleure moins souvent et différencie ses pleurs. Il vous est alors plus facile de comprendre les raisons de ses crises. Mais d'autres pleurs apparaissent qui n'existaient pas lorsque l'enfant était nouveau-né. Voici, pour vous aider, un petit récapitulatif.

Il pleure d'ennui, de solitude

Au cours de ces mois d'intense apprentissage, votre bébé a besoin, lorsqu'il est éveillé, de découvrir et d'apprendre de nouvelles choses. Il va crier si vous le laissez seul dans son lit, parce qu'il n'a pas assez de choses à y faire : fournissez-lui du «matériel» (jouets ou objets divers) qui lui permettront de s'exercer. Mais l'enfant a également besoin de compagnie. Plutôt que de rester seul dans sa chambre pendant que vous vaquez à vos occupations dans le reste de la maison, il aura grand plaisir à vous accompagner, assis dans son transat ou à plat ventre, de pièce en pièce, pendant que vous faites le ménage, votre toilette ou que vous préparez le repas. Il aime vous voir bouger. Il aime entendre votre voix lorsque vous lui commentez ce que vous faites. Il aime être à vos côtés et a besoin de cette douce complicité.

Il pleure de rage et de frustration

Ce sont les deux sentiments qui peuvent habiter votre enfant lorsqu'il est empêché de faire quelque chose qu'il désire. Physiquement et intellectuellement, ses capacités sont de plus en plus grandes chaque jour. Il va avoir peu à peu des envies de toucher à tout, des désirs de découvrir le monde.

Mais deux forces s'y opposent :

● Son impuissance, son incapacité à faire ce qu'il voudrait faire, simplement parce qu'il est encore trop petit et que ses désirs sont en avance sur son développement physique ; cela le met en rage.

● Vos refus et vos interdits, lorsque vous l'éloignez des prises de courant, du vase à fleurs ou de tout ce qui peut être dangereux pour lui ou pour l'objet. Cette frustration dans son élan peut aussi le faire hurler.

Il n'y a guère de solution : il faut que tout enfant apprenne peu à peu à supporter la frustration. Vous pouvez l'y aider en limitant les interdits, en l'encourageant dans ses tentatives et en l'éloignant doucement de ce qui est interdit, sans jamais le punir d'une curiosité bien naturelle et tout à fait légitime.

Il pleure de peur

Votre enfant est maintenant capable d'anticiper et peut pleurer de peur, par avance, par exemple en reconnaissant le médecin qui lui a fait un vaccin le mois précédent. Ne le grondez pas : c'est une preuve de sa bonne mémoire et de son intelligence !

Mais il peut aussi développer une peur des personnes inconnues et se réfugier derrière vous dans les situations inhabituelles. Là encore, ne le brusquez pas : il traverse une nouvelle phase, ses angoisses sont réelles et il a besoin que vous le rassuriez. Prenez-le dans vos bras, emmenez l'objet favori lors de vos sorties, et respectez ses peurs : c'est ainsi qu'il prendra confiance en lui.

Il pleure de faim

Les cris commencent doucement mais, si vous n'y répondez pas, cela tourne rapidement à la rage. C'est la cause la plus fréquente des cris. Il faut savoir que la faim est une vraie douleur pour le petit bébé.

Essayez de calmer votre bébé

Même si l'on n'a pas trouvé pourquoi son bébé pleure, on peut toujours lui montrer de la compassion, lui dire que l'on ne comprend pas et chercher à le soulager. Câlin, tétine, chanson douce, petit massage, bouillotte, porte-kangourou, moment de solitude : à chaque parent de trouver ce qui calmera son bébé. De manière générale, bébé crie pour signaler ses ennuis. Pour lui comme pour nous, la vie est parfois inconfortable et frustrante. Comme il ne peut ni comprendre ce qui lui arrive, ni compenser par ses propres moyens, il pleure.

Les pleurs la nuit...

Votre bébé pleure la nuit après son repas ? Enveloppez-le dans votre robe de chambre ou dans votre chemise de nuit et bercez-le un peu avant de le glisser à nouveau dans son lit, toujours enveloppé.

Votre bébé peut-il pleurer «pour rien» ?

Rien à faire, vous ne trouvez pas. Bébé a mangé, il est propre, il ne semble pas souffrir, il a dormi et pourtant il pleure. Il peut se calmer dans vos bras et recommencer dès que vous le posez. Ou bien sembler inconsolable.

Le fait que vous ne trouviez pas la source de ses pleurs ne signifie pas que votre bébé pleure «pour rien». Il y a sûrement une raison, mais elle peut être difficile à trouver :

● N'a-t-il pas satisfait son besoin de téter ?
● Avez-vous répondu à contretemps à ses demandes ?
● A-t-il un besoin de contact et d'échange qui n'est pas satisfait ?

Que faire ? Même si vous ne savez pas la cause de son malaise, compatissez. Faites comprendre à votre bébé que vous êtes avec lui, à ses côtés, et bien désolée de ne pouvoir le soulager. Bercez-le, parlez-lui tendrement, laissez-le seul un moment, revenez le voir. Une journée de larmes peut simplement marquer un passage à un nouveau stade de développement. Soyez là, calme, présente, rassurante, et tout ira bien.

Que faire ? Le nourrir, bien sûr. Pourquoi le laisser pleurer de faim, sans autre nécessité que d'appliquer un horaire strict ? Chaque bébé a son rythme : à vous de le découvrir.

Il pleure de soif

C'est une cause à laquelle on ne pense pas souvent. Pourtant, il est fréquent qu'un bébé, trop couvert, pleure d'inconfort et de soif. De même, la chaleur et la sécheresse de l'air régnant dans les appartements modernes entraînent souvent une soif du bébé à laquelle il faut répondre en tant que telle : en lui donnant un petit biberon d'eau et non de lait.

Il pleure de fatigue

Votre bébé a passé un long moment éveillé, charmant. Puis la fatigue venant, il a commencé à pleurnicher un peu. Il se peut qu'il trouve son sommeil. Il se peut aussi que l'énervement monte, en longs sanglots, et que vous ayez l'impression qu'il ne s'endormira jamais.

Que faire ? Vous pouvez essayer de bercer votre bébé, de le promener dans une poche kangourou ou de lui chanter une berceuse. Un bébé se sent bien s'il est en contact corporel étroit avec sa mère. Mais vous pouvez aussi le coucher dans une pièce calme et lui offrir la possibilité de vider tranquillement la tension qui l'habite, sans vous angoisser.

Il pleure d'inconfort, de gêne

Ces pleurs sont petits, mais répétés, insistants. Tâchez de comprendre d'où vient la gêne afin d'y remédier : couche souillée, érythème fessier, impression de froid ou de chaud, position inconfortable, nudité, etc. A chaque problème, sa solution. Un exemple : votre bébé a horreur d'être nu ? Enroulez-le dans une serviette bien chaude quand vous avez à le déshabiller entièrement.

Il pleure de douleur

Ces cris sont souvent aigus, stridents, difficiles à supporter. Mais l'enfant de cet âge ne sait souvent pas encore porter la main là où il souffre, aussi est-il bien difficile de comprendre d'où vient le mal.

Que faire ? Prendre votre bébé dans vos bras, pour ne pas le laisser souffrir seul. Tenter de comprendre ce qui lui fait mal et y remédier. S'il paraît malade, appeler un médecin.

Bébé est malade

Dans certains cas, c'est la fièvre ou la douleur qui font pleurer le bébé. Il est malade.

Il a de la fièvre

Les jeunes enfants peuvent monter très vite à des températures élevées. Un bébé trop couvert ou exposé soudain à une forte chaleur (dans une voiture immobilisée au soleil par exemple) ne peut pas réguler sa température interne rapidement et risque le classique «coup de chaleur» qui se traduit entre autres par une température très élevée.

Une main posée sur son front n'est pas un bon indicateur de la température : plus vous avez les mains froides, plus le front vous semblera chaud. Si vous avez un doute, s'il vous semble que votre enfant a de la fièvre, seul un thermomètre vous le confirmera. Le thermomètre frontal à cristaux liquides vous donnera déjà une bonne indication, mais c'est le classique thermomètre rectal qui vous donnera l'indication totalement fiable. Si la fièvre de votre bébé dépasse 38° C et qu'elle est associée à d'autres signes (toux, diarrhée, pleurs douloureux, etc.), il est bon de prendre rendez-vous avec votre médecin. Lui seul pourra déterminer les causes de cette température élevée et vous dire comment la traiter. En effet, la fièvre n'est pas une maladie en elle-même, mais un signe associé à une maladie qu'il convient de diagnostiquer.

Comment faire baisser la fièvre ?

Il existe un certain nombre de moyens simples, tout à fait efficaces, qui dispensent d'employer des médicaments risquant de brouiller les symptômes, alors qu'un diagnostic n'a pas encore été posé.

● Découvrez l'enfant. Otez brassière et couvertures. Ne lui laissez, au maximum, qu'une petite chemise de coton.

● Faites marcher un ventilateur dans sa direction.

● Enveloppez-le dans un linge fin (petit drap de lit), imbibé d'eau froide, puis essoré.

● Laissez-le une vingtaine de minutes dans un bain dont l'eau est d'une température inférieure de 2° C à la sienne.

Une idée

Si votre bébé proteste lorsque vous enfoncez le thermomètre, enduisez le bout avec un peu de vaseline : il glissera beaucoup mieux. Vous pouvez aussi demander à votre médecin de vous apprendre à mesurer la température sous le bras ou dans la bouche, comme cela se fait dans les pays anglo-saxons, ce qui semble bien moins désagréable aux enfants.

Que faire en attendant le médecin ?

Si la fièvre est faible (inférieure à 38,5°) et bien tolérée par l'enfant, le mieux est de ne rien faire. Une prise de température toutes les trois ou quatre heures permettra de contrôler l'évolution de la situation. Si la fièvre est plus élevée, il est préférable de la faire baisser pour la maintenir à un niveau raisonnable. Il existe en effet un risque de convulsions fébriles, surtout chez un bébé qui en a déjà fait, qui n'est pas à négliger. Dans tous les cas, donnez souvent à boire à l'enfant.

Le développement physique

Au cours de la première année, les parents sont généralement stupéfaits par la rapidité de développement de leur bébé. Il n'est pas de semaine qui n'apporte un progrès, une nouvelle compétence. Au fur et à mesure où le système nerveux du bébé acquiert de la maturité, il lui permet une meilleure coordination et un contrôle musculaire plus précis. L'enfant apprend à tenir sa tête droite, puis à se tenir assis, à ramper, et enfin à marcher. Parallèlement, il contrôle mieux les mouvements de ses mains : ses gestes gagnent en habileté et en finesse.

Tous les enfants sont différents. Les uns développent certaines aptitudes plus tôt, les autres plus tard, sans que cela ne veuille rien dire concernant ses compétences ultérieures. Au bout de quelques années, tous les enfants se rattrapent, ceux qui ont marché plus tôt et ceux qui ont parlé plus tard, ceux qui ont su ramper tôt comme ceux qui n'ont jamais marché à quatre pattes.

Inutile donc de comparer votre bébé avec celui de la voisine, ou de l'inciter à se dépêcher. A son propre rythme, il a besoin de votre fierté et de vos encouragements.

Se mettre assis, puis debout.

Ramper, puis marcher en toute sécurité.

Prendre sa tétine ou son pouce.

De 1 mois à 5 mois

Attention : les âges donnés ne sont que des moyennes.

● **A un mois le bébé, mis sur le ventre, dégage son nez pour respirer en levant un peu la tête. Ses membres sont encore fléchis, mais il a perdu l'allure typique du nouveau-né.**

● **A deux mois, le bébé commence à s'étirer. Sur le ventre, il lève la tête, en appui sur les avant-bras, et peut la tenir quelques brefs moments. Il gesticule beaucoup.**

● **A trois mois, si vous soulevez votre bébé, allongé sur le dos, en le tirant par les mains, il est capable de tenir sa tête dans l'axe du corps. Sur le ventre, il s'allonge bien à plat et se tient longtemps en appui sur les avant-bras.**

● **A quatre mois, allongé sur le ventre, l'appui sur les avant-bras, parfois tendus, est encore meilleur. Il peut aussi décoller les deux jambes du sol. Enfin, attention : le bébé est capable, parfois, de rouler du ventre sur le dos et l'inverse.**

● **A cinq mois, le bébé roule sur lui-même. Sa tête est bien stable. Si vous le tenez assis, le haut de son dos et sa tête sont droits. Couché, il lève son torse.**

Points de repère

Les gains en taille et en poids sont proportionnellement considérables au cours de la première année. Dans la mesure où votre bébé est heureux, en bonne santé, actif et montre un appétit normal, inutile de garder l'œil vissé sur la toise ou sur la balance. Les courbes du carnet de santé sont faites pour un enfant «moyen» qui n'existe pas. Seul votre médecin est à même d'interpréter, sur les mois, celles de votre bébé.

Autant les différentes étapes du développement sont acquises dans le même ordre, autant elles ne le sont pas au même moment ou à la même vitesse pour tous les enfants. Un grand progrès est souvent suivi d'une période de stabilité. Toutes les nouvelles acquisitions étant sous le contrôle du système nerveux, aucune ne peut être effective avant que le cerveau du bébé ne soit prêt.

Enfin, vous noterez que le développement va toujours de la tête aux pieds. Le bébé commence par maîtriser la tenue de sa tête, puis de ses bras, du tronc, et enfin des jambes.

Comment aider le bébé

Ces quelques conseils visent à vous donner des éléments sur la manière d'accompagner votre bébé dans ses acquisitions. Si vous lui facilitez les choses sur le plan matériel et que vous l'encouragez dans son développement, il se sentira soutenu et confiant pour aller de l'avant.

- Même tant qu'il ne tient pas seul assis, le bébé est très heureux dans cette position qui lui libère les mains et lui permet de voir ce qui se passe autour de lui. Alors vivent les transats, les chaises hautes et les gros coussins qui lui tiennent le dos !

- Vous asseoir à deux pas de votre bébé, avec en main son jouet favori, l'encourage à se déplacer pour venir jusqu'à vous. Attention : certains bébés ne ramperont jamais, c'est leur droit.

- Ne venez en aide à votre bébé que si vous le sentez en difficulté ou très frustré par ce qu'il ne peut faire. Sinon, encouragez-le plutôt de la voix. Faites-lui confiance pour développer ses propres ressources et félicitez-le chaleureusement de ses efforts.

- Les sols glissants, dangereux quand l'enfant se mettra debout, sont une aide lorsqu'il rampe : il évolue facilement, sans efforts.
- Lorsque votre bébé se met debout, c'est pieds nus qu'il sera le plus à l'aise pour bien sentir le sol et ne pas glisser. S'il fait froid, choisissez des chaussons à semelle souple.
- A partir de sept ou huit mois, lorsque le bébé commence à bien bouger et à vouloir se mettre debout, choisissez des habits qui ne le gênent pas dans ses mouvements et ses explorations. Par exemple, oubliez les robes jusqu'à ce que votre petite fille marche et remplacez, la nuit, le sac de couchage (ou «dors-bien») par un surpyjama ou une couette.

Assurer la sécurité

Tant que le bébé reste à l'endroit où on le pose, les risques concernant sa sécurité sont limités. Mais dès qu'il commence à bouger et vouloir explorer son environnement, il faut prendre un certain nombre de précautions.
- Ne vous laissez pas surprendre par les progrès de votre bébé. Ils surviennent souvent d'un coup et sans qu'on s'y attende, entraînant des risques dans un environnement qui n'est pas adapté. Le mieux est d'anticiper sur les compétences de son bébé et de prévoir ce qu'il sera prochainement capable de faire.
- Vers cinq ou six mois, le bébé sait se retourner sur lui-même. Dès ce moment, il ne faut plus jamais le laisser sur une surface surélevée, comme la table à langer par exemple, sans garder une main sur lui. Il ne peut être laissé seul quelques minutes que sur le sol, nettoyé de tous les objets dangereux, et dans son lit à barreaux ou son parc, c'est-à-dire dans des lieux parfaitement sûrs.
- Si vous n'avez pas de lit à barreaux et que votre bébé peut librement sortir de son lit, veillez à aménager la chambre de façon à ce qu'elle soit absolument sans danger (prises de courant de sécurité, meubles stables, pas d'angles vifs ni d'objets pointus, etc.). Il pourra ainsi s'y promener librement.
- Très vite, c'est toute la maison qui va devoir être passée en revue et rendue parfaitement sûre. Pensez à protéger de la curiosité de votre bébé les objets auxquels vous tenez, et à protéger votre bébé des objets dangereux de la maison. Faites disparaître les plantes vertes, rangez les produits toxiques en hauteur, revoyez l'installation électrique, ne laissez aucun fil électrique traîner au sol, supprimez les objets cassables et les cendriers des tables basses, etc.

De 6 mois à 1 an

● **A six mois, le bébé tient généralement assis sans support pendant quelques secondes, puis il prend appui sur les mains, mais sans stabilité. Il pivote son torse dans toutes les directions.**

● **A sept mois, le bébé tient un peu mieux assis et sait s'équilibrer en se penchant. Soutenu dans le dos, il reste longtemps stable. Certains bébés commencent à se déplacer au sol en rampant.**

● **A huit mois, le bébé tient assis totalement sans support et peut pivoter sur lui-même. Mais, s'il tombe, il n'est pas capable de se réinstaller. Bébé se déplace au sol en avant ou en arrière.**

● **A neuf mois, la position assise est stable. Certains enfants tentent le quatre pattes, avec un fort désir de se déplacer. Bébé aime être tenu debout et tenir fermement sur ses jambes.**

A dix mois, le bébé se tient debout seul avec un bon appui. C'est se rasseoir qui lui pose plus de problèmes ! Certains remplacent le quatre pattes par un déplacement bras et jambes tendus.

● **A onze et douze mois, le bébé privilégie la position debout. Il peut généralement marcher s'il est tenu par les mains. Certains enfants ont envie de se lâcher, d'autres d'attendre un peu. Mais tous veulent se déplacer. Assis, l'enfant est tout à fait stable.**

La position assise

Les âges donnés ne sont que des moyennes. Or, le bébé moyen n'existe pas et les marges, d'un enfant à l'autre, peuvent être importantes. Aussi, soyez sans inquiétude si votre enfant ne suit pas précisément ce calendrier : il aura appris autre chose dans l'intervalle !

● **20 semaines** : le bébé, posé assis, tient son dos droit. Il tombe parfois sur le côté ou devant et ne peut se redresser. Il tient en appui sur les mains. Il se tient bien s'il a des coussins et un dossier.

● **28 semaines** : l'enfant tient assis seul mais il utilise ses mains pour se stabiliser.

● **32 semaines** : l'enfant, assis sur le sol, peut se tenir droit sans s'appuyer sur les mains.

● **36 semaines** : l'enfant se tient seul assis, sans appui, pendant une dizaine de minutes. S'il se penche, il peut se relever.

● **40 semaines** : l'enfant s'assied seul sur le sol.

Attention !

Ce n'est pas parce qu'il sait se mettre debout que votre enfant sait pour autant se rasseoir. Il reste souvent debout longtemps et finit par se fatiguer et pleurer. C'est le moment d'apprendre à votre bébé à s'asseoir doucement en pliant les genoux. Sinon, il va avoir tendance à se lâcher brusquement et à additionner chocs et expériences désagréables.

- Quand votre bébé commence seulement à tenir assis, mais sans stabilité, veillez à l'entourer toujours de gros coussins qui éviteront qu'il se heurte la tête en basculant.

- Le mobilier de votre enfant (chaise haute, poussette...) doit être assez solide et lourd pour qu'il ne puisse pas basculer lorsque le bébé se penche ou s'y agrippe.

- Vous trouverez, dans les magasins spécialisés, beaucoup d'objets qui vous aideront : coins de table, bloqueurs de portes, loquets pour placards, barrières d'escaliers, etc. Regardez votre intérieur avec un œil très vigilant : s'il y a une bêtise à faire, elle sera certainement faite. Partez du principe que rien n'échappera à la curiosité de votre bébé et que vous ne pouvez plus rien laisser traîner.

- Dès l'instant où votre bébé va ramper, il portera à sa bouche tout ce qu'il trouvera sur ce chemin. Faites attention aux petits objets qui pourraient l'étouffer et à la propreté du sol.

- Evitez de crier : «Attention, tu vas tomber !» à chaque fois que votre bébé tente de se mettre debout ou de marcher malgré son instabilité. Faites-lui confiance, ou bien il va perdre la sienne.

Il se tient debout

Souvent, dès l'âge de cinq mois, le bébé tente de se redresser sur ses jambes. On sent bien qu'il aime être mis debout, alors même qu'il est incapable de s'asseoir.

Autour de six mois, il peut se tenir debout, jambes droites et résistantes, s'il est bien soutenu sous les aisselles. Puis il prend de l'assurance.

Lorsqu'il est assis ou allongé et que vous lui tendez les mains, il s'y agrippe fermement et passe ainsi directement à la position debout. Il apprend peu à peu à se tenir droit, sans être soutenu autrement que par les mains.

Il est manifeste que certains adorent cela : ils jubilent, sautent, plient et tendent les jambes, et hurlent parfois lorsque vous voulez les asseoir.

Mais tous ne sont pas ainsi : certains bébés plus calmes, moins «physiques», attendront encore trois ou quatre mois avant de vouloir tenir debout, sans que cela ait des conséquences sur la nature de leur développement.

En effet, si tous les enfants ne marchent pas au même âge, les étapes qu'ils suivent pour y parvenir sont généralement les mêmes.

Il se met debout

Un grand nombre de bébés, parmi les plus actifs physiquement, commencent rapidement à se mettre debout seuls. Entraînés à s'agripper à vos mains pour se hisser sur les jambes, ils vont continuer à s'agripper à tout ce qu'ils trouvent. Si la position debout est la position préférée de votre enfant, il va passer une partie importante de son temps à s'entraîner.

L'enfant, à cette étape, essaie souvent de se hisser grâce à tout ce qui peut lui servir d'appui (parfois il se trompe et renverse chaises et guéridons). Il s'accroche à tout ce qu'il peut, mais il apprendra progressivement à choisir les meilleures prises, les plus efficaces.

L'aide la plus sûre est constituée par la barrière en bois du parc, carré et classique, dans lequel l'enfant jouait jusque-là assis. Le bébé va se tirer aux barreaux pour se mettre debout, puis apprendra peu à peu à se déplacer sur le côté, faisant ainsi, debout, le tour du parc. Ce jour-là, la marche n'est plus très loin !

Une fois debout, il jubile et va tenter l'étape suivante : lâcher une main, lâcher l'autre. Puis lâcher les deux en prenant appui sur le ventre.

Le «cabotage»

«Cabotage» est un terme que l'on utilise pour décrire le stade où l'enfant se déplace debout, latéralement, en se tenant aux meubles et en passant d'appui en appui. Assez vite, l'enfant peut glisser le long d'un meuble, un canapé par exemple, sans autre appui que ventral.

Les jeunes enfants qui en sont déjà à ce stade peuvent la plupart du temps, tenus par les deux mains, ébaucher une marche débutante. Mais il leur faudra encore plusieurs semaines avant d'oser lâcher une main, puis l'autre.

Les différences entre enfants peuvent être importantes. Peut-être le vôtre parvient-il, lorsqu'il se met debout, en appui sur le ventre, à lâcher une main ou les deux pour manipuler un objet. Certains sont également capables de se mettre debout au milieu d'une pièce sans avoir besoin de se hisser.

Ce qui est sûr, c'est que presque tous les bébés de cet âge trouvent que la position debout est vraiment la seule intéressante. Si c'est le cas du vôtre, c'est souvent debout que vous allez devoir le changer, l'habiller et parfois le nourrir, pour qu'il

L'habileté manuelle (récapitulation)

● **Naissance : les mains du bébé sont fermées. Elles peuvent saisir un objet si celui-ci effleure la paume (réflexe d'agrippement) mais l'enfant ne contrôle pas cette prise et il va lâcher involontairement. Cet agrippement est très tonique.**

● **2 mois : les mains du bébé s'ouvrent. Le bébé, lorsqu'une chose l'attire, tend encore peu la main dans la direction : c'est plutôt tout son corps qui s'excite globalement. Le réflexe d'agrippement a disparu. Le bébé peut tenir un hochet mais n'est pas encore capable de l'attraper sans aide.**

● **3 mois : le réflexe d'agrippement a disparu. Le bébé peut tenir un hochet mais n'est pas encore capable de l'attraper sans aide.**

● **4 mois : le bébé tend clairement la main vers ce qu'il vise, mais la poigne est encore malhabile. On observe un début de coordination des deux mains.**

● **6 mois : le bébé vise mieux et peut maintenant attraper volontairement un objet qu'il vise. Il sait porter à la bouche, passer d'une main dans l'autre et heurter pour faire du bruit.**

● **8 mois : le pouce s'oppose aux autres doigts, ce qui permet une prise plus précise et des gestes minutieux. La main sert aussi à jeter ou à repousser ce que l'enfant ne veut pas.**

L'habileté manuelle (suite)

● **10 mois : l'index devient prédominant et l'enfant s'en sert pour montrer du doigt. L'habileté manuelle se développe dans toutes les directions : tourner, faire rouler, tirer, etc.**
● **12 mois : la manipulation devient plus fine et plus sûre. Le bébé est capable d'imiter des gestes simples et d'empiler deux ou trois cubes.**

Il ne marche pas «droit»

Faut-il s'inquiéter si un bébé a tendance à marcher les pieds en dedans, ou à avoir les pieds plats, ou encore à marcher sur la pointe des pieds ?
Toutes ces tendances sont banales et concernent la presque totalité des enfants. En quelques mois, les pieds vont se muscler et ces petits problèmes disparaître. Cependant, s'ils vous paraissent inquiétants, n'hésitez pas à consulter votre pédiatre.

consente à se tenir tranquille. Il lui arrive même de prendre de grands risques lorsqu'il veut à tout prix se tenir debout sur sa chaise haute ou dans sa poussette !

Les premiers pas

Votre enfant marchera seul, comme tous les enfants, entre dix et dix-huit mois. Cela dépend de sa maturité musculaire et neurologique, de son poids, de son tempérament et du temps qu'il passe à s'exercer.

Il n'y a pas à s'inquiéter au sujet de l'enfant qui tarde un peu à marcher. Il n'est nullement paresseux. Peut-être est-il si habile à marcher à quatre pattes qu'il ne voit pas pourquoi changer. Peut-être attend-il tout simplement son heure.

Si votre enfant passe, debout, d'un meuble à l'autre, s'il est capable de se mettre debout seul au milieu d'une pièce, alors son heure est proche. Vous pouvez l'aider à s'entraîner en lui confiant un tabouret ou une chaise légère : il marchera en les poussant devant lui et en les faisant glisser sur le sol. Mais le mieux est encore, dès qu'il le peut, de faire marcher l'enfant en lui tenant les deux mains, puis une seule.

Certaines appréhensions

Bien des bébés ont des appréhensions au moment de lâcher le dernier doigt qui assure leur équilibre. C'est pourquoi il ne faut nullement les bousculer ou les presser : ils se lâcheront à leur heure, lorsque leur marche aura acquis une certaine stabilité.

Une chose est sûre : pour qu'un bébé se lâche et fasse ses premiers pas seul, il faut qu'il ait envie d'aller vers quelque chose ou de satisfaire quelqu'un. Si vous sentez que votre bébé est prêt, tenez-vous à un pas ou deux de lui. Puis tendez les bras : il va s'y précipiter. Les premiers pas se font ainsi souvent presque par hasard : on quitte les bras de papa, pour faire un pas et se laisser tomber de tout son long dans les bras de maman, et réciproquement.

Un peu de patience

Attention ! Faites preuve de patience et de calme. Il n'est pas bon pour votre enfant de sentir que vous attendez impatiemment qu'il franchisse une étape qu'il ne se sent pas mûr pour franchir. Mais à l'inverse, s'il sent votre anxiété et que vous vous précipitez vers lui chaque fois qu'il risque de tomber sur les fesses, vous lui donnez l'idée que marcher est une chose bien risquée.

Finalement, la seule chose à faire est de jouer avec lui et de le laisser expérimenter seul le reste du temps. Il va hésiter, progresser ou parfois revenir en arrière à la suite d'une mauvaise expérience. Mais un jour, pas de doute, il se lancera.

Ce jour-là, tout ne sera pas gagné. L'enfant va encore, pendant un bon moment, se servir du quatre pattes pour se déplacer efficacement en toute sûreté. Comme, bien souvent, il commence à marcher sans savoir s'arrêter, il choisira de se laisser tomber sur les fesses. Mais enfin, semaine après semaine, il va gagner en stabilité et en assurance.

Découvertes et inquiétudes

Les débuts de la marche marquent un virage important dans le développement de l'enfant. D'un côté, il se sent grand et fort. Marcher signifie pouvoir partir debout à la découverte de l'environnement. L'horizon s'élargit : c'est le début de nouvelles expériences.

Explorer la verticalité n'est pas une mince affaire. Cela demande du temps, de l'audace et beaucoup d'énergie.

D'un autre côté, le bébé se sent encore bien petit face à un monde si vaste. Il s'excite, voudrait tout découvrir, mais il tombe ou se cogne. La conscience de ses propres limites le fait parfois hurler de frustration. Il veut décider seul et tente de garder le contrôle de la situation, mais s'aventurer ainsi fait très peur. Il trouve bon, souvent, de se réfugier contre maman, de s'enfouir dans ses jupes ou de se blottir dans ses bras, comme lorsqu'il était un bébé qui ne marchait pas…

Ce mélange de désirs et d'inquiétudes, de découvertes et de frustrations, se traduit souvent la nuit par des troubles du sommeil. L'enfant se réveille au milieu de la nuit, pleure et semble avoir peur sans que vous puissiez comprendre de quoi. Rassurez votre enfant, assurez-le de votre amour et de votre soutien, confortez-le dans son désir d'autonomie.

Ainsi, progressivement, il retrouvera confiance en lui.

Il fait ses dents

Si votre bébé a les pommettes rouges, suce vigoureusement son poing, bave beaucoup, a les gencives enflées et semble souffrir, peut-être est-il en train de se préparer à sortir sa première dent.

LE DÉVELOPPEMENT PHYSIQUE

Dents : les idées reçues

Vrai
- L'enfant bave,
- il souffre parfois,
- il peut manquer d'appétit,
- il peut avoir les fesses rouges, abîmées,
- il a besoin de mordre.

Faux
- La sortie des dents est responsable de fièvre, otite, diarrhée, bronchite, vomissements, convulsions, troubles divers.

Un mot sur les vaccins

Quelle que soit l'opinion que vous ayez au sujet des vaccins, sachez que les premiers sont obligatoires et vous seront réclamés lors de toute inscription en collectivité (en crèche, par exemple).

Les vaccins représentent un progrès extraordinaire de la médecine, protégeant les bébés de maladies qui pouvaient être très graves pour eux, voire mortelles. En partie grâce à eux, la mortalité infantile a beaucoup diminué.

Des effets secondaires légers, comme une poussée de fièvre, existent pour certains vaccins, qui obligent parfois à décaler une injection. Mais le désagrément pour l'enfant est sans commune mesure avec les risques auxquels l'exposerait la maladie.

Les vaccins (suite)

● **Le B.C.G., qui est un vaccin contre la tuberculose. Il est administré en une fois, le plus souvent entre la naissance et trois mois.**
● **Le TétraCoq, qui associe, en une injection, des vaccins contre la diphtérie, le tétanos, la coqueluche, la poliomyélite.**
● **Le R.o.r. Bien qu'il ne soit pas obligatoire, je ne saurais trop vous conseiller de faire administrer à votre enfant le R.o.r., un vaccin qui protège à la fois contre : la rougeole, les oreillons, la rubéole.**
Cette recommandation vaut d'autant plus si votre enfant est en collectivité, donc à la merci des épidémies.
Les deux premières maladies ne sont généralement pas considérées comme graves mais elles peuvent parfois entraîner de sévères complications. Quant à la rubéole, elle est grave si elle est contractée par une femme enceinte, car elle fait courir un risque au fœtus. Votre petite fille sera un jour une femme, votre petit garçon pourra un jour transmettre la maladie.
Alors, pourquoi prendre de tels risques ? Pourquoi ne pas choisir de protéger votre enfant de ces désagréments, avec un vaccin de plus très bien toléré ?

Celle-ci peut apparaître dès 5 mois ou n'être toujours pas sortie à un an, sans qu'il y ait lieu de s'inquiéter dans un cas comme dans l'autre. Il n'existe pas d'enfants qui n'ont pas de dents et la date d'apparition de la première est absolument sans importance et sans aucun rapport avec le reste du développement de l'enfant. Autant les dents de lait sortent toujours plus ou moins dans le même ordre, autant l'âge d'apparition de la première dent peut être très variable : cinq mois est assez banal, mais douze mois est courant aussi. Alors ne faites preuve d'aucune impatience.

Certains bébés semblent souffrir un peu plus que d'autres quand les dents sortent. Cela peut même s'accompagner de rougeurs sur les fesses. En revanche, les dents ne sont jamais directement responsables de fièvre, de diarrhée, de bronchite ou de vomissements.

L'enfant, souvent moins résistant pendant cette période, est exposé à des infections qu'il faut soigner comme telles. Négliger un symptôme en le mettant sur le compte des dents serait une erreur.

Comment aider bébé

- Donnez-lui quelque chose de ferme à mâcher : anneau de dentition, carotte réfrigérée. L'anneau qui contient un liquide doit être tenu au réfrigérateur (le froid soulage l'inflammation) mais non au congélateur.
- Frottez doucement la gencive du bébé avec votre petit doigt, et éventuellement un gel apaisant que le pharmacien vous conseillera. Mais évitez anesthésiques et aspirine.
- Par temps froid, ou seulement si le vent est frais, couvrez chaudement la tête et le visage de votre bébé.
- Une fois que votre bébé a des dents, ne le laissez plus mâchouiller toute la nuit un biberon de lait ou d'eau sucrée. Attention aux caries !

L'ordre de sortie des dents

Les deux incisives inférieures sortent en premier, puis les incisives supérieures. Les incisives latérales supérieures sont souvent les suivantes, et les latérales inférieures sortent en dernier.

Le pouce et la sucette

L'un comme l'autre ont leurs partisans et leurs détracteurs. Je n'ai pas l'intention de prendre part à cette querelle. Je sais avant tout le besoin fondamental qu'a le bébé de téter, besoin que le temps consacré au repas suffit rarement à satisfaire. Je sais aussi que si certains bébés trouvent vite leur pouce et se calment ainsi, d'autres n'y parviennent pas.

Pourquoi leur refuser le même apaisement et ne pas leur donner une sucette ?

Le «bon» usage de la tétine

La sucette est extrêmement décriée. Elle serait malsaine, transporterait toutes les saletés, ferait des parents des esclaves. En fait, je constate surtout qu'elle procure une réelle satisfaction à l'enfant. Elle aide notamment les enfants qui ont des coliques ou des difficultés digestives à se calmer. A priori, le pouce est préférable dans la mesure où il laisse le bébé libre de le prendre ou non, à volonté, sans que l'adulte ait à intervenir. Mais on peut trouver des solutions pour la tétine, par exemple en en mettant plusieurs dans le lit de l'enfant afin qu'il ait plus de chances d'en trouver une la nuit. Il existe aussi des clips permettant d'attacher la tétine au vêtement. Le problème est que les enfants ne peuvent plus s'en passer avant plusieurs années. A chaque parent de faire son choix.

Téter, un vrai besoin

Téter est un comportement inné que le bébé emploie spontanément pour se rassurer et maîtriser les émotions qui l'envahissent. C'est un besoin à respecter. Il ne peut qu'être nuisible d'empêcher un bébé de satisfaire ce besoin, quel que soit le moyen choisi. Qu'il se satisfasse avec son pouce ou avec une tétine est tout à fait secondaire. Mais une fois l'habitude prise, en priver l'enfant de force serait pire que le mal, si mal il y a. Aux parents fumeurs, je demande : vous qui êtes prisonnier de votre plaisir oral, attendez-vous de votre bébé qu'il soit plus fort que vous ? L'éducation est un exemple : soyez exigeant pour vous-même avant de l'être pour lui…

Le seul signe qui puisse vous inquiéter, c'est la constatation que votre bébé tète toute la journée et semble ainsi se couper du monde. Lorsque le bébé est reposé, qu'il n'a pas faim, qu'il joue, il n'éprouve pas en permanence le besoin de téter. Sauf si celui-ci prend le pas sur le besoin d'échange, d'exploration et de communication. Auquel cas il est bon de s'interroger sur ce qui ne va pas pour l'enfant et sûrement de passer davantage de temps à s'occuper de lui et à jouer avec lui.

La propreté

Il est vrai que certaines mères d'enfants de 1 an ont réussi, en mettant leur bébé à heures fixes sur le pot et en l'y maintenant un moment, à obtenir qu'il fasse. Mais un enfant n'est pas un chiot et l'éducation ne consiste pas à obtenir une réponse passive. Ceux qui le font prennent de grands risques que l'enfant pourrait payer cher dans les années suivantes.

A l'heure des changes complets, il n'y a pas d'urgence à retirer les couches. Votre enfant a beaucoup de choses à apprendre avant de savoir se retenir et demander le pot. Il doit apprendre à marcher, à courir, à monter et descendre les escaliers, à dire quelques mots. Il doit apprendre où sont les toilettes et à quoi elles servent. Il doit apprendre le plaisir d'être au sec, d'être propre, de se promener seulement avec une petite culotte. Il doit aussi quitter le stade oral, où tout l'intérêt et le plaisir passent par la bouche.

Mais surtout, la propreté réelle, contrôlée, demande une maturité du système neuro-musculaire que l'on ne peut hâter et qui n'intervient le plus souvent qu'autour de deux ans.

Alors, quelle que soit votre impatience, ne tentez rien avant l'âge de 18 mois. L'enfant et vous n'avez rien à y gagner.

Le jeu
et les jouets

Le jeu et les jouets tiennent une place essentielle dans les mécanismes qui sous-tendent le développement de l'enfant. On sait aujourd'hui que le jeu n'est pas seulement pour l'enfant une distraction, mais un temps d'acquisition et d'apprentissage indispensable à son développement intellectuel, affectif et social.
Un enfant en bonne santé et normalement heureux joue spontanément. Avec le corps de sa mère et avec son propre corps, pour commencer : il joue longuement avec ses mains, puis avec ses pieds, agrippe les cheveux ou les lunettes de sa maman... Vers quatre mois, capable d'attraper, il joue avec ce qui lui tombe sous la main, et s'empresse de le mettre en bouche. Capable de se déplacer, il considérera comme jouet tout ce qui l'attire, même et surtout s'il ne s'agit pas d'un jouet mais d'un objet interdit. Quel plaisir de manipuler la télécommande, de froisser les journaux ou de faire tourner la râpe à fromage !

Les différentes fonctions du jeu et du jouet. Jouer avec son enfant. Choisir les bons jouets.

Des petits jeux simples à faire avec bébé

● **Suspendez des jouets, ou un mobile, dans son lit, au-dessus de ses mains, puis au-dessus de ses pieds. Montrez-lui comment il peut les faire bouger.**

● **Faites-lui découvrir des odeurs nouvelles. Pour cela, vous pouvez passer sous son nez un flacon de vanille ou de cannelle, une banane ou une orange coupée en deux, un flacon d'eau de rose, etc. Commencez toujours par humer vous-même, mimant le plaisir. Puis faites humer à votre bébé. Expliquez-lui de quelle odeur il s'agit, et demandez-lui s'il trouve aussi que cela sent bon.**

● **Faites-lui connaître des sensations nouvelles en faisant appel à son sens de l'équilibre. Pour cela, calez-le dans vos bras, couché à l'horizontale, son dos contre vous. Puis balancez-vous légèrement, d'un côté, de l'autre, penchez-vous en avant, en arrière, baissez-vous, relevez-vous, etc.**

● **Accrochez des grelots à des rubans que vous nouerez tantôt aux poignets, tantôt aux chevilles de votre bébé. Montrez-lui comment, en bougeant la main ou la jambe, il peut provoquer un son. Il aura vite compris. Attention : ne le laissez jamais seul avec ses grelots ; il risquerait de les avaler.**

Les fonctions du jeu

Nous avons vu que le bébé naissait avec une sensorialité riche et sensible : les premiers jeux stimuleront la vision ou l'audition du bébé. Puis celui-ci traversera une phase exploratoire où ses jeux préférés consisteront à explorer, manipuler, vider, jeter, secouer, tout ce qui lui passe dans la main. Nous verrons le sens du jeu puis nous passerons en revue quelques-uns des jouets importants, qu'ils s'achètent ou qu'ils soient «faits maison», et quelques conseils qui facilitent la vie.

Jouer, à quoi cela sert-il ?

Le jeu est loin d'être un domaine accessoire dans le développement et dans la vie de l'enfant. Prenez n'importe quel enfant qui n'a ni mal, ni faim, ni sommeil.

Que fait-il ? Il joue. C'est même là un signe important de bonne santé physique et psychologique.

Cela montre que jouer est pour l'enfant une activité fondamentale par laquelle il va tout apprendre sur le monde et sur lui-même, et non une vague frivolité qui l'occupe en attendant de passer aux choses sérieuses. Car jouer est une chose sérieuse. L'enfant, en jouant, apprend à se maîtriser en évoluant à son rythme propre, mais il apprend aussi à maîtriser les choses qui l'entourent.

Jouer, c'est apprendre

Le mot apprendre ne doit pas vous surprendre : pour l'enfant, il n'y a pas de différence entre jouer et apprendre. Manipuler les objets, secouer, démonter, faire du bruit, remplir d'eau, escalader le canapé, tout cela c'est apprendre.

Mais attention : cela ne signifie pas que l'adulte doive «récupérer» le jeu de l'enfant pour le pousser dans un entraînement intensif ou dans des apprentissages trop précoces. Le jeu sert à jouer, un point c'est tout. L'enfant joue «pour le plaisir», même si, ce plaisir, il le trouve dans un effort qu'il s'impose à lui-même. Le jeune enfant se livre à de réels apprentissages, essaie, échoue, essaie encore, parce qu'il ne sait pas que davantage de compétences signifie davantage de jeux possibles, donc plus de plaisir. Il progresse également parce qu'il y est poussé par une force formidable. Cette pulsion fondamentale, innée, est tout simplement le désir de vivre, de grandir et la curiosité de connaître.

Votre bébé est merveilleusement doué pour cela. Regardez-le lorsque vous lui confiez un nouveau jouet. Il va se servir de tous ses sens pour le découvrir : il va le regarder, bien sûr, mais aussi le sentir, le goûter, le caresser, le secouer, le cogner, le démonter... tout cela d'une façon ingénieuse et merveilleusement efficace.

Jouer, c'est partager

Jouer est déjà très important pour votre bébé, malgré son jeune âge. Non seulement il joue avec son corps, mais il joue aussi avec l'autre. Quotidiennement, vous avez pris l'habitude de passer un moment à ces jeux que vous partagez avec votre bébé. Regards, sourires, gloussements, chatouilles, sont autant de moyens qu'il a de vous dire son plaisir.

Jouer avec son enfant

Tous les parents souhaitent que leur enfant acquière un certain sens de l'autonomie, et notamment qu'il soit capable de jouer seul. Il le sera... si vous passez du temps avec lui.

Un bébé joue seul... mais d'autant mieux que l'on passe du temps à jouer avec lui. Si les parents jouent avec l'enfant, il s'attachera au jouet utilisé, parce que, quelque part, «investi» par les parents.

Même si l'enfant est entouré de beaux jouets, très bien étudiés par les fabricants, aucun n'atteindra la valeur d'éveil et de découverte d'un quart d'heure chaleureux passé à jouer avec un adulte. Un temps de disponibilité totale, même court, et d'attention portée à l'enfant, est un cadeau royal. Même si l'on dispose de peu de temps, on peut profiter par exemple du moment du bain ou du change, pour jouer et rire ensemble. Sur le tapis, on peut jouer à cache-cache (d'abord avec son visage derrière ses mains, puis avec un objet), ou à la balle. On peut se chatouiller ou sauter sur les genoux. On peut monter une tour de cubes que le bébé fera s'écrouler...

Finalement peu importe le jeu. On ne peut faire plus de plaisir et plus de bien à son bébé que de lui consacrer chaque jour un petit temps d'échange, de jeu et de plaisir.

● **Trouvez des morceaux de tissus aux textures différentes. Caressez-en la paume de votre bébé, puis son corps. Si vous avez un peu de temps, vous pouvez coudre ces morceaux de tissus en un patchwork puis confectionner un gros serpent que votre bébé adorera.**

Attention ! Quelques minutes à la fois suffisent. Sachez sentir sa disponibilité et sa fatigue pour arrêter le jeu à temps, avant qu'il ne se lasse.

A l'âge où il jette tout par terre...

Fournissez à votre bébé des objets qu'il va pouvoir lancer sans risque et qui vont tomber de façons variées :

● **Des objets légers (plume, papier froissé, ballon gonflable...) qui tombent lentement et sans bruit, et des objets plus lourds (cube en bois, cuiller en métal...) qui tombent vite et bruyamment.**

● **Des objets qui roulent (bouteille en plastique, balle...) ou qui restent sur place (petit coussin, sable...).**

● **Offrez-lui de s'entraîner à viser en plaçant devant sa chaise, par terre, un grand récipient, genre bassine en plastique : plutôt que de ramasser dix fois le même objet ou dix objets épars, vous lui rendez d'un coup tout le contenu de la bassine.**

Quand il jette tout par terre...

● **Si vous voulez que votre enfant s'intéresse encore plus au jeu, déposez au fond de la bassine un plateau en métal retourné (ou un couvercle de casserole). Le bruit produit l'amusera beaucoup.**

● **Enfin, lorsque vous êtes lassée de ramasser et que le jeu a usé votre patience, attachez un objet «à lancer» à une extrémité d'un morceau de ficelle. Nouez l'autre extrémité à proximité de l'enfant, sur sa chaise ou la barrière de son parc. Il ne vous reste plus qu'à lui apprendre à récupérer l'objet en le hissant grâce à la ficelle.**

Investir affectivement le jouet

Pour qu'un enfant s'intéresse à un jouet, pour qu'il y joue lorsqu'il se trouve seul dans sa chambre ou dans son parc, il faut que ce jouet ait été «investi» affectivement, par sa mère ou par son père. Il faut que les parents aient passé du temps à découvrir le jouet avec leur enfant, à le manipuler, à s'en amuser. Tant que le jouet est posé dans le placard, dans sa boîte ou dans le coffre, il est comme mort pour l'enfant. C'est lorsque la mère le prend et l'anime qu'elle lui donne vie et éveille ainsi le désir de son enfant. Plus tard, lorsque l'enfant se retrouvera seul avec le jouet, il se souviendra de sa mère en train de jouer et il lui sera plus facile alors de jouer seul. A travers l'objet, il retrouvera sa mère. De temps en temps, il faut ainsi «animer» les joujoux.

Il ne s'agit nullement d'expliquer au bébé la meilleure manière de jouer avec tel ou tel objet : il se débrouille très bien tout seul, mais de lui montrer que l'on s'intéresse à lui et que l'on prend plaisir à partager. Il suffit, chaque jour, de se mettre un moment à sa hauteur, sur le tapis, et d'échanger ensemble autour des joujoux... C'est à l'enfant de choisir le jeu : laissez-vous guider par lui.

Mettez-vous simplement à la disposition de l'enfant, et partagez ensemble autour du jouet, comme lui pourrait le faire.

La main et le jeu

La plupart des bébés tendent clairement la main vers les objets qu'ils souhaitent attraper, lorsqu'ils sont capables de saisir un jouet suspendu au-dessus d'eux.

Une fois l'objet en main, l'enfant est capable de tourner son poignet afin de regarder l'objet sous différentes faces. Etudier les objets sous plusieurs perspectives, à différentes distances ou à l'envers fait partie des intérêts de l'enfant. Il apprend ainsi qu'un objet peut se présenter sous de multiples apparences, tout en restant identique à lui-même. C'est le commencement de ce que l'on appelle la permanence de l'objet.

Savoir lâcher

Si l'enfant de sept mois sait bien attraper les objets, il a encore des difficultés pour les lâcher. Bien sûr, il lâche un objet qu'il tenait pour en attraper un autre, ou par maladresse. Mais lâcher délibérément, pour tendre à quelqu'un ou pour envoyer, nécessite une détente musculaire inverse de la tension exercée pour tenir. Il s'agit là d'un apprentissage pour lequel vous pouvez aider votre enfant.

Lorsqu'il a un objet en main, placez votre main à plat sous l'objet. Montrez-lui qu'il peut lâcher l'objet sans que celui-ci tombe : il reste posé, à plat sur votre main, et votre bébé peut le reprendre sans problème.

Prendre et donner

Une fois ceci acquis, vous pouvez jouer ensemble, chaque fois que l'occasion se présente, à «prendre et donner». Par exemple, lorsque le bébé est assis face à vous, tendez-lui une petite balle. Lorsqu'il l'a prise, incitez-le à vous la confier. Demandez-la-lui en tendant la main : «Tu me donnes ta balle ?» S'il vous la donne, faites une chose amusante avec la balle, par exemple la lancer en l'air, puis rendez-la-lui. L'enfant est alors incité à lâcher les objets qu'il tient et à vous les donner, parce qu'il est amusé par ce que vous en faites.

Ce jeu peut intervenir à tout moment. Il est avec vous dans la cuisine, assis dans sa chaise haute ? Tendez-lui une spatule, une carotte ou un gobelet, etc., puis demandez-les à nouveau. Chaque fois, jouez une seconde avec l'objet avant de le rendre. Une fois bien compris, le jeu peut se compliquer. Vous pouvez aborder les échanges : «Tu me donnes la carotte ? Tiens, prends la cuiller à la place.»

N'oubliez pas de verbaliser ce que vous faites. Ainsi vous pouvez également en profiter pour accroître le vocabulaire de votre enfant : «Oh, tu as pris le cube bleu ? Tiens, donne-le-moi. Moi je te donne le cube vert. Tu vois le vert ? Maintenant, donne-moi le vert et je te rends le bleu.» Et ainsi de suite.

Enfin, une fois que l'enfant sait lâcher en ouvrant simplement les doigts et en posant l'objet sur votre main, vous pouvez passer à l'étape suivante. Assis tous deux face à face, à un mètre ou deux de distance, vous lui apprenez à lâcher en accompagnant le geste d'un mouvement du bras. Si vous prenez un petit ballon, l'enfant vous imitera et apprendra peu à peu à lancer.

Même très jeune, l'enfant s'attache à ses jouets

Dès qu'il est en âge de tenir dans la main un hochet ou une petite poupée, l'enfant les serre contre lui et proteste quand on tente de les lui enlever. Dès qu'il découvre un nouveau jouet, il se l'approprie et s'y attache. S'il s'amuse à lancer loin de lui la tétine ou le nounours auquel il tient, c'est pour réclamer aussitôt qu'on le ramasse pour le lui rendre.

Dès qu'ils sont en âge de se déplacer seuls avec leurs jouets, certains enfants prennent l'habitude de les regrouper autour d'eux, dans leur petit lit ou dans le parc, comme pour signifier : "Ceci est à moi, prière de ne pas y toucher." Il aime avoir ses jouets autour de lui, à portée de main, notamment la nuit. C'est une sorte de rite qui le rassure, en lui donnant un sentiment de pérennité et de confiance.

Cet attachement est exclusif : l'enfant n'est pas prêteur. Ou, s'il prête, dans un jeu d'échanges, il réclame aussitôt ce qu'il vient de confier. Il y a donc bien un sentiment de propriété et un attachement très précoces de l'enfant à ses jouets, qu'il est important de respecter.

Jeter : une phase importante du développement

Il serait dommage de supprimer les objets qui se trouvent à la portée de l'enfant dès qu'il commence à les jeter par terre.
Jeter à terre, pour que vous ramassiez et ainsi de suite, est le passe-temps favori du bébé quand il a découvert qu'il savait lancer. Dites-vous que si tous les enfants traversent cette phase, c'est qu'elle est importante pour eux. Ils ne lancent pas les choses pour embêter leur mère, mais pour s'exercer à une nouvelle compétence : ils sont tout simplement curieux de découvrir ce qui arrive aux choses que l'on jette. Ils apprennent que les objets (et les gens) peuvent disparaître et revenir. Donc lorsque maman s'en va, elle ne disparaît pas définitivement : elle aussi va revenir… Ils apprennent que l'on peut avoir un geste agressif envers les objets (ou les gens) sans qu'ils soient abîmés (ou qu'ils vous en veuillent). Enfin, l'aspect social du jeu — vous faire intervenir à intervalles réguliers pour lui rendre l'objet — le réjouit fortement.
Maintenant, vous avez compris pourquoi ce jeu est important pour votre enfant. Alors, croyez-moi, sans pour autant rester à genoux pendant des heures à ramasser, acceptez par moments de jouer avec lui.

Des jeux avec les mains

Les mains sont le premier jouet du bébé et source de découvertes inouïes. Puis elles deviennent, avec l'habileté, le premier et le meilleur outil du bébé. Elles apportent à la bouche, elles explorent, elles manipulent.

● Confiez à votre enfant une boîte facile à ouvrir et fermer (par exemple une boîte à chaussures) dans laquelle vous mettrez quelques objets sans danger qu'il pourra manipuler tout à son aise. Comme la nouveauté provoque toujours un renouveau de l'intérêt, il est bon de changer ces objets souvent.

● Faites toucher à votre bébé des objets procurant des sensations variées : un glaçon, ou une vitre l'hiver, puis dites «Froid». Un radiateur, ou son biberon de lait : «C'est chaud». Les promenades permettent d'élargir ces expériences.

● Le bébé assis sur vos genoux, laissez-le manipuler de petits objets, par exemple remplir une tasse avec un tas de petits raisins secs posés à côté.

Il jette tout par terre

La scène est classique : bébé est assis dans sa chaise haute, plusieurs jouets posés devant lui. Soudain, il vous appelle : sa girafe est tombée. Vous la ramassez, lui rendez et retournez à vos activités. Mais cela se reproduit, une fois, deux fois, dix fois, et vous constatez que votre enfant fait exprès de jeter sa girafe par terre dès qu'il l'a récupérée. Croyant qu'il n'en veut pas, vous enlevez l'objet, mais il la réclame vigoureusement. Seconde variante : il est dans son parc et jette les jouets par-dessus la barrière. Puis hurle pour les récupérer.

Troisième variante, très vite lassante : au cours du repas, il s'amuse à jeter par terre timbale, nourriture ou cuiller pleine de purée. C'est généralement à ce stade que la mère craque et se dit que son bébé la prend pour ce qu'elle n'est pas !

Quelques jouets importants

Qu'est-ce qu'un bon jouet ?

Voilà une question difficile, tant la réponse varie selon que l'on se met à la place de l'enfant, du parent ou du psychologue.

Pour les parents, un bon jouet est généralement celui qui fait beaucoup d'usage : l'enfant y joue souvent et longtemps. C'est aussi celui qui va lui apprendre quelque chose et qui le fera progresser. Pour l'enfant, c'est sûrement, une fois le premier attrait passé, le jouet qui offre le plus de possibilités de jeux. A ce titre, le grand carton vide détient une sorte de record...

Le hochet

Premier jouet à n'être pas son propre corps, le hochet fascinera longtemps l'enfant. Il apporte des stimulations mentales importantes : le bébé acquiert des notions de couleur, de forme, de texture. Le hochet a deux rôles essentiels. D'abord il permet au bébé de s'entraîner à la manipulation : le hochet est attrapé, agité, secoué, passé d'une main dans l'autre. Ensuite il stimule l'intelligence du bébé et lui permet de découvrir le lien de cause à effet : il agite le hochet, celui-ci produit un son. Le bébé semble surpris, recommence le même geste et produit le même résultat. Quelle joie pour lui de se découvrir capable d'agir sur les objets !

On comprend mieux que le bon hochet sera un objet de petite taille, facile à prendre en main, souple, léger, incassable, de matière non toxique et qui produit facilement un son.

La peluche

Il faut quelques mois avant que le bébé ne s'intéresse à ses peluches. Jusque là, il est inutile d'encombrer son lit avec des animaux qui risqueraient de le déranger. Mais peu à peu, le bébé va découvrir le plaisir de caresser, agripper, plonger ses petits doigts dans la fourrure, regarder dans les yeux, mâchouiller, câliner. Très vite, le jeune enfant va s'attacher à ses peluches, et il se peut que l'une ou l'autre devient un vrai substitut maternel, source de consolation et de réconfort en cas de fatigue ou d'absence de maman. Le bébé va vouloir se cou-

L'avis du spécialiste

Et pour le spécialiste, quelles doivent être les qualités du «bon» jouet ? Je vais tenter de donner quelques éléments de réponse.
Un bon jouet correspond à son destinataire.
Cela signifie que, s'il y a de mauvais jouets (parce qu'ils sont dangereux et inutiles), il y a peu de bons jouets dans l'absolu. Un jouet est bon pour tel enfant parce qu'il correspond bien à ses goûts et à son niveau de développement, mais sera moins bon pour tel autre. Donc un bon jouet est avant tout un jouet choisi en fonction de celui à qui on le destine.

Un bon jouet...

● **Un bon jouet est un jeu étudié.**
Il a été conçu par des spécialistes (certains papas en sont d'excellents !) en fonction des enfants auxquels il est destiné et il a été testé sur des enfants. Il est solide, résistant, et parfaitement fiable sur le plan de la sécurité.
● **Un bon jouet est simple.**
Il ne fait pas tout à la place de l'enfant. Au contraire, il laisse à l'enfant toute la place pour agir, concevoir et imaginer à partir du jouet. C'est l'enfant qui est l'initiateur et l'acteur du jeu, le jouet offrant seulement un support à son imagination.

Un bon jouet... (suite)

● **Un bon jouet est multi-usages.**
Il doit pouvoir servir de différentes façons, à différents usages. Selon l'humeur du moment de l'enfant, selon l'évolution de son développement, le jouet doit pouvoir évoluer et offrir plusieurs modes d'action. Par exemple, un camion-porteur est mieux s'il peut aussi servir de coffre à jouets, s'il fait «vroum-vroum» et si l'enfant peut prendre appui dessus pour se mettre debout.
● Enfin, le bon jouet, pour l'enfant, c'est celui que son père ou sa mère aura pris le temps de découvrir avec lui, celui qu'il aura «investi» de son attention et de son amour.

Pour lui fabriquer son premier livre

Acheter un petit album photo format carte postale. Glissez à l'intérieur des feuillets plastifiés des dessins que vous renouvellerez souvent.
Par exemple : de jolies cartes de Noël ou d'anniversaire, des photos de la famille, des cartes postales d'animaux, des photos d'objets quotidiens découpés dans des magazines, etc.

cher avec sa peluche dans ses bras, ou bien lui dire bonsoir. Des histoires d'amour se nouent là qui dureront parfois toute une vie (nombre d'adolescents ont encore leur ours en peluche). Il arrive que l'enfant joue avec la peluche comme avec une poupée, mais, le plus souvent, elle sera un compagnon que l'on transporte partout avec soi, que l'on assied à table, que l'on emmène en promenade. Douce, consolatrice, elle deviendra vite et restera longtemps un compagnon privilégié. Pour un tout-petit, choisissez des peluches en petit nombre, de petite taille, très souples (le bébé s'endormira dessus) et facilement lavables en machine.

Le premier livre

Les bébés adorent les livres. Dès six mois, vous serez surpris de l'intérêt qu'ils peuvent leur porter et du plaisir qu'ils prendront à les feuilleter avec vous. Les tout premiers livres sont en carton épais, en tissu ou en plastique (ils seront mis en bouche et soumis à rude épreuve). Ils seront des simples imagiers thématiques ou des livres d'images très simples. Certains sont des livres à toucher et à manipuler. Il n'est jamais trop tôt pour se procurer de petits livres et prendre un moment quotidien, peut-être lors de la mise au lit, pour les feuilleter et les raconter d'une voix gaie et douce. Cela développe le vocabulaire, l'imagination et la compréhension visuelle.

Les jouets «maison»

Vous pouvez très simplement fabriquer, ou détourner de leur destination d'origine, de nombreux jouets pour les confier à votre bébé. C'est original, amusant et économique. L'enfant n'a pas d'a priori sur l'origine du joujou. Avec ces quelques idées de départ, vous saurez vite trouver dans votre environnement ce qui intéressera votre bébé.

Regardez autour de vous

- Bébé aime ce qui bouge et ce qui brille. Suspendez au-dessus de son lit des guirlandes brillantes, des boules de Noël, des boîtes couvertes de papier d'aluminium, etc.
- De gros anneaux de rideaux en bois auxquels vous accrocherez des rubans de couleurs vives feront des anneaux de dentition très appréciables.
- Récupérez des emballages vides : petits pots, flacons ou petites bouteilles qui ferment efficacement. (Bouchon à vis

enroulé de sparadrap, par exemple.) Evitez le verre dès que l'enfant manipule seul et limitez-vous dès lors au plastique. Remplissez ces contenants avec des petits objets (une seule sorte par récipient). En agitant les flacons, vous obtiendrez des sons différents que vous pourrez varier à volonté.

Vos hochets sont prêts. Vous pouvez les rendre plus gais en les décorant avec des gommettes ou de l'adhésif de couleur.

Que mettre à l'intérieur des flacons ? Vous avez l'embarras du choix : légumes secs, graviers ou sable, perles ou billes, etc.
- Les jouets les plus drôles sont les plus inattendus. Pensez à : ronds de serviette, gants de caoutchouc, spatules en bois, emballages vides, boîtes à thé, cartes à jouer égarées, pinces à linge, pommes ou oranges, rouleaux de ficelle, gros élastiques, balles de tennis, chutes de tissu, porte-clés, verres en carton, vieux bracelets rigides, etc.

Place à la créativité

Un bon jouet, bien sûr, est solide, sûr, simple et offre à l'enfant de multiples possibilités de jeu. Jouet manufacturé ou grand carton vide, tout est possible si l'enfant est content.

Un bon jouet est étudié pour l'enfant. Résistant, il offre toutes les garanties de sécurité. Il est destiné à un enfant particulier en fonction de son développement et de ses goûts. Il n'est pas destiné à lui faire faire des progrès mais à l'amuser et à servir de support à son imagination. Un bon jouet, c'est simple. Parce que moins le jouet en fait, et plus l'enfant devra être actif et inventif. C'est lui qui sera l'auteur du jeu. Alors que le jouet sophistiqué ne laisse plus assez de place à la créativité de l'enfant. Si bien qu'un bon jouet pour un petit sera multi-usages et saura s'adapter aux désirs du moment.

Les conseils d'utilisation

- N'offrez pas à votre enfant des jouets trop en avance sur son âge. Vous le mettriez en situation d'échec et de désarroi. Un jouet jouera pleinement son rôle pour un enfant de l'âge pour lequel il a été étudié, et les tranches d'âge indiquées par les fabricants sont assez larges.
- N'encombrez pas sa chambre ou son lit d'une multitude de jouets, de peluches, de hochets, etc. Mieux vaut en mettre moins et les alterner. Pour attirer son attention, un seul jouet suffit, que vous remplacez lorsque l'enfant se lasse.

Les conseils de sécurité

● N'achetez que des jouets conformes aux normes de sécurité. Ils portent le marquage CE ou le label NF.

● Choisissez des jouets adaptés à l'âge de l'enfant tel qu'il est défini par le fabriquant. Attention à éviter ceux qui «ne conviennent pas aux enfants de moins de trente-six mois».

● Evitez de confier à votre bébé des objets trop petits (qui pourraient être avalés), pointus, tranchants, cassants (attention aux plastiques fins et rigides qui cassent avec des arêtes coupantes).

● Gardez pour plus tard, lorsqu'il ne portera plus à la bouche, les jeux de billes, de perles, ou de petites pièces à assembler.

● Vérifiez régulièrement l'état des jouets, la solidité des attaches, les yeux des peluches, etc.

● Les bébés adorent les emballages. Mais ne les laissez jamais jouer avec des sacs en plastique ou des emballages en polystyrène expansé.

● A moins d'être certain que la pièce et tous les objets sont parfaitement sûrs, ne laissez pas un enfant de cet âge jouer seul dans une pièce, sans surveillance. Si c'est nécessaire, choisissez de l'installer pour un moment dans son parc.

Objets à mettre dans le «panier à bidules» :

- **fouet à main,**
- **manique,**
- **boîte en plastique,**
- **passoire,**
- **entonnoir,**
- **objets de dînette,**
- **vieux gants,**
- **papier d'emballage,**
- **petites voitures,**
- **vieux catalogue,**
- **balle de tennis,**
- **jouets de sable,**
- **pinces à linge,**
- **porte-clés,**
- **échantillons ou chutes de tissus,**
- **ballons de baudruche,**
- **tube en carton (au centre des rouleaux de papier),**
- **boîte de cigare vide,**
- **cartes postales (ou de vœux),**
- **pelote de ficelle (bien attachée).**

Le parc

Le parc est très utile dans les moments où vous ne pouvez pas surveiller votre bébé, car il le protège du danger. Vous êtes appelée au téléphone ? Vous devez aller préparer quelque chose à la cuisine ? Mettez votre enfant dans son parc, même s'il n'est pas d'accord. Un petit enfant n'a que très peu conscience des risques qu'il prend. Dans ce domaine, vous devez à la fois le protéger et tout lui enseigner. En vous souvenant qu'il n'apprendra que s'il peut faire ses propres expériences.

- Attention : trop de stimulations, des jouets trop bruyants ou trop lumineux, peuvent fatiguer un petit enfant.
- Choisissez des objets d'une taille adaptée à celle de l'enfant. Evitez par exemple les très grosses peluches. Pour les jouets, assurez-vous qu'une petite main peut les agripper.
- Quand vous en serez aux premiers feutres et crayons, assurez-vous que les encres et les mines sont lavables et non toxiques.

Le panier à «bidules»

Le petit enfant devient vite un être parfaitement sociable, pourvu qu'il soit entouré des gens qu'il aime. Avec sa mère, il dialogue longuement. Il s'agrippe à elle et s'enfouit dans ses bras, mais déploie aussi ses talents d'imitateur et de séducteur. Avec son père, il apprécie les jeux plus violents, plus physiques et les jeux de cache-cache.

Il a une passion particulière pour ses frères et sœurs avec qui il est un vrai clown.

Dès que ses mains sont d'une habileté tout à fait correcte, il n'a de cesse d'attraper, secouer, tripoter, ouvrir, fermer, tourner, glisser… bref explorer les objets en tous sens et sous tous les angles. Et puis vider, remplir, vider encore, quelle joie ! Profitez-en pour lui procurer le meilleur des jouets, celui qui lui fera le plus d'usages : un carton ou un grand panier plein de «bidules». Ses explorations nécessitent une grande variété d'objets, aussi ne vous limitez pas aux jouets «prévus pour» comme les cubes, les animaux couineurs ou les hochets. Prévoyez des objets tous différents en couleurs, en formes, en textures, qui lui procureront des informations variées.

Le parc

Le parc n'a qu'un temps. Bien sûr, à l'âge où il commence à ramper, l'enfant prend des risques : pour lui-même car il va se déplacer, toucher à tout, mettre tout dans sa bouche, grimper aussi haut que possible ; pour ce qui l'entoure également, car il risque de casser et de renverser beaucoup. Ce n'est pas une raison pour le boucler dans son parc jusqu'à ce qu'il soit devenu raisonnable.

D'une part, parce qu'il va vite en faire le tour et ce n'est pas là qu'il va développer au mieux son intelligence avide de découvertes. Ensuite, parce qu'il va bientôt s'y ennuyer (si ce n'est déjà fait) : même si vous ajoutez de nouveaux jouets, votre bébé va se mettre à protester vigoureusement. Vous n'aurez le choix qu'entre être avec lui dans le parc pour l'amuser ou le laisser sortir.

Quel jouet pour quel âge ?

De 0 à 3 mois, le bébé manipule peu, mais il explore longuement l'espace environnant avec ses yeux et ses oreilles. Un mouvement de rideau, un son qui se répète, un dessin sur le mur, tout fait jeu et mérite son attention.

- Bébé sera très intéressé par un mobile qui se balance, de simples rubans ou ballons de baudruche.
- En travers du lit ou du landau, suspendez un boulier ou attachez quelques hochets avec un ruban. Bébé aimera les voir bouger, puis les heurter et provoquer des sons.
- Couché sur le côté, il aimera que l'on place en face de lui une petite peluche ou poupée de chiffon.
- Une boîte à musique est aussi un beau jouet. Le bébé reconnaîtra la mélodie et cela pourra avoir pour lui un rôle apaisant.
- Des jolies affiches au mur, des photos ou un simple miroir.

De 3 à 6 mois, le bébé attrape. Il va adorer tous les objets (hochets, anneaux de dentition, animaux en plastique) qu'il va pouvoir prendre dans la main, passer dans l'autre, mettre en bouche, secouer, dont il pourra faire sortir un son, etc.

- Il aime les boîtes à musique ou les mobiles animés. Il commencera à s'intéresser aux peluches et poupées de tissu.
- Les tapis d'éveil sur lesquels on allonge le bébé sont gais, colorés, et forment une bonne source de stimulations sensorielles.
- Les portiques sont très agréables aussi. Un peu chers, ils peuvent être faits «maison» avec un simple tréteau.
- C'est aussi le début des jeux de bain. Pour commencer, balles de ping-pong de couleurs vives et petits jouets en plastique feront l'affaire.

De 6 à 9 mois, c'est l'âge où le bébé commence à jouer avec les balles, les cubes en tissu, les quilles, les boîtes en plastique, l'ours en peluche, tous les petits «bidules» amusants à manipuler et qui, si possible, produisent des bruits.

Les jeux de bain se développent et prennent de l'importance. Les tableaux d'activité, accrochés aux barreaux du lit ou du parc, deviennent une bonne source d'entraînement manuel.

En plus de tout ce qui précède, les «grands» de 9 à 12 mois apprécieront les porteurs, gros camions en plastique, chien ou cheval à roulettes, objets à tirer au bout d'une ficelle.

Informations supplémentaires

Très jeune (0 à 3 mois), le bébé n'a pas besoin de beaucoup de stimulations et serait vite fatigué et énervé par un excès de bruits ou de mouvements. Peu d'objets, simples et de couleurs vives, présentés les uns après les autres, conviendront parfaitement. Ensuite, bébé attrape tout, donc adore tous les objets (3 à 6 mois).

De 6 à 9 mois, la position assise permet au bébé l'accès à beaucoup de nouveaux jeux et jouets. Les hochets sont toujours intéressants, et on peut en fabriquer d'une grande variété.

Enfin, de 9 à 12 mois, les «grands» sont déjà en mouvement et apprécient tout ce qui se déplace au sol. Mais c'est aussi l'époque des jouets que l'on empile et que l'on renverse. Les premiers livres sont en carton ou en tissu. Et les jouets affectifs commencent à jouer un rôle important : support d'imitation et attachement réel.

La sécurité du bébé

La maison, c'est le lieu où l'on se sent protégé, à l'abri du dehors et de ses dangers. Mais c'est oublier que les accidents domestiques existent et qu'ils causent des blessures ou des décès chez de trop nombreux enfants. Les jeunes enfants payent un lourd tribut, y compris les bébés, même si les risques augmentent lorsque l'enfant se déplace seul.

Tous les dangers ne peuvent être évités. Même avec toutes les précautions et une grande vigilance, les petits accidents font partie de la vie de l'enfant. Il n'y a pas de découverte de l'espace et de l'équilibre sans prise de risques et conscience progressive du danger. Il est donc vain, et il serait dommageable pour le développement psycho-corporel du jeune enfant, de vouloir lui épargner tous les bleus et les bosses.

Un enfant en sécurité, c'est un enfant dont on a bien aménagé l'environnement et qui est surveillé lorsqu'il se meut librement.

Des solutions pour protéger votre enfant

Pour éviter d'avoir à suivre votre bébé pas à pas dans la maison, voici quelques solutions.

Organisez-lui une chambre (ou un coin de chambre) bien à lui et parfaitement sûr, comme son parc. Autrement dit, faites de sa chambre un grand parc, une aire de jeu à la mesure de sa curiosité.

● **Mettez à sa disposition un coffre ou un panier rempli d'objets et de jouets qu'il pourra à sa guise explorer, démonter, maltraiter ou ranger. Enfin, laissez votre bébé dans cette pièce quand vous aurez besoin d'être tranquille un moment sans pouvoir le surveiller (au téléphone, ou sous la douche !).**

● **Aménagez le reste de la maison, pour quelques mois, en fonction de votre enfant.**

● **Mettez en sécurité vos objets précieux ; mais sachez que, quoi qu'il en soit, vous ne pourrez pas tout protéger : le reste, il faudra l'interdire. Mais sachez que moins les interdits seront nombreux, plus ils seront faciles à faire respecter.**

Petits et grands dangers

Les accidents graves peuvent et doivent absolument être évités. De la naissance à un an, il s'agit essentiellement de contrôler l'environnement de l'enfant en le rendant le plus sûr possible, et de surveiller le bébé qui doit être accompagné dans ses tentatives et ses explorations.

Le petit bébé devient vite capable d'escalades ou de retournements que l'on ne soupçonnait pas. Il faut aussi s'assurer de la totale sécurité du matériel de puériculture que l'on utilise (chaise haute stable, siège-auto sûr, etc.). Très vite, le bébé est capable de se tortiller, de se soulever, de se balancer. Vous le couchez à un bout du lit, vous le retrouvez à l'autre. Cela demande une grande vigilance de votre part. L'éducation au danger que l'on donne à l'enfant est importante. Lui interdire de faire certaines choses est indispensable, mais lui apprendre à faire par lui-même, et en toute sécurité, ce qui peut l'être, l'est tout autant. Plutôt que lui transmettre nos angoisses, mieux vaut l'avertir des dangers et lui apprendre à y faire face.

La table à langer

Même si vous ne l'avez jamais vu faire, dites-vous que votre bébé sera capable, d'un jour à l'autre, de donner un coup de rein et de se retourner.

Aussi vous ne devez jamais le laisser seul sur une table à langer, pas même quelques secondes. Si vous devez vous retourner pour attraper quelque chose, gardez une main posée sur votre bébé. Si vous avez oublié un vêtement dans une autre pièce ou si vous devez répondre au téléphone, enveloppez le bébé dans une serviette et emmenez-le avec vous. Autre solution : posez-le sur la moquette. Mais surtout, ne le laissez pas seul en hauteur.

On voit trop d'accidents de bébés victimes de traumatismes crâniens pour être tombés sur le carrelage du haut de leur table à langer. Chaque fois, la mère dit : «Je ne pensais pas qu'il était déjà capable de remuer autant.»

Le désir d'explorer

Ce désir n'est pas neuf : on peut dire que le bébé naît avec, non seulement le désir, mais le besoin d'explorer ce qui l'entoure. Mais ses nouvelles capacités physiques, et surtout le fait de pouvoir se déplacer, donnent au petit enfant une énergie et une curiosité que l'on dirait sans limites.

C'est cela, l'intelligence de l'enfant : cette force de vie avec laquelle il va aller peu à peu à la rencontre du monde, l'interroger, tenter de le comprendre ou de le modifier. C'est en multipliant les expériences et les explorations qu'il va reconnaître et intérioriser une somme insoupçonnable de connaissances. Aussi le trouverez-vous particulièrement insupportable et fatigant. Pas un livre qu'il n'ait fait tomber de la bibliothèque, pas un tiroir qu'il n'ait vidé, pas un placard qu'il n'ait exploré. Vous ne l'entendez plus ? Vous vous précipitez. Il est en train d'explorer les prises de courant ou de déchirer les feuilles du cahier de sa sœur…

Réjouissez-vous ! Vous avez un petit enfant en pleine forme, pétillant de vie, d'intelligence et de curiosité. Il est trop grand maintenant pour rester dans son parc. Ses jouets ne l'intéressent que brièvement. Ce qu'il veut découvrir, c'est ce qui, vous, vous intéresse et vous retient. Donc, le plus souvent, ce qui lui est interdit.

Les petits objets

A partir de quatre mois, votre bébé fait de gros progrès en matière de préhension. Tout ce qu'il attrape, il le porte à sa bouche. Vous devez redoubler de vigilance en ce qui concerne sa sécurité.

Ne lui laissez aucun objet qu'il pourrait avaler, mettre dans son nez ou ses oreilles. Assurez-vous, avant de confier un jouet à votre enfant, qu'il ne présente aucun danger.

Les jouets du commerce sont soumis à des contrôles et à des règlements très stricts qui les rendent pour la plupart inoffensifs, mais méfiez-vous cependant des yeux des peluches qui pourraient s'arracher ainsi que des grelots ou des sifflets présents dans les hochets et les peluches. Faites encore plus attention aux jouets que vous avez fabriqués vous-même, aux jouets des aînés qui peuvent comporter des petites pièces et aux objets que vous avez détournés de leur utilisation pour en faire des jouets.

Dans l'aire destinée au bébé, passez tout en revue :

● pas de fils électriques qui traînent, pas de prises au ras du sol, sauf si ce sont des prises de sécurité ;
● pas de meubles avec des angles vifs ;
● pas de petits objets ou de jouets pouvant être dangereux ;
● pas de flacons de produits de toilette ou de médicaments.

Passez en revue le reste de la maison.

Il est illusoire de penser que vous pourrez être derrière votre enfant à chaque instant. C'est bien entendu le moment de mettre des barrières de sécurité en haut et en bas des escaliers, de fermer les portes des pièces interdites (le bureau, par exemple…) et de placer des prises de courant de sécurité partout.

Autonomie et sécurité

Dès le jour où votre enfant se déplace, c'est à vous d'aménager l'espace. Il faut plus que jamais, sous surveillance active, laisser votre bébé expérimenter et enrichir ses découvertes.
● S'il partage sa chambre avec un aîné, isolez-en une partie à l'aide d'une barrière posée au ras du sol.

Quelques chiffres significatifs :

● **Dans 90 % des cas, le produit toxique avalé par l'enfant est soit un médicament, soit un produit d'entretien.**

● **Dans 75 % des cas, le produit n'était pas rangé, mais abandonné à portée de main de l'enfant.**

● **Dans 20 % des cas, le produit dangereux était transvasé dans un emballage inoffensif (par exemple de l'essence dans une ancienne bouteille de jus de fruit).**

● **Les pièces les plus dangereuses sont la cuisine, la salle de bains, puis la cave, la buanderie, le garage, etc.**

Les autres risques

Il existe d'autres risques que celui d'avaler un petit objet :

● Certaines peintures recouvrant les objets contiennent du plomb et les avaler est particulièrement dangereux.

● Attention à ce qui pourrait se casser (objets en verre), le faire suffoquer (sacs en plastique, coussins…), l'étrangler (ficelles, grands élastiques…), le blesser (angles vifs) ou l'empoisonner (restes de nourriture contenant des germes…).

Etouffements : que faire ?

Malgré toute votre vigilance, il peut arriver que votre bébé porte à la bouche un petit objet, qu'il l'avale et s'étouffe.

Le plus fréquemment, ces objets sont :

● des bonbons durs, de gros morceaux de viande, de carotte, de pomme ou de pain, des noyaux de cerise ;

● des «amuse-gueule» servis en apéritif (cacahuète, amande, pistache, dragée) ;

● des morceaux de jouets : œil de peluche, bouton de vêtement, bille, pièces détachées ;

● des objets divers de la maison, qui traînaient : capsules de bouteille, morceaux de crayon, capuchons de stylo, gravier, etc.

Le scénario est toujours le même. Le bébé attrape un objet et le met dans sa bouche. Au lieu de le recracher ou de déglutir, il le fait passer par mégarde dans les voies respiratoires. Dans le cas d'un étranglement bénin (il a «avalé de travers»), l'enfant est pris d'une quinte de toux et devient rouge. Vous pouvez l'aider en le plaçant la tête plus bas que le corps et en tapotant son dos, de façon qu'il recrache ce qui l'étouffe.

Le cas où l'enfant a absorbé un corps étranger qui s'est bloqué dans le larynx est beaucoup plus grave. L'enfant porte ses mains à son cou. Il respire à peine ou pas du tout, il ne peut ni parler ni tousser, il devient pâle, puis violet. Il se peut même qu'il perde connaissance. Cette situation est tout à fait effrayante, mais vu l'urgence, elle nécessite que vous gardiez cependant votre calme et le contrôle de la situation.

Si l'enfant respire, encouragez-le à tousser et emmenez-le en vitesse dans le service d'urgence d'un hôpital.

Si l'enfant ne peut ni respirer ni tousser :

● Faites appeler les pompiers de toute urgence.

● Ouvrez la bouche de l'enfant et regardez, avec une lampe, si l'on voit l'objet et si l'on peut l'enlever avec ses doigts ou avec une pince. Mais attention : s'il y a un risque d'enfoncer davantage l'objet plutôt que de l'ôter, mieux vaut ne pas y toucher et tenter la manœuvre suivante :

● Placez-vous derrière l'enfant et tenez-le contre vous, son dos contre votre ventre. Attrapez l'un de vos poignets dans l'autre main et placez votre poing dans le creux situé juste sous les côtes de l'enfant. Appuyez de façon brusque et brève, en enfonçant vos poings et en remontant vers le haut. Si l'enfant ne recrache pas l'objet, recommencez cinq ou six fois en attendant les secours. Le but de cette manœuvre est de faire sortir brusquement l'air des poumons de l'enfant afin qu'il expulse l'objet bloqué sur son trajet.

● Même si l'enfant a recraché l'objet, emmenez-le sans tarder voir un médecin, afin qu'il détermine s'il résulte des lésions ou des séquelles.

Empoisonnement : que faire ?

Les intoxications représentent 2 % des consultations en pédiatrie. La plupart des cas sont sans gravité mais certains nécessitent une intervention rapide et une hospitalisation.

La situation se déroule toujours de la même façon. L'enfant, laissé seul un moment, est attiré par une substance qui ressemble à quelque chose qu'il aime, bonbon ou jus de fruit, ou simplement qu'il porte à sa bouche par curiosité. Or, il s'agissait de boules de naphtaline, de mégots de cigarettes, d'eau de Javel, de comprimés d'aspirine ou de somnifère.

Comment réagir face à un empoisonnement ?

Deux impératifs : garder son sang-froid et téléphoner immédiatement au centre antipoison de votre région. A défaut, appelez votre médecin traitant, le médecin de garde ou les pompiers. Chaque minute compte. Au téléphone, pensez à informer le médecin de l'âge de l'enfant, de son poids, de la nature du produit absorbé, de la quantité absorbée (environ), de l'heure de l'absorption et des symptômes observés.

Surtout ne prenez aucune initiative, si ce n'est de conduire votre enfant au centre des urgences de l'hôpital le plus proche. En effet, la conduite à tenir varie beaucoup selon les produits. Pour certains, il faut faire boire l'enfant, ou vomir ; pour d'autres produits, cela risquerait d'aggraver la situation. Par exemple : il ne faut jamais faire vomir un enfant qui a avalé des produits corrosifs ou des produits moussants, ou bien un enfant qui s'est évanoui.

D'autres consignes de sécurité

● **Mettez définitivement dans un placard en hauteur et fermez à clef tous les les produits d'entretien. Soyez particulièrement vigilant avec ceux que vous venez d'employer et qui risquent de traîner un moment sur une table.**

● **Rangez hors d'atteinte les outils, les rasoirs, les couteaux, les ciseaux, tout le matériel de couture.**

● **Soyez très vigilant en ce qui concerne les balcons, les terrasses et les fenêtres, notamment celles qui basculent. Les accidents sont fréquents ; ils sont très graves si l'appartement est situé en étage.**

● **Confiez à la voisine vos plantes vertes pour quelques mois : la terre n'est déjà pas bonne à manger, mais en plus certaines feuilles contiennent du poison.**

● **Ne laissez pas par terre la nourriture des animaux.**

● **Ne laissez jamais seul l'enfant dans la cuisine.**

● **Prenez l'habitude de tourner les queues des casseroles vers le mur, de façon qu'elles ne dépassent pas du rebord de la cuisinière.**

● **Attention aux fours non isolés qui se trouvent sous les cuisinières, aux feux dans la cheminée sans pare-feu, aux loquets faciles à manier qui vous enferment dans une salle de bains.**

D'autres consignes de sécurité (suite et fin)

● Enfin assurez-vous, lorsqu'il est assis dans sa chaise haute, qu'elle a une bonne stabilité et que l'enfant ne peut en glisser ou en tomber seul (au besoin, s'il se lève tout le temps, sanglez-le).

Tous ces conseils n'empêcheront pas un accident d'arriver. Mais si vous les appliquez, ils diminueront nettement les risques. Ils visent aussi à vous alerter et à accroître votre vigilance. Malgré toutes les campagnes d'information, il existe encore trop d'accidents imputables à la négligence. N'oubliez pas qu'une grande part des accidents ne survient pas lorsque l'enfant est seul, mais lorsque ses parents sont occupés à autre chose, au téléphone par exemple.

Les risques à chaque âge

Nous allons voir, selon l'âge de votre enfant, quels sont les points auxquels vous devez être particulièrement attentifs.

De la naissance à trois mois

● Le lit est le lieu où le nouveau-né passe le plus de temps. Il doit donc être absolument sûr. Pour cela, bannissez les couvertures, les draps et les oreillers. Préférez la gigoteuse à la couette et privilégiez un matelas ferme.

● Ne laissez aucune chaîne autour du cou du bébé.

● Posez toujours son couffin par terre, jamais sur une table. Vérifiez régulièrement la sécurité de ses poignées.

● Pour éviter l'hyperthermie, n'habillez pas votre bébé trop chaudement et ne le couvrez pas trop lorsqu'il dort, ou en voiture.

● Le lait d'un biberon chauffé au micro-ondes peut être brûlant sans que vous vous en rendiez compte : faites absolument couler quelques gouttes sur le dos de votre main pour tester la température du liquide avant de le donner à votre bébé.

De trois à six mois

● Le bain commence à devenir un moment de plaisir pour le bébé. Contrôlez toujours la bonne température de l'eau avec un thermomètre de bain (plus fiable que la main ou le coude). 37 à 38 degrés est correct pour le bain de bébé.

● Les chutes de la table à langer sont le risque essentiel à cette période. Seule prévention : gardez toujours une main sur votre bébé lorsqu'il est sur la table à langer. Si vous devez vous éloigner, posez le bébé par terre, dans une serviette.

● Les trajets en voiture peuvent être source de danger. Ne tenez jamais votre bébé sur vos genoux pendant les trajets : il n'est protégé que dans un siège ou un lit d'auto homologués. Ne laissez jamais un bébé seul dans une voiture : il peut attraper un coup de chaleur très dangereux. En trajet, ayez toujours un biberon d'eau à portée de la main.

● Le bébé commence à porter à la bouche. Ne mettez près de lui que des hochets ou des jouets qu'il peut sans risque porter à la bouche. Attention aux yeux des vieilles peluches et aux billes des aînés !

De six à neuf mois

● Les risques d'étouffement restent prédominants. Tant que l'enfant porte tout à la bouche, faites très attention à tous les petits objets qui sont à portée de l'enfant.

● Le bain peut être à l'origine d'une noyade, même avec très peu d'eau. Quelques secondes suffisent. Aussi ne laissez jamais le bébé seul dans la baignoire.

● L'enfant bouge, se déplace, se met debout. C'est le moment d'équiper la maison : protections pour angles de meubles, fixation des étagères, barrières pour escalier, cache-prise, etc.

De neuf mois à un an

● A cet âge, le bébé peut se déplacer très rapidement. Vous ne savez pas toujours dans quelle pièce il est. Aussi toute la maison doit-elle être passée en revue en fonction de la sécurité de l'enfant. Pas de produits d'entretien ou de médicaments dans un placard non fermé à clé sauf si rangés en hauteur.

● L'enfant est très intéressé par l'électricité, les fils, les petits trous des prises. Utilisez des prises spéciales et ne laissez jamais traîner de rallonge électrique.

● Vérifiez de façon régulière l'état des jouets de l'enfant. Ne le laissez pas jouer avec les jouets d'un enfant plus grand sans surveillance.

LA SÉCURITÉ DU BÉBÉ

Empoisonnement : la prévention

Si la seule chose que peuvent faire les parents en cas d'intoxication de leur enfant est de le remettre très vite entre les mains du corps médical, ils ont en revanche une action préventive très importante à jouer.

● **Enfermez à clé et hors de portée les médicaments, les produits d'entretien et toutes les substances dangereuses.**

● **Attention à la poubelle, aux produits de maquillage, aux liquides transvasés, aux emballages colorés et attirants.**

● **Attention aux cigarettes, aux cendriers et aux restes d'alcool dans les verres, sur la table basse.**

● **Certaines plantes, fleurs et baies sont toxiques : demandez conseil à votre pharmacien.**

● **Enfin, ayez toujours sous la main les numéros d'urgence habituels et le numéro de téléphone du centre antipoison de votre région.**

L'éveil du bébé

Les parents ont toujours su ce que les scientifiques mettent en évidence depuis une vingtaine d'années : les bébés sont compétents, curieux et ne demandent qu'à être encouragés sur le chemin de l'éveil et de la découverte du monde. Les cinq sens sont en activité très tôt, dès avant la naissance. Les compétences du bébé sont très supérieures à ce que l'on a longtemps cru. Il perçoit, bien sûr, mais il est aussi capable de s'intéresser, d'apprécier, de rejeter, d'apprendre. Mais le nouveau-né ne se contente pas de réagir à son environnement, il agit également sur les personnes et les choses qui l'entourent, en sollicitant ce qui lui convient et en fuyant ce qui lui déplaît. Dès la naissance, et davantage au fil des mois, le bébé est partie prenante des relations qu'il crée avec son entourage. Sa relation au langage est également d'une remarquable précocité. Son appétit d'apprendre doublé du désir de faire plaisir à ceux qu'il aime font du jeune enfant un petit élève passionné, avide de tout découvrir, jamais trop jeune pour sa curiosité, et vite frustré s'il est empêché d'explorer.

Comment jouer avec son bébé tout en stimulant ses sens et sa curiosité.

L'enfant et le miroir.

L'explorateur et le bébé-nageur.

L'éveil du bébé au quotidien

Les parents attentifs à l'éveil de leur bébé ont à cœur d'aider à :

● **son développement sensoriel et corporel, qui permet à l'enfant de percevoir le monde qui l'entoure et d'agir sur lui ;**

● **son développement intellectuel, qui permet à l'enfant de comprendre les informations qu'il perçoit, de les mémoriser, puis de les réutiliser ;**

● **son développement social et affectif, qui permet à l'enfant de créer des liens et l'intègre dans un échange d'amour indispensable. Ce dernier point est essentiel : c'est parce que vous aimez votre bébé que vous voulez pour lui ce qu'il y a de mieux et lui offrir les stimulations qu'il apprécie. Mais un jeune bébé a autant besoin de rester seul, parfois, dans son lit ou dans son parc. Il apprend à se suffire à lui-même, à gazouiller avec ses jouets et à trouver sa propre autonomie, ce qui est fondamental. Il a aussi le droit de ne rien faire, de rester tranquille, à regarder et écouter ce qui se vit autour de lui. Alors surtout, évitez l'activisme et privilégiez, autour de votre bébé, une ambiance faite de calme, de tendresse et de patience.**

Faut-il stimuler son bébé ?

Un bébé auquel on parle, avec lequel on échange et on joue, va se construire une personnalité structurée et équilibrée. Grâce aux expériences accumulées, il développera la confiance en l'autre et en lui-même. Il saura épanouir ce qu'il a de meilleur en lui.

Les besoins physiologiques du petit enfant sont des besoins de nourriture et de chaleur. Inutile d'épiloguer. Au sein ou au biberon, dans la laine ou dans la soie, tous les parents connaissent d'instinct la priorité de ces besoins et y font face. Y compris au milieu de la nuit. Mais les enfants ont d'autres besoins : ils veulent que l'on nourrisse leur curiosité et leur joie de communiquer.

La première année du bébé est à la fois la plus active et la plus sensible. Toutes les grandes acquisitions vont se mettre en place, notamment les habitudes spécifiquement humaines. C'est pendant cette période que vont se construire les structures de base qui supporteront toute l'évolution ultérieure. Ne croyez pas pour autant que tout est figé ou déterminé à un an, mais plutôt que tout ce qui se vit et s'acquiert pendant cette période est déterminant. Rien n'est suffisant pour s'assurer l'avenir. Mais il est nécessaire que cette première année se passe au mieux pour l'avenir de l'enfant.

Sachant cela, certains parents ou éducateurs ont déduit qu'il fallait «profiter» de la première année pour éveiller et stimuler son bébé à tout prix. Ils se sont livrés avec leurs enfants à de véritables leçons destinées à hâter leur développement. Je voudrais mettre ces parents en garde : trop de stimulations physiques ou intellectuelles peuvent faire du bébé un enfant hyperactif, anxieux, agité. Il risque de payer cher, par la suite, le fait d'avoir atteint tel ou tel stade plus tôt que son voisin de crèche. Quelle importance ? Il a bien le temps de se lancer dans la rivalité et la compétition.

Tous les bébés gagnent à se trouver dans un environnement riche de nombreuses possibilités, qui les aide à épanouir leurs merveilleuses aptitudes.

Stimuler les cinq sens

Le bébé a cinq sens, tous efficaces, à des niveaux différents, dès la naissance. Ces sens sont les portes d'entrée par lesquelles l'enfant fait connaissance avec le monde. Eveiller les sens de son enfant, c'est lui ouvrir le monde, stimuler sa curiosité et l'aider à développer son intelligence.

Il existe de nombreux petits jeux sensoriels que vous pouvez faire avec votre bébé et développer selon son âge. Mais n'oubliez jamais les points suivants :

● Tout apprentissage à cet âge ne se développe que sur une relation faite d'amour, de respect et de plaisir partagé.

● Le trop est l'ennemi du bien : alors respectez le rythme et le désir de votre bébé. Quelques minutes de stimulation par jour suffisent largement, davantage fatiguerait l'enfant. Ne vous fixez aucun autre but que le plaisir du bébé et répondre à son besoin de découverte. Voici quelques idées et quelques explications.

Le toucher

Voici quelques échanges que vous pouvez proposer à votre enfant pour stimuler le toucher. (Reportez-vous aussi au chapitre sur le jeu.)

● Massez doucement le corps de votre nouveau-né avec vos mains enduites d'une huile d'amande douce.

● Lorsqu'il est plus grand, caressez ses mains ou ses pieds avec une brosse à dents, un plumeau ou un gros pinceau de maquillage.

● Quand il sait manipuler, confiez à votre bébé des objets de textures différentes, afin de lui faire explorer le doux, le rugueux, le mou, le dur, etc.
Mettez de côté pour lui divers morceaux de textiles ou d'autres matières.

● Attirez son attention sur le chaud ou le froid de l'eau ou du radiateur.

L'odorat

A la naissance, l'odorat du bébé est un sens tout neuf, qui ne lui a pas servi dans le ventre où il logeait, et d'emblée merveilleusement fin et efficace. Le bébé est sensible aux odeurs et la mémoire qu'il en a est certainement supérieure à la nôtre.

Un développement harmonieux

L'éveil du bébé ? Il passe avant tout, de façon naturelle, par ce quotidien que partagent parents et enfant, fait de mille petits riens qui s'échangent en permanence : autant de messages d'amour, autant de stimulations, autant d'occasions de découvrir et d'apprendre sur ce monde qui est le sien.

Faites-lui découvrir de nouvelles odeurs

A partir de 5 ou 6 mois, amusez-vous à passer sous le nez de votre bébé les produits aux odeurs diverses (et agréables !) que vous manipulez : quartier d'orange, flacon de vanille, eau de toilette, savonnette, poudre de cannelle ou de curry, pain frais, etc.

L'odeur des parents

Sachez que les odeurs corporelles de ses parents sont indispensables à un bébé, dans la mesure où il les reconnaît et où elles lui permettent de savoir à qui il «appartient».
Aussi ne lui refusez pas ce plaisir.
L'enfant préfère votre odeur naturelle. Mais si vous utilisez un parfum ou un après-rasage, prenez toujours le même, du moins tant que votre bébé est très jeune.

Stimuler la vision

● **Accrochez, près de la tête de lit de votre bébé ou près de la table à langer, des photos de vos visages en gros plan.**

● **Suspendez au-dessus du lit de votre bébé des jouets ou des objets vivement colorés qui attireront son regard : mobiles, mais aussi ballons de baudruche suspendus au plafond au bout de longues ficelles, hochets, etc.**

● **N'oubliez pas d'équiper aussi l'arrière de la voiture pour occuper votre bébé pendant les trajets.**

● **Quand votre bébé a l'âge de secouer les objets, il apprécie ceux qui font du bruit ou enclenchent un mouvement.**

Coucou, le voilà !

Même lorsqu'il est conscient de son existence, et de son corps distinct de celui de sa mère, le bébé n'est pas encore convaincu de la permanence des objets. Il a tendance à croire que ce qu'il ne voit plus, objets ou personnes, cesse d'exister. Il ne croit pas que les choses puissent rester identiques à elles-mêmes, en dehors de son regard, de sa présence, ou simplement s'il les voit sous un autre aspect. Non seulement il ne recherche pas les jouets qui ne sont pas près de lui, mais il ne tente même pas de récupérer un jouet que vous avez glissé sous un coussin, devant ses yeux.

Le rôle des odeurs

Comme les petits animaux, le nouveau-né se sert des odeurs pour reconnaître les gens. Lorsque les sens de la vue et du toucher auront gagné en efficacité, l'odorat deviendra moins utile et perdra de sa finesse. Savez-vous qu'un nouveau-né, dès l'âge de trois jours, peut différencier l'odeur de sa mère de celle d'une autre femme ?

Une fois que l'on a pris conscience de cette compétence parfaite qu'a le bébé, on comprend que l'on va pouvoir s'en servir pour communiquer avec lui. Avez-vous remarqué combien votre bébé aime se lover dans le creux de votre cou ? Il y retrouve l'odeur de son père ou de sa mère, et il est heureux.

La vision

Le nouveau-né ne voit bien que ce qui est face à lui, à une vingtaine de centimètres de son visage. Le bébé appréciera que son univers visuel soit enrichi par des mobiles aux motifs divers, des posters que l'on renouvelle régulièrement, des ballons de baudruche suspendus à des ficelles qu'on laisse voler dans le vent, des jouets de couleurs vives, un miroir accroché à côté de son petit lit, etc.

Un sens qui évolue : la vision

La vision est sans doute le sens qui va demander le plus de temps pour parvenir à maturité.

Plus personne ne pense, comme autrefois, que les bébés naissent aveugles. Mais il est exact que leur acuité visuelle à la naissance n'est pas parfaite et qu'elle se perfectionnera pendant plusieurs mois : les muscles des yeux vont devenir plus forts, la vision des couleurs va se développer et le bébé va apprendre à voir en relief.

Au cours des premières semaines, la vision du bébé est limitée, mais suffisante pour bien voir un visage humain qui se penche vers lui. Il perçoit les objets s'ils sont face à lui, à vingt ou trente centimètres de son visage, et apprend peu à peu à suivre des yeux un objet qui se déplace lentement devant lui. La perception des couleurs s'établit au cours des trois premiers mois : le bébé voit mieux les couleurs vives et contrastées. Quant à la vision en relief, en trois dimensions, elle ne sera sans doute pas parfaite avant l'âge de quatre mois.

L'audition

Le bébé aime la musique, et un éveil musical tout en douceur peut commencer dès la naissance. Musique classique ou chansons, mais aussi cassettes de chants d'oiseaux, de cris d'animaux ou de musiques folkloriques, sons de la vie quotidienne et mots doux chuchotés à l'oreille.

Jouer avec les sons

Les bébés entendent parfaitement bien dès la naissance, même si parfois il vous semble le contraire. Leur attention auditive est brève, mais ils prennent beaucoup de plaisir à écouter avec vous différents sons.

Autant le bruit du téléphone, de l'aspirateur ou d'un éternuement peut le faire pleurer, parce qu'il a l'ouïe fine et sensible, autant il prendra de plaisir aux registres de votre voix comme aux bruits de la maison.

La voix

Parmi tous les bruits, le bébé préfère celui que fait la voix humaine, ce qui indique clairement son désir de communiquer. Mais attention : pas n'importe quelle voix. Une voix violente ou agressive peut le faire pleurer. Une voix froide, sans affection, peut le faire se replier sur lui-même. Une voix d'adulte qui converse avec d'autres adultes peut le laisser indifférent.

Non, ce que le bébé aime, ce sont les voix douces, bien timbrées, qui se font naturellement plus aiguës pour s'adresser à lui, qui lui parlent tendrement en le regardant dans les yeux, avec des mots simples, des mots qui concernent un bébé. Ou bien une voix qui lui fredonne quelque chanson douce.

La musique

Le jeune bébé aime la musique douce, la musique classique notamment. Certains préludes de Bach se sont révélés tellement efficaces pour charmer et calmer les bébés qu'ils sont utilisés maintenant de manière systématique dans plusieurs services de maternité américains. On a attribué à la musique classique de nombreux pouvoirs sur les bébés, et il est certain que vous ne ferez que du bien au vôtre en lui faisant écouter des morceaux de musique douce, ceux que vous aimez, sans trop forcer le son.

L'ÉVEIL DU BÉBÉ

Coucou, le voilà ! (suite)

Ces jeux très simples sont importants pour faire percevoir à l'enfant que les gens et les choses continuent à exister hors de sa vue. Vous saurez qu'il a franchi cette étape lorsque, après que vous aurez caché le lapin, il repoussera lui-même le drap pour le retrouver. Vous lui offrirez de grandes parties de rire. Pour l'aider à progresser, vous pouvez jouer avec lui à des petits jeux tout simples, que d'ailleurs il adore.

● **Montrez-lui les objets sous différents angles** (de face, de côté, à l'endroit, à l'envers, de près, de loin, en les secouant...) afin qu'il s'entraîne à effectuer mentalement la synthèse de ces différentes visions et qu'il aboutisse à une image globale des objets.

● **Jouez à «Coucou, le voilà !».** Cachez votre visage derrière une serviette ou un battant de porte, puis montrez-vous à nouveau. Plusieurs fois de suite.

Il est important de verbaliser en même temps : «Où elle est maman ? Elle est partie ? La voilà !», avec force mimiques et sourires.

Vous serez heureusement surprise d'entendre votre bébé rire aux éclats... Tout en intégrant des notions de réalité physique fondamentales.

Autre suggestion...

● **Dans une étape suivante, faites ce jeu avec un jouet, un hochet ou une peluche, quelque chose que le bébé aime bien. Vous le cachez, pendant que l'enfant regarde, sous le drap, sous le lit ou sous un coussin. Commentez toujours : «Regarde, je mets le lapin sous le drap. Où est le lapin ? Il a disparu ? Ah non, le voilà !»**

Les plaisirs de la bouche

Tout au long de la première année, vous pouvez chercher à varier au maximum les saveurs testées par votre bébé : vous en ferez une fine bouche ! Variez les légumes, les fruits (même exotiques), les parfums des farines pour biberon, les épices dans sa soupe, etc.

Vous chantez ? C'est encore mieux. N'hésitez pas, même si vous doutez de la qualité de vos cordes vocales. Votre bébé, profitant à la fois du plaisir de votre voix et de celui de la musique, sera comblé.

Les sons

Le bébé aime les sons, pourvu qu'ils soient drôles, surprenants, doux, nouveaux. Toutes les occasions sont bonnes pour exercer son oreille. Seul interdit : les bruits forts, violents, agressifs, désagréables à son oreille encore toute neuve.
• Non à la musique hard-rock, aux cris, aux sonneries...
• Oui au hochet, à la clochette, au grelot, au tic-tac de l'horloge, au papier froissé près de l'oreille, au tintement d'un couteau sur différents verres, aux bruits de bouche ou de doigts, etc.

Le goût

Dès la naissance, le bébé préfère le sucré aux autres saveurs que vous allez devoir lui faire découvrir et apprécier. Le lait de la mère a des goûts différents selon son alimentation. Le lait en poudre a toujours le même goût, sauf si l'on décide de le parfumer très légèrement. Pour le tout-petit, on peut varier la composition des jus de fruits. Pour les plus grands, la composition du bouillon de légumes variera son goût chaque jour. Ne pas mélanger les légumes permet mieux d'en connaître le goût.

Tout en respectant la grande sensibilité gustative des petits, on peut leur faire doucement goûter, sur le bout de son doigt, des saveurs nouvelles. Vous mangez de la sauce tomate ou de la glace à la framboise ? Faites-lui goûter. Plus tard viendra le roquefort, le curry ou l'avocat. Vous serez souvent étonnée de ses réactions !

La conscience du corps

Le stade du miroir

Cette étape dans le développement de l'enfant est importante. Au début de sa vie, le bébé n'a pas une conscience globale de son corps. Il ne se vit pas comme clairement distinct de sa mère, et ses mains lui semblent de drôles de jouets… Ce n'est que progressivement qu'il acquerra un sentiment d'identité propre, connaissant bien les limites de son corps et faisant la part de qui est «moi» et «non moi».

Cette étape a été définie comme «le stade du miroir», puisqu'il s'agit du moment où le bébé, se regardant dans un miroir, reconnaît son image et identifie consciemment l'ensemble de son corps comme lui appartenant.

A quel âge l'enfant se reconnaît-il ?

Tous les auteurs ne sont pas d'accord sur l'âge auquel l'enfant atteint ce stade. Aux environs de quatre mois, le bébé jubile devant sa propre image, mais avec la même joie que provoquerait l'apparition d'un autre enfant. Si sa mère apparaît dans le miroir, se plaçant derrière lui, il est évident qu'il la reconnaît. Cela marque l'ébauche de la reconnaissance de soi.

Vers sept-huit mois, cependant, les choses se précisent. L'enfant a longtemps exploré son corps, avec ses mains ou avec sa bouche. Il a appris à s'en servir. Il connaît bien les visages de ceux qu'il aime et répond à son nom. A cet âge, le bébé marque un intérêt certain pour le miroir. Il parle à son reflet et ébauche des grimaces. Il n'y a pas de doute : il commence à reconnaître sa propre image. Ce stade a acquis valeur de symbole : il prouve que l'enfant accède à la conscience de sa personne propre. Mais cette conscience ne se met pas en place du jour au lendemain. Si, entre six ou huit mois, l'enfant semble s'y reconnaître, il faudra attendre l'âge de deux ans environ pour être sûr que l'enfant fasse le lien entre son propre corps et l'image que le miroir lui renvoie.

L'ÉVEIL DU BÉBÉ

Une idée : un miroir pour favoriser la prise de conscience du schéma corporel

N'hésitez pas à mettre un miroir dans la chambre de votre enfant dès son plus jeune âge. C'est d'abord pour lui une source d'intérêt et de gazouillis. Ensuite, cela l'aide à prendre conscience de son «schéma corporel», qui n'est autre que l'image qu'il se fait de son propre corps. Ne craignez rien : cela ne développe pas un goût immodéré pour la coquetterie !

Mais attention :

● Choisissez un miroir incassable.
● Prenez-le assez grand pour que l'enfant puisse s'y voir en entier et non morceau par morceau.
● Fixez-le contre un mur, au niveau du sol.
● Lorsque vous vous tenez face au miroir, ne renforcez pas sa confusion entre la personne et son reflet en lui disant par exemple montrant le miroir : «Là c'est maman, là c'est bébé.» Il semble important d'être précis et de dire en pointant son ventre : «Là c'est bébé», puis en pointant le miroir : «Là, c'est l'image de bébé.» De même, efforcez-vous de faire la distinction entre «Maman» et «l'image de Maman». Vous, vous savez que l'image n'est pas la personne. Pas votre enfant.

Droitier ou gaucher ?

Beaucoup d'enfants de cet âge sont encore ambidextres. La manipulation par une main ou par l'autre n'est pas toujours symétrique, une main peut sembler dominer sur l'autre, sans que cela soit forcément déterminant.

Dans ces cas un peu flous, il se peut que l'enfant persiste à se servir de ses deux mains de façon similaire jusqu'à l'âge de deux ou trois ans. Cela ne lui posera le plus souvent aucun problème. Il pourra par exemple tenir son crayon dans la main droite, mais sa cuiller de la main gauche. Ou bien tantôt dans une main, tantôt dans l'autre. Chez d'autres enfants, la latéralisation (la détermination de la main dominante) se met tôt en place et devient nettement visible. Les deux mains n'ont déjà plus le même rôle : l'une tient l'objet, porte, pendant que l'autre manipule ou expérimente. Il se peut qu'une main soit nettement préférée à l'autre pour toutes tâches qui demandent de la précision : retourner, lancer, attraper, enfiler… Cette préférence ne se limite pas à la main, mais aussi souvent à l'œil ou au pied situé du même côté. Il se développe alors un côté actif du corps et un côté plus passif. Si vous constatez cela, il est bon d'inciter parfois votre bébé à se servir de la main «oubliée» afin qu'elle ne soit pas en reste.

Comment savoir si un bébé a atteint ou non le stade du miroir ?

Les spécialistes utilisent certains «trucs» pour savoir où en est l'enfant dans sa connaissance du miroir. Les parents peuvent les essayer (mais sans garantie !). En voici deux :

● Le bébé étant assis face au miroir, avancez-vous derrière lui sans faire de bruit, de façon que le bébé vous voie dans le miroir (sans vous avoir entendu venir). S'il se retourne, c'est qu'il a compris le rôle du reflet joué par le miroir. Sinon, il croit encore que sa mère est en face de lui.

● Faites une petite tache de rouge à lèvres sur le front de votre enfant sans qu'il s'en aperçoive. Puis prenez-le dans vos bras et placez-vous tous deux face au miroir. Le jour où il portera alors spontanément la main à son front pour toucher la tache, vous saurez qu'il est convaincu d'être face à son image et qu'il a dépassé le fameux «stade du miroir».

Exploration et curiosité

Plus le bébé grandit, plus il passe de temps à regarder autour de lui et à s'intéresser à son environnement.

A trois mois, installé dans son transat, il prend plaisir à vous accompagner de pièce en pièce pour vous regarder vaquer à vos occupations. Il passe moins de temps à dormir et davantage à regarder autour de lui. Il aime vous suivre dans la maison, mais il aime aussi aller se promener et découvrir les plaisirs de la rue. Lorsque vous utilisez un landau pour emmener votre bébé en promenade, il est nécessaire de surélever le bébé de façon que, partiellement assis, il puisse voir ce qui se passe autour de lui. Sinon, couché sur le ventre et la tête enfouie au fond du landau, la promenade perd pour votre bébé beaucoup d'intérêt…

Plus grand, il passe moins de temps à dormir et davantage à regarder autour de lui. Il aime se promener et découvrir plus encore les plaisirs de la rue ou du parc. Puis il devient capable d'attraper et de se déplacer seul : son désir de découverte n'a plus de limites.

La curiosité est vitale pour un bébé. C'est la force qui le pousse à apprendre et à se lancer à la découverte de son monde. Il va y mettre une énergie énorme. Si cette curiosité débouche sur un plaisir et un enrichissement, elle restera vivante tout au long de l'enfance. C'est cela l'intelligence de l'enfant : cette force avec laquelle il va aller peu à peu à la rencontre de son environnement, tenter de le comprendre et de le modifier. C'est en multipliant les expériences et les explorations que le bébé va reconnaître et intérioriser une somme insoupçonnable de connaissances.

Vous avez un enfant normal ? Alors d'ici un an il n'y a pas un livre qu'il n'aura fait tomber de la bibliothèque, pas une prise de courant qu'il n'aura explorée, pas une corbeille, un tiroir ou un sac à main qu'il n'aura vidés, pas une feuille qu'il n'aura déchirée, pas un appareil qu'il n'aura allumé... Réjouissez-vous ! Vous avez un enfant plein d'idées, pétillant de vie et d'intelligence. Pour ne pas avoir à le suivre pas à pas toute la journée, une seule solution : aménager l'espace de la maison en fonction de l'enfant, de sa curiosité et de ses initiatives.

Les bébés nageurs

L'expression prête à confusion : elle laisse penser que votre bébé va prendre des cours pour apprendre à nager. Or il ne s'agit pas du tout de cela, un enfant n'étant pas capable d'apprendre à nager au sens strict, avec une bonne coordination motrice, avant cinq à sept ans.

L'idée ici est différente. Elle part du constat que le bébé, qui a vécu toute la première partie de sa vie dans l'eau, peut y évoluer de façon naturelle et détendue. Un bébé que l'on emmène en piscine dès l'âge de quatre à six mois n'a pas encore oublié ces sensations. Non seulement il n'a pas peur de l'eau, mais encore il s'y sent très vite en sécurité, capable d'explorer et de s'adapter à ce «nouveau» milieu de la même façon qu'il explore son environnement à la maison.

La condition est que, le bébé étant toujours accompagné d'un de ses parents, donc en sécurité affective, on ne se préoccupe que de le voir heureux dans l'eau.

La découverte de l'eau doit passer par le jeu, l'échange, le plaisir. Encore une fois, il ne s'agit nullement d'être «efficace» mais de favoriser autant que possible l'épanouissement du bébé dans ce nouveau milieu. Pour cela, il est toujours préférable d'intégrer un club ou un groupe de parents et d'enfants, plutôt que d'emmener seul son bébé à la piscine. Vous serez accueillis dans une piscine bien chauffée, et aménagée de nombreux jouets, bouées ou tapis flottants.

Bébés nageurs : favoriser l'épanouissement de l'enfant

Les conditions de confort et de sécurité doivent être absolument respectées :
- **eau suffisamment chaude, 32° C environ ;**
- **temps de baignade court, 15 à 20 minutes ;**
- **bon repas dans l'heure qui précède le bain (risque d'hypoglycémie) ;**
- **deux injections effectuées du vaccin D.T.C.P. (diphtérie-tétanos-coqueluche-polio).**

Sécuriser l'enfant

Enfin, on vous expliquera comment vous y prendre pour sécuriser au maximum votre bébé :
- **entrer dans l'eau avec lui, en le tenant sous les aisselles ou contre votre ventre, les yeux dans les yeux ;**
- **se repérer dans les jouets, attraper, passer à un autre ;**
- **trouver son équilibre sur le tapis flottant ;**
- **ressentir peu à peu le désir de s'éloigner du parent pour aller jouer, etc. L'immersion totale est une étape plus tardive, qui ne survient que si l'enfant le désire, sans être un but fixé. Vous serez surpris par l'aisance et la joie du bébé. Pour trouver les adresses, vous pouvez vous renseigner auprès de la Fédération nationale de natation préscolaire.**

Les débuts du langage

Au cours de sa première année, le bébé a un type d'intelligence qualifiée de «sensori-motrice» par Piaget. Cela signifie que l'essentiel de ses découvertes et de ses apprentissages passent par les sens et par le corps : l'enfant a besoin de manipuler pour comprendre. Il explore et développe les schémas de comportement nécessaires à une intelligence pratique. C'est en manipulant que l'enfant apprend à se repérer, à distinguer l'habituel du différent et à comprendre les séquences de ses actions. Puis son adaptation intellectuelle l'entraînera du concret vers l'abstrait, du simple vers le complexe, de l'objet réel à son symbole.

Mais c'est dès sa naissance que le bébé communique et que se mettent en place, au fil des mois, la trame de la communication et les bases du langage.

Communiquer avec son bébé.

Le rire, le babillage, les premiers mots.

Le rôle du regard

Dès les premiers jours, le regard joue un rôle essentiel. Le contact face à face, les yeux dans les yeux, est terriblement important pour le bébé. Il y est d'ailleurs sensible dès sa naissance : si la maman regarde son bébé bien en face, il cligne des yeux, ouvre la bouche et bouge les bras, en signe de réponse.

Un bébé qui prend le sein ou le biberon aime plonger son regard dans celui de sa mère. Quand elle lui parle, elle sera mieux comprise et mieux entendue si elle se tient bien en face de son enfant, si elle garde un contact visuel et si elle lui sourit.

Certaines recherches ont même montré que cette attitude consistant à dialoguer avec le bébé les yeux dans les yeux favorisait chez lui la capacité à créer plus tard de bonnes relations avec les gens.

Favoriser la communication

Pour ce développement, l'enfant a juste besoin d'un environnement riche qu'il peut explorer sans danger. Mais il ne faut pas oublier le rôle de la transmission culturelle et sociale, de tous les petits actes de la vie quotidienne.

Stimuler les progrès de son bébé

Eveiller l'intelligence de son bébé de moins d'un an, cela ne veut pas dire lui «enseigner» quoi que soit, mais l'introduire dans notre monde et l'aider à lui trouver du sens. Faire ensemble, nommer les objets et les actions, encourager tous les progrès, soutenir les tentatives, féliciter à la moindre réussite, voilà qui aide un bébé à se développer.

Il ne faut jamais oublier, dans ce domaine comme dans les autres, que tous les enfants sont différents et que le rythme de leurs acquisitions est très variable. Des périodes d'acquisitions sont suivies de phases de consolidations plus discrètes. A accompagner, échanger et jouer, on stimule l'intelligence de l'enfant. A vouloir le forcer, on risque de le bloquer.

Communiquer avec son bébé

Pendant ses six premiers mois, le bébé émet des sons, des gazouillis, il produit des mimiques et des gesticulations. Il est très important de lui répondre et de l'introduire dans un tendre dialogue. La mère parle, pose une question à son bébé, puis elle se tait, quelques secondes, et le bébé «répond» à sa façon, avec les moyens dont il dispose.

Cette capacité à entrer en communication est la plus importante des «nouvelles compétences des bébés» que l'on a mises en évidence. Le bébé dispose d'une très grande sensibilité à percevoir et reconnaître ce qui vient de la mère (sa voix, son odeur, son contact, l'état d'esprit où elle est). Cela lui ouvre une vaste gamme de comportements et d'émotions, qui provoquent des comportements et des émotions en réponse chez la mère ou chez l'adulte qui s'occupe de l'enfant.

C'est une réaction en chaîne. L'équipement sensoriel très fin du bébé, sa sensibilité affective et sociale et les stimulations de l'entourage créent les conditions nécessaires pour que se mette en place un dialogue qui crée l'attachement. Cela conforte la mère dans son rôle et dans la certitude que son enfant l'aime. Cela conforte également l'enfant dans la certitude d'être bienvenu, accueilli et aimé.

Certains messages du bébé ne sont pas faciles à décoder, notamment les pleurs dont on ignore la cause. Certains enfants sont plus difficiles que d'autres à comprendre. Mais tous ont un désir de contact et d'échange. Aussi réception des messages, dialogue et compréhension s'affinent-ils au fil des semaines.

Un dialogue qui naît petit à petit

Lorsque votre bébé est calme, qu'il est à l'aise dans son corps parce qu'il n'a ni faim, ni sommeil, ni inconfort, vous pouvez entamer de véritables dialogues. Cet «accordage» entre la mère et son enfant se construit progressivement au cours des premières semaines. Il est fait de petits riens, tous importants, où l'un et l'autre apprennent à se connaître. Il faut du temps pour repérer les rythmes de l'enfant, la raison de ses pleurs et pour comprendre les signaux qu'il émet. Une mère attentive et disponible va vite savoir répondre par un sourire, par un geste, par une phrase, aux tentatives que fait son bébé pour entrer en contact.

Ainsi l'enfant, de son côté, va savoir quelle attitude déclenche quelle réaction. Il saura solliciter la tendresse et le dialogue. Grâce à ces échanges répétés, tendres, il va apprendre à connaître son univers. Parce qu'on lui répondra, de façon adaptée à ses demandes, il saura qu'il est aimé et se sentira en confiance.

Ces premiers mots que vous lui adressez, ces paroles douces qui le concernent directement, sont aussi importantes que les caresses. Elles l'intègrent au monde des humains et l'aident à bâtir sa personnalité à venir.

Prendre l'habitude de dialoguer avec son enfant

Il est important de prendre très tôt l'habitude de dialoguer avec votre bébé. Ne croyez pas ceux qui vous disent qu'il ne comprend pas. Ces jeux de voix et ces échanges sont à la base de son futur langage et de sa sécurité intérieure.

Parlez-lui, posez-lui des questions : «Bonjour Sophie ! C'est papa. Tu as bien dormi ? Viens dans mes bras un moment.» Utilisez des mots simples, sans craindre de «parler bébé» si cela vous vient naturellement. Exagérez au besoin vos expres-

L'importance de la parole

Encore trop de gens pensent qu'il est inutile, voire ridicule de parler à un bébé, dans la mesure où celui-ci ne vous comprend pas. Or :

● Rien ne vous dit qu'il ne comprend pas ; s'il ne connaît pas précisément le sens de mots, il perçoit le contenu global à travers une interprétation très fine du «non-dit» que sont les intonations, les mimiques et le ton de la voix.

● Même s'il ne comprend pas, il faut lui parler, justement pour qu'il apprenne. L'aptitude au langage est présente chez tout être humain de façon innée. Il apprendra à parler sans difficulté pourvu qu'il ait trouvé autour de lui, à l'âge requis, la «parole» nécessaire, variée, tendre et porteuse de sens. Non seulement l'aptitude de base restera lettre morte si l'enfant n'est pas, dès son plus jeune âge, intégré dans un processus de communication verbale, mais en plus l'acquisition d'un bon langage est directement fonction de la quantité et de la qualité de celui qu'il aura entendu. Le langage, c'est ce qui fait de nous des êtres humains. Parler à l'enfant, c'est le respecter et l'intégrer dans la communauté humaine.

Votre bébé rit aux éclats

Le jour où le bébé éclate de rire pour la première fois est une date importante.

Souvent lui-même semble étonné par ce son nouveau et incongru. Jusque-là, il riait, la bouche largement ouverte mais… on n'entendait rien. Et soudain, au détour de quelques chatouilles, ce rire un peu rauque jaillit et réjouit toute la famille…

Il y a un geste que les bébés adorent et qui les fait rire aux éclats, sans que l'on sache vraiment pourquoi. A vous d'essayer.

● **Lorsque le bébé est couché sur le dos face à vous, sur la table à langer par exemple, prenez ses mains dans les vôtres.**

● **Écartez largement ses bras sur les côtés puis, simultanément, ramenez-les vers l'intérieur en les croisant sur la poitrine.**

● **Ouvrez les deux bras, puis croisez de nouveau en changeant de sens (l'autre bras dessus).**

● **Recommencez trois ou quatre fois, tant que votre bébé y trouve plaisir.**

Si vous terminez par une série de petits baisers sur le ventre, le succès est garanti !

sions et vos mimiques. Vous verrez votre bébé s'illuminer de plaisir et vous sourire. Vous le verrez aussi tenter d'imiter vos grimaces et vos expressions.

Pourquoi est-il si important de lui parler ?

Une raison est le plaisir que vous et votre enfant trouvez à ces tendres dialogues. Une autre est que c'est la seule façon de lui apprendre le langage !

Mettez-vous face à votre enfant pour qu'il voie bien votre visage et dialoguez avec lui, vous avec vos mots, lui avec ses gazouillis et ses sourires : c'est le meilleur moyen de l'habituer aux sons et aux mots de sa langue, mais aussi de lui enseigner les mimiques qui sont le langage non verbal de sa propre culture. Très vite, l'enfant saura déchiffrer sur votre visage le plaisir, l'amour, la tendresse, mais aussi l'agacement, la fatigue ou la colère !

Votre bébé vous parle, lui aussi : vos échanges sont un véritable dialogue. Il commence par émettre des sons, les écouter d'un air surpris, puis recommence et se met peu à peu à jouer de cette voix qu'il découvre. Répondez-lui. Gazouillez à votre tour. Vous verrez que ces merveilleux dialogues qui s'enchaînent sont un grand plaisir pour votre bébé. Imitez-le et il vous imitera. Vous pourrez alors lui faire découvrir de nouvelles sonorités.

Vous pouvez parler et dialoguer avec votre bébé dans toutes les occasions où vous êtes avec lui. Lorsque vous faites quelque chose avec lui, comme l'habiller, le changer ou lui préparer son repas, parlez-lui de ce que vous faites.

Montrez-lui les objets qui vous entourent et nommez-les, expliquez-lui vos actes, posez-lui des questions et laissez-lui le temps de répondre. Il vous répond avec une grande variété de sons, mais aussi avec une attention soutenue qui vous pousse à continuer l'échange.

Vous n'avez pas besoin de vous forcer à simplifier à l'excès votre vocabulaire : parlez simplement, normalement et vous serez compris.

Ne craignez pas non plus de vous répéter : la répétition est un facteur important de l'apprentissage et les enfants semblent souvent l'apprécier. Enfin, un dialogue n'est pas un flot de paroles ininterrompu : dites des mots vrais, des mots qui ont un sens pour l'enfant, et sachez laisser des silences afin qu'il puisse prendre part à la «conversation».

Faut-il lui parler bébé ?

Avant de déterminer la façon dont il convient de parler à un bébé, je dirais qu'il y a seulement une nécessité à lui parler, tout simplement. Alors faut-il lui parler un langage de bébé ? Cela dépend uniquement de vous, si cela vous semble plus naturel. Votre enfant, lui, n'a pas d'a priori. Il n'aura pas plus de mal à comprendre «chat» que «minet», «main» que «mimine». Il utilisera ce que vous utiliserez. S'il commence à dire «le oua-oua» au lieu de dire «le chien», c'est que ses cordes vocales sont encore immatures et que ce «oua-oua» signifie bien plus que le seul mot chien. Mais très vite, il l'abandonnera de lui-même au profit du bon mot si, au lieu de reprendre ce mot de bébé à votre compte, vous lui répondez : «Ah, oui, tu as bien reconnu le chien là-bas, bravo.»

Lui apprendre un mot «bébé» a un inconvénient : l'enfant devra un jour «désapprendre» ce mot pour employer le mot correct. Alors pourquoi ne pas utiliser d'emblée ce dernier ? Sans pour autant employer un vocabulaire et des tournures sophistiquées, il me semble toujours préférable d'utiliser le mot précis. L'essentiel est toujours de parler avec (et pas seulement «à») votre enfant de façon naturelle, intéressée et en accord avec la réalité. Ne doutez pas qu'il vous comprenne.

En conclusion

● Le bébé a absolument besoin qu'on lui parle et qu'on l'écoute, l'accompagnant, très jeune, dans ses gazouillis et dans ses productions vocales. Dans ces moments-là, il est important de savoir lui parler «bébé».

● A côté de cela, il faut parler à l'enfant avec des mots et des phrases du langage courant. Comment l'apprendrait-il autrement ? Il ne s'agit nullement de le saouler de mots, l'entourant d'un discours ininterrompu dans lequel il n'aurait pas sa place : on n'apprend pas à communiquer en écoutant la radio ! Il s'agit de s'adresser à lui pour lui parler de ce qui le concerne, des mots de sa vie.

Dites-lui qu'il est huit heures et qu'il ira bientôt se coucher, que son biberon sera vite prêt, que vous entendez son bain couler. Dites-lui comment s'appellent les parties de son corps ou les objets qui l'entourent. Confiez-lui que vous êtes fatiguée, que vous avez l'impression qu'il s'est enrhumé. Demandez-lui s'il aime ce légume ou s'il trouve que cette fleur sent bon. Dites-lui votre amour et que vous trouvez son nez ravissant. Etc., au fil de la vie.

LES DÉBUTS DU LANGAGE

Comment favoriser le langage ?

● **Parlez à votre bébé, aussi jeune soit-il. On commente à bébé ce que l'on fait, on met des mots sur ce qu'il ressent, on lui parle de sa vie de tous les jours. De temps en temps, on se tait pour laisser au bébé le temps de «répondre», et parce qu'il ne s'agit pas de le «saouler» de mots !**

● **Inutile de parler «bébé» pour être compris de son enfant : le langage de tous les jours lui va très bien. Mais cela ne veut pas dire se priver de tous les petits mots doux que chaque famille invente et qui fait sa culture propre.**

● **Faites des efforts pour comprendre ce que votre enfant tente de dire : il en fait pour s'exprimer et se sent très frustré lorsqu'il ne parvient pas à communiquer.**

● **N'hésitez pas à parler un peu comme un acteur, en articulant bien, en jouant sur les expressions faciales et en mettant de la joie dans votre voix.**

● **Ne laissez pas traîner des maladies ORL de type angine ou otite, et consultez un pédiatre si votre bébé, passé six mois, gazouille de moins en moins. Il entend peut-être mal.**

● **Votre enfant parlera quand il se sentira décidé et prêt. Inutile donc de comparer ses performances à celles d'un autre enfant.**

Comment le langage se développe

● **Dès la naissance, le bébé s'exprime par des productions sonores diverses, des cris, des pleurs et des vagissements. Certains signent l'inconfort, d'autres le plaisir. Le bébé est déjà plus sensible au langage humain qu'à tout autre son.**
● **Vers deux mois s'installe une phase faite de roucoulements et de gazouillis, que le bébé produit en réponse au langage ou aux questions, comme dans une ébauche de dialogue.**
● **Vers trois à quatre mois, les sons produits ressemblent à des voyelles, où O, A et E prédominent. Ces «areuh» plus ou moins prolongés s'enrichissent progressivement de sons consonnes. L'enfant peut reproduire, dans de doux dialogues, des mélodies simples qui imitent le langage.**
● **Dès six ou sept mois, le bébé combine voyelles et consonnes. «Baba, papa, mama» sont quelques-unes des syllabes répétées sur lesquelles l'enfant s'exerce et qui vont faire la joie des parents.**

Ce dialogue chaleureux va le mettre en confiance. C'est votre voix entendue depuis une autre pièce qui le rassure sur votre absence, ainsi que ces mots : «Attends-moi, je reviens». Ce sont vos mots qui lui donnent le courage d'affronter une réalité bien mystérieuse et inquiétante. Ce sont vos propos rassurants qui l'aident à supporter l'attente et les frustrations de son existence.

La parole

L'apparition du langage chez le bébé a quelque chose de fascinant. Pendant plusieurs mois, on échange avec des signes non-verbaux, faits de cris, de babillages et de gestes. Puis on sent que bébé comprend de mieux en mieux ce qu'on lui dit, même s'il s'exprime encore peu. Et enfin les premiers mots, maladroits et difficilement reconnaissables, apparaissent, ouvrant la voie à la parole et au vrai dialogue.

Le babillage

Les productions du bébé sont d'abord limitées à l'émission de voyelles (*i, a, e, u*). Puis interviennent les consonnes, qui enrichissent le vocabulaire (*pi, pa, bi, bo, mo, ma*…). Comme certaines syllabes ressemblent à des mots que vous aimeriez lui entendre prononcer (*pa* pour papa, *ma* pour maman), vous allez, parfois inconsciemment, renforcer la production de ces syllabes. Au point que votre bébé s'en servira bientôt pour vous appeler.

Enfin, il s'exerce à imiter vos intonations ou vos accents. Vous les reconnaîtrez, aussi clairement que lorsque vous faites semblant de parler une langue étrangère : lui aussi, il connaît l'air avant d'avoir les paroles…

Les premières syllabes

Assez vite commencent à apparaître d'importantes différences d'un enfant à l'autre dans l'utilisation du langage. Mais ces différences n'ont pas une grande valeur concernant l'avenir. L'essentiel est que l'enfant sache communiquer et qu'il puisse faire comprendre ce qu'il désire ou ce qu'il refuse.

D'ailleurs, quand un enfant sait-il parler ? Telle mère dira que son enfant sait parler le jour où il est capable de prononcer des syllabes simples ou doublées (tata, po, etc.), qu'elle-même comprend ou interprète, donc assimile à des mots. Telle autre mère ne dira de son enfant qu'il parle que le jour où il saura émettre des mots corrects, prononcés sans ambiguïté et associés à leur sens exact. Peu importe : l'essentiel est de pouvoir dialoguer. Chaque enfant, à sa façon à lui, est unique et merveilleux.

Au cours des mois passés, le bébé a affiné sa capacité d'imitation. Il peut s'amuser à répéter un grand nombre de sons ou d'onomatopées. Il a des syllabes de prédilection qu'il peut répéter longuement. «Tata» ou «engue» peut signifier à la fois «ici» ou «je veux cela» ou «j'ai faim».

Le bébé peut également parler longuement une langue incompréhensible, mais où l'on reconnaît clairement les accents et les inflexions qui sont ceux des discours adultes.

Enfin, certains bébés, avant 1 an, disposent déjà de quelques mots intelligibles qui ont acquis une signification précise, même s'ils sont incorrects, ne correspondent pas à des mots réels ou sont imparfaitement prononcés. Un même mot, «sa» pour «chat» par exemple, peut signifier «voilà le chat», «où est le chat ?», «est-ce que cet animal est un chat ?», etc.

Comment viennent les premiers mots ?

Le bébé qui joue à prononcer «papapa…» ou «mamama…» perçoit vite le plaisir et les encouragements de son père et de sa mère, heureux d'être nommés. Ces réactions parentales viennent renforcer les syllabes qui vont ainsi devenir importantes, alors que l'absence de réaction à «tututu…», par exemple, finira par entraîner son extinction dans le langage de communication. L'enfant, encouragé par la réponse apportée à «mamama…», redira les mêmes sons pour produire les mêmes effets. Enfin, il s'en servira pour faire venir ses parents en leur absence.

Nous sommes encore loin d'un véritable langage où l'enfant pourra exprimer avec des mots ce qu'il souhaite communiquer, mais c'est là le début tout à fait évident.

Attention ! Il ne faut pas confondre ce que les jeunes enfants sont capables de dire et ce qu'ils sont à même de comprendre. Les parents le savent bien, lorsqu'ils disent de leur enfant, qui ne parle pas encore, qu'il «comprend tout».

En effet, si le «langage actif», soit ce que l'enfant émet, est fonction de la maturité de son système phonatoire et nécessite un long entraînement, le «langage passif», soit ce que l'enfant est capable de comprendre, est beaucoup plus vaste qu'on l'imagine.

Vers la fin de la première année, l'enfant connaît le rôle symbolique des mots : il sait qu'ils permettent de nommer l'objet

Comment le langage se développe (suite)

● Entre huit et dix mois, le bébé continue à babiller et enrichit progressivement la gamme des sons qu'il peut produire. Il est très attentif au langage et semble apprendre intérieurement.

● Enfin, dans le dernier trimestre de cette première année, l'enfant a la capacité intellectuelle et physique de parler. Il dit ses premiers vrais mots, qu'il choisit parmi ce qui compte beaucoup pour lui (nom de ses proches, de l'animal ou de ses objets favoris).

Le babillage

Ne vous étonnez pas d'entendre votre bébé parler tout seul, lorsqu'il est calme et tranquille dans son lit. Les sons qu'il produit l'amusent et le surprennent tant qu'il se sert de sa voix comme d'un instrument de musique. Lorsque vous l'entendrez vocaliser, dites-vous qu'il fait ses gammes. Mais il n'est pas seul : il parle volontiers à ses jouets. Si vous avez mis un miroir contre son lit, il parle aussi probablement à son reflet, ce petit copain qui répond si bien aux mimiques qu'on lui adresse ! Puis il vous parle à vous, dès que vous vous installez face à lui et que vous entamez la conversation.

Comment vous y prendre pour l'aider à nommer ?

Il est toujours préférable de partir de l'objet concret plutôt que du dessin. La bonne marche consiste à partir du corps de l'enfant. «Voici ta main», puis «Celle-ci, c'est ma main, la main de maman.» Prenez une poupée : «Voici la main de la poupée. Montre-moi la main de la poupée.»

Puis prenez un objet familier de l'enfant, par exemple son biberon. Nommez-le en le montrant : «Voici ton biberon. Je prépare le biberon.» Puis en l'absence de l'objet : «Où il est ton biberon ? Tiens, je vais aller chercher ton biberon à la cuisine. Le voilà, regarde.»

Enfin, vous lui montrez les dessins dans l'imagier en disant : «Tu vois, cela c'est le dessin du biberon ; c'est le biberon.»

Un jour où le biberon est posé sur la table devant lui, demandez-lui : «Où il est ton biberon ? Montre-le-moi.» Vous saurez ainsi qu'il connaît le sens du mot.

Enfin, une fois l'étape précédente franchie, ne lui montrez que le dessin en lui demandant : «Où il est le biberon ? Montre-le-moi.»

présent, mais également d'évoquer l'objet absent ou de nommer sa représentation imagée. Il a un grand vocabulaire, composé de noms communs simples, mais aussi d'actions, d'adverbes et d'idées. Il est capable d'obéir à des demandes comme «attraper le pull bleu qui est sur la chaise», ce qui suppose déjà une compréhension d'une grande complexité.

Lui parler deux langues

La question se pose généralement lorsque les parents sont de langue maternelle différente ou lorsque, de même nationalité, ils vivent ensemble dans un pays étranger.

Les parents se demandent régulièrement s'il est bon de parler deux langues à leur bébé et si cela nuira à ses apprentissages ou à son équilibre.

Les études récentes montrent que non, surtout si une langue est clairement dominatrice sur l'autre. Les petits bébés ont un «don» inné pour les langues. La structure de leur pensée et celle de leurs cordes vocales va se déterminer en fonction de la langue maternelle entendue et parlée. C'est ainsi que l'on explique qu'une langue apprise une fois l'enfance passée ne pourra jamais l'être parfaitement. On comprend dès lors la richesse que peut constituer pour l'enfant la possibilité de ne pas être rigidifié dans un seul système de pensée et de parole. A l'ère de l'Europe et de la communication, on peut dire que les enfants à qui leurs parents ont très tôt parlé deux langues ont une grande chance, car ils ont appris sans effort ce qui demandera des années de travail à d'autres.

Faire preuve de patience et de compréhension

Apprendre à maîtriser deux langues est malgré tout une difficulté supplémentaire pour l'enfant. Aussi, faire preuve de patience et de compréhension est indispensable. Mais si les choses se font naturellement et qu'on n'attend de l'enfant nul exploit, alors il n'y a aucune limite d'âge inférieure pour commencer.

Pour que le bébé apprenne simultanément les deux langues, sans rejet à terme, deux règles semblent importantes. D'une part, il faut que chacun des parents parle à l'enfant dans la langue où il se sent à l'aise, de façon à ne pas nuire à la communication. D'autre part, il faudra laisser l'enfant, lorsqu'il parlera, employer la langue qu'il veut.

Il semble néanmoins que les cas où les parents parlent la même langue, et où l'enfant en apprend une deuxième au-dehors (nourrice, garderie, crèche, etc.), soient plus faciles à gérer pour lui. La distinction entre la langue familiale, maternelle, et la langue sociale, extérieure, est plus facile à faire.

Quoi qu'il en soit, ici encore, l'essentiel est de privilégier avec son bébé la communication vraie. Ce qui veut dire lui parler la langue dans laquelle les mots doux viennent le plus spontanément. C'est cette langue-là qu'il comprendra et apprendra le mieux : la langue de la tendresse.

Ses premiers livres

Il n'est jamais trop tôt pour mettre des livres entre les mains de son bébé. Avant même de savoir de quoi il s'agit, il prend plaisir à s'exercer manuellement à tourner les pages, parce qu'il est séduit par les formes, les dessins et les couleurs. Si vous lui lisez des petites histoires, il est également charmé par la voix de son père ou de sa mère s'adressant à lui.

Il a été démontré que les enfants qui ont été mis très tôt en contact avec le livre en gardent ensuite le goût et, plus âgés, restent des enfants lecteurs. Or, à six mois, votre bébé peut être passionné par les images et les pages qui tournent. Donnez-lui des petits livres bien colorés, et vous le surprendrez plus d'une fois, seul dans son lit, en train de les feuilleter.

Il existe de nombreux livres pour les tout petits enfants parmi lesquels vous pouvez choisir. Prenez de préférence ceux qui peuvent être mâchouillés et secoués sans trop souffrir : livres en carton épais, en plastique ou en tissu.

Apprendre à nommer

L'utilisation plus poussée des livres, pour apprendre du vocabulaire ou pour raconter une histoire, suppose que votre bébé ait déjà fait une acquisition fondamentale : savoir ce que désigner signifie.

Lorsqu'il saura que le mot «biberon» :
● sert à évoquer l'objet en son absence ;
● désigne à la fois l'objet concret dans lequel il boit son lait et la représentation imagée qu'il peut en trouver dans un livre, alors il aura fait un grand pas. L'usage de l'imagier deviendra possible et les livres prendront une tout autre signification qu'un simple goût pour les couleurs et les formes.

LES DÉBUTS DU LANGAGE

Un peu de patience...

Le jour où votre bébé sera capable de vous désigner, en pointant avec son doigt sur un livre, les objets ou les animaux qu'il connaît bien, vous pourrez lui offrir de vrais livres, commencer à lui lire des petites histoires pendant qu'il regardera les images et feuilleter avec lui un bel imagier.

Comment choisir l'imagier ?

Le choix du premier imagier est très important. Il doit répondre à plusieurs règles :
● **il n'y a qu'un élément, objet ou animal, sur chaque dessin ;**
● **le dessin est précis jusque dans ses détails, très réaliste, comme une photo, pas caricaturé, mais sympathique ;**
● **les dessins sont grands, clairs et colorés.**

Comment se servir de l'imagier ?

● **Installez confortablement votre bébé sur vos genoux, face au livre.**
● **Feuilletez-le ensemble en pointant chaque image et en nommant ce qu'elle représente.**
● **Très vite, vous pourrez, face à des dessins qu'il connaît, lui demander : "Où il est, le chat ?", et c'est lui qui pointera...**

Un livre qui se construit

● **Les catalogues et les magazines sont une source précieuse de dessins de toutes sortes.**

● **Faites un livre-à-toucher. Dans le classeur, remplacez les pochettes plastiques par des feuillets cartonnés. Collez dessus des «objets à toucher». Pour cela, enduisez la surface de colle, puis posez dessus : du sable, du riz, de la farine, un morceau de tissu, etc.**

● **Mettez de côté, systématiquement, toutes les cartes de vœux que vous avez reçues aux anniversaires ou en période de fête, ainsi que les cartes postales. Trouez-les sur le côté comme des feuilles de classeur. Passez un ruban dans les trous : vous obtenez un joli livre, facile à feuilleter et à renouveler.**

Chantez-lui des chansons

Les jeunes enfants adorent qu'on leur chante des chansons. Ils aiment que vous les fassiez sauter sur vos genoux en rythme ou que vous dansiez en les portant dans vos bras tout en chantant.

Comptines et chansons pour les petits enfants font partie de notre patrimoine national. Vous n'en connaissez pas ? Demandez aux grands-mères. Elles ont tout oublié ? Allez dans les bibliothèques, dans la partie réservée aux enfants. Vous y trouverez tout un répertoire de disques et cassettes que vous pourrez emprunter et apprendre.

Les meilleures de ces comptines sont celles qui s'accompagnent de gestes, toujours les mêmes. L'enfant anticipe l'action et rit aux éclats lorsqu'elle se produit. Il en profite aussi pour apprendre du vocabulaire. Si vous lui chantez régulièrement «Alouette, gentille alouette», votre bébé saura vite où se trouve sa tête, son ventre, sa main, etc.

Mais ce que l'enfant adore plus que tout, c'est le contact étroit et ludique qui se crée entre vous lorsque vous lui chantez une chanson. Vous lui transmettez une joie de vivre qui ne se démentira pas. Dès qu'il le pourra, il chantera avec vous et gardera toute sa vie ce plaisir. Connaissez-vous des adultes qui chantent sous la douche ou dans les embouteillages ? Je suis sûre que, très jeunes, on a chanté pour eux...

Le développement émotionnel et social

Un bébé ne se nourrit pas que de lait et de soupe. Pour grandir, il a absolument besoin d'amour, de respect et de tendresse. C'est grâce à cette nourriture qu'il pourra s'épanouir, s'éveiller à la vie et partir à la découverte du monde. Tout petit, le bébé a besoin de contacts physiques : se sentir bercé, caressé, enveloppé. Il bâtit ainsi tout son monde sensoriel et les bases de sa culture. Puis, lorsqu'il grandit, le bébé a besoin que sa mère sache mettre une certaine distance entre eux. Il apprendra progressivement à s'individualiser. Parce que sa mère n'est pas parfaite ni toujours disponible, il va devenir autonome et apprendre à se débrouiller par lui-même. Au fil des mois et des années, il découvrira la place qui est la sienne au sein de sa famille et les règles qu'il doit suivre.

La création des liens avec l'entourage.

La mère parfaite.

L'angoisse de séparation.

Le caractère de bébé.

Intégrez votre bébé aux activités familiales

Dès la naissance, les sens de l'enfant sont efficaces et la structuration de son cerveau va se développer en fonction des informations reçues. Les structures mentales ne pourront s'élaborer de façon satisfaisante en l'absence de stimulations d'ordre sensoriel.

Aussi est-il important pour son intelligence future (au sens le plus large), de ne pas le laisser toute la journée seul dans un berceau blanc, mais de l'intégrer aux activités de la famille et de le stimuler.

Contacts peau à peau, caresses, odeurs diverses, jeux de voix et de musiques, paroles douces, couleurs, objets, formes, contacts étroits avec tous les membres de la famille, sont autant de façons de répondre à ses besoins. «Le bébé est une personne» : traitez-le comme tel, à part entière.

Les besoins sensoriels et culturels

C'est au cours de la petite enfance que se posent les fondations de ce que sera la vie sociale future de l'enfant. D'un nouveau-né passif, il deviendra en un an un partenaire à part entière de la vie et des échanges familiaux. La relation chaleureuse, respectueuse et confiante qu'il développera avec ses parents servira de modèle aux relations amicales qu'il créera dans l'avenir avec ses pairs.

La conscience de l'entourage

Dès ses premières journées de vie, le bébé apprend, grâce à son odorat, son ouïe, puis sa vue, à reconnaître sa mère. Très rapidement, dans les semaines qui suivent, il reconnaît également son père, dont il a entendu la voix à travers la paroi du ventre maternel, surtout si celui-ci a à cœur de s'occuper de son bébé et d'avoir des échanges avec lui.

Après quelques mois, votre enfant a encore davantage conscience de son environnement. Il distingue ses parents des autres personnes et connaît également bien ses frères et sœurs aînés dont la venue le réjouit tout particulièrement. Il devient plus attentif à tout ce qui l'entoure.

La contrepartie de cette plus grande vigilance, c'est qu'il ne se laisse plus aussi facilement approcher ou manipuler par les personnes qu'il ne connaît pas ou peu. Il peut même se mettre à pleurer si un «étranger» veut le prendre dans ses bras.

Que les mamies ou les amis ne s'attristent pas : cela signifie seulement une meilleure connaissance du monde de la part de ce tout petit bébé… Bientôt, quand il les connaîtra mieux, leur sourira aussi et leur tendra les bras. En attendant, vous qui comprenez les inquiétudes de votre bébé, protégez-le en suggérant clairement aux grand-tantes qu'il n'est pas nécessaire qu'elles se jettent sur lui pour l'embrasser…

Les besoins affectifs et psychologiques

On a découvert récemment combien l'attachement à la mère (ou à la personne qui la remplace) était un besoin fondamental pour la structuration de la personnalité de l'enfant. On peut dire aussi que l'amour, la tendresse sont la réponse adaptée aux situations de détresse.

Ces liens étroits se tissent très tôt à travers la reconnaissance olfactive et auditive de la mère, mais aussi grâce à ces échanges de regards et à toute cette communication intime qui se met en place. Ces liens sont également dépendants de la manière dont la mère sait ou non comprendre les besoins et les appels de son enfant et comment elle y répond. Le père et les autres membres de la famille ont aussi une place importante dès la naissance, mais il est incontestable que la mère tient, pour quelque temps encore, un rôle privilégié et que le bébé a besoin de cette référence.

Affection, chaleur humaine, disponibilité et régularité de contact sont indispensables au bébé. Ils lui permettent de développer un sentiment de sécurité. Les séquelles observées chez ceux qui en ont manqué sont souvent difficiles à guérir.

Les tendres câlins

Durant neuf mois, le bébé, dont les moyens physiologiques étaient comblés, vivait dans une relation avec sa mère d'une totale complicité, bercé par ses déplacements, charmé par sa voix, caressé par le liquide amniotique. La naissance, «en expulsant» le bébé, va interrompre soudainement cette proximité. La mère et le bébé vont alors, pour rester proches et prolonger le corps à corps, devoir inventer une nouvelle tendresse. Souvent, les jeunes mammifères s'agrippent à la fourrure de leur mère et se tiennent ainsi en étroit contact avec elle. Les mains des petits bébés d'homme, elles aussi, s'agrippent au moindre contact, témoignant du même désir. Mamans, ne vous privez pas de tout ce qui permet de tenir votre bébé au plus proche, au plus chaud, tout contre vous (porte-bébé, châles…). Par ce contact corporel rassurant, le bébé se sent protégé. Le corps de sa mère l'aide à trouver les limites de son

LE DÉVELOPPEMENT ÉMOTIONNEL ET SOCIAL

Les étapes du développement émotionnel et social

Dès la naissance, le sourire qui s'ébauche sur le visage du bébé traduit un intense bien-être, même s'il n'a pas encore son sens social précis. Les cris et les pleurs deviennent vite un langage qui traduit un malaise et vise à faire venir celui ou celle qui saura trouver la solution…

Les premières semaines

Vers quatre à six semaines, les premiers vrais sourires apparaissent. Ils engagent la totalité du visage et sont explicitement destinés à la personne ou à l'objet qui fait face au bébé. Regardez votre bébé dans les yeux, bien en face, et parlez-lui doucement en souriant largement : il vous rendra votre sourire.

A la même période, les pleurs du bébé se régularisent et deviennent plus facile à comprendre (pas toujours à soulager !).

De 3 à 6 mois

Vers trois mois, le bébé manifeste clairement son besoin de compagnie : il crie lorsqu'on le laisse seul et se calme lorsque l'adulte apparaît. Entouré, il s'agite et montre son plaisir. Non seulement il reconnaît sa mère, mais aussi son père, ses frères et sœurs, ses proches, dont il aime la présence.

Les étapes du développement émotionnel et social (suite)

Vers quatre mois, bébé éclate de rire. Quelques chatouilles, et ce rire un peu rauque surgit qui réjouit toute la famille. Les premières fois, lui-même semble étonné par ce rire étrange et incongru ! Quant aux pleurs, ils deviennent moins fréquents et plus faciles à comprendre et à soulager.

Vers cinq ou six mois, le bébé fait la différence entre les personnes qui lui sont familières, qu'il accueille avec un sourire, et les étrangers, desquels il détourne le regard. Il entame à cette période de vrais jeux à deux avec ceux qu'il aime et ses comportements sociaux deviennent plus variés.

De 6 à 8 mois

Vers sept ou huit mois, le bébé traverse une phase où il craint d'être séparé de sa maman et s'inquiète de la présence des étrangers. Lui si sociable et si aventureux se met à avoir peur de tout et de chacun. Mais à la maison, dans son cadre, il se rassure bien vite. Cette phase marque un gros progrès dans le développement de l'enfant qui découvre les limites de son corps et comprend qui il est, différent des autres. C'est le début des vraies relations sociales entre lui, individu autonome, et l'autre.

propre corps. La confiance en sa mère vient lui donner confiance en lui.

L'enfant va se construire en mettant à l'intérieur de lui les sensations, les expériences, ce qu'il aura vécu par l'intermédiaire du corps de sa mère. Le confort que sa mère lui apporte, tous les moments de tendresse et de jeu, de complicité autour du repas, au biberon comme au sein, toutes ces merveilleuses expériences donnent à l'enfant l'image d'un monde où il fait bon vivre.

Parce qu'il peut aimer et être aimé sans risque, l'enfant va peu à peu partir avec confiance à la découverte du monde qui l'entoure et accepter, pour cela, de s'éloigner de sa mère.

Un contact corporel pour s'adapter au monde extérieur

La quantité de présence que la mère assure auprès de son enfant n'est pas seule en cause. Que peut transmettre un corps crispé, épuisé, tendu, qui dit l'anxiété plutôt que la joie de la rencontre ? Chaque nouvelle mère a besoin d'un temps, variable pour chacune, pour créer des liens affectifs chaleureux et vivants avec son bébé. Ce temps, c'est celui qui lui est nécessaire pour oublier le bébé dont elle rêvait et adopter le bébé réel, celui dont elle a accouché et qui est là, avec ses sourires et ses pleurs.

Par ce contact corporel tendre et paisible, le bébé va s'adapter au monde qui l'entoure. Progressivement, parce que la présence de sa mère ne peut plus être aussi totale que lors des premiers jours, le bébé va découvrir la frustration et ses bienfaits. Parce que sa mère vit aussi en dehors de lui, il va apprendre à assurer sa survie et devenir plus autonome. Parce qu'elle lui parle, l'appelle par son nom, le rassure sur son retour et le comble de mots d'amour, il va devenir pleinement humain, être de langage. C'est par la grâce de la tendresse et la parole qui vient remplir l'absence, que l'enfant va grandir, solide et confiant.

L'enfant gâté

Vous ne ferez pas de votre bébé un enfant gâté si vous répondez à ses appels et si vous suivez ce que votre instinct vous dicte. Il existe encore beaucoup de gens pour vous dire : «C'est normal qu'un bébé pleure, il fait ses poumons», «Laisse-le pleurer, il finira par se fatiguer» ou encore «Ne le prends pas tout le temps dans les bras, au moindre caprice, tu vas en faire un enfant gâté», etc.

Pourtant, vous souffrez d'entendre votre bébé pleurer et votre instinct de mère vous souffle de le prendre avec vous pour tenter de le soulager. C'est vous qui avez raison. Un bébé ne pleure jamais pour rien. C'est nous qui ne sommes pas capables de le comprendre. Un bébé n'est pas capricieux : c'est une notion d'adulte qui, à son âge, lui est complètement étrangère. Lui a une raison de s'exprimer par des cris, il vit un malaise. Le minimum que l'on puisse faire, à défaut de le soulager, c'est de lui dire, par des mots et par des gestes : «Je suis là, je suis avec toi, je ne comprends pas pourquoi tu pleures, mais je vais essayer de te soulager.»

L'enfant qui appelle ou se plaint attend de ses parents une réponse adaptée et compréhensible. C'est ainsi qu'il se sentira aimé, qu'il acquerra confiance en lui et confiance en eux, qu'il deviendra capable de donner de l'affection et qu'il deviendra autonome.

Répondre à son besoin d'affection

A l'inverse, l'enfant privé d'affection, qu'on laisse trop souvent face à sa souffrance, risque de se refermer sur lui-même et de se désespérer. S'il pleure, c'est qu'il a quelque chose à vous dire. Si personne n'entend, il commencera par se mettre en rage, puis cessera même de communiquer. A quoi bon ? Quel message transmet-on à un jeune enfant lorsqu'on ne le soutient pas dans ses moments difficiles ? Il se sent abandonné, amer : comment lui ferez-vous croire que vous l'aimez et que la vie est belle ? Votre enfant pleure, il a besoin de votre contact, de votre odeur, de votre voix, de votre amour. Spontanément, vous avez envie de lui porter secours et de le soulager. C'est vous qui avez raison. Il vous parle : répondez-lui. Il a faim : nourrissez-le. Il a besoin de compagnie : prenez-le dans la pièce où vous êtes et faites la conversation. Il veut vos bras : câlinez-le. Un bébé réagit comme un bébé : il n'est nullement temps de le dresser ou de l'entraîner à supporter les frustrations de l'existence.

La mère idéale

S'occuper quotidiennement d'un bébé, élever son enfant, sont des tâches difficiles. Trouver sa vérité à travers les consignes des livres de puériculture, les conseils des grands-mères ou des

---

LE DÉVELOPPEMENT ÉMOTIONNEL ET SOCIAL

Les étapes du développement émotionnel et social (suite)

De 9 à 10 mois

L'enfant progresse dans ses relations sociales en imitant ceux qui l'entourent : paroles, gestes et attitudes. Il aime s'entendre crier, rire, et se montre ravi s'il peut jouer à cache-cache. Les filles sont parfois plus timides que les garçons, d'autres fois plus délurées.

De 11 à 12 mois

Le jeune enfant se montre intrépide, provocateur et fait volontiers le clown. Il développe l'humour et aime avoir du public. Il comprend le sens du mot «non» et peut alors s'empêcher de faire ce qu'il souhaitait. Ses émotions s'enrichissent et le sentiment de peur peut le faire se précipiter dans les bras parentaux.

C'est un bébé difficile

On nomme généralement ainsi un bébé qui pleure beaucoup sans cause apparente, et qui ne se laisse pas calmer par les moyens habituels. Sa mère se sent vite épuisée nerveusement, incompétente, voire coupable d'elle ne sait précisément quoi. C'est le cercle vicieux.

La solution consiste à retrouver sa confiance en soi et son calme, en confiant par exemple le bébé quelque heures à son père, une grand-mère ou une garderie. Montrer au bébé sa compassion et son amour, tout en gardant son sourire et en attendant des jours meilleurs qui ne tarderont pas à arriver...

C'est un bébé qui dort beaucoup et ne réclame jamais

Celui-ci peut sembler plus facile, mais il ne satisfait pas les parents qui voudraient profiter davantage de sa présence. Il n'est pas question d'empêcher ce bébé de dormir, mais il est nécessaire de profiter de tous ses moments d'éveil. Le bébé, à l'inverse, qui dort très peu, est très gratifiant sur le plan social, mais vite épuisant par l'attention qu'il demande. Il aura vite besoin que l'on remplisse son lit de joujoux et d'objets qui pourront l'occuper quelque temps.

copines, et son propre bon sens se fait parfois au prix de longues hésitations et rarement sans une bonne dose d'anxiété.

Que proposent les médias ? L'image d'une femme toujours détendue et souriante, disponible et reposée, ayant déjà perdu son ventre et ses kilos en trop, mère d'un charmant bambin rose et rond qui mange bien, à heures fixes, et dort de longues nuits d'une seule traite. Ses seules interrogations concernent le moelleux des couches et la taille des petits pots, problèmes dont elle discute avec son mari, très concerné. Une mère idéale. Vous, à côté ? Vous êtes fatiguée par des nuits trop courtes. Votre bébé est enrhumé. Il pleure la nuit et les voisins cognent au plafond. Ou bien, c'est votre mari qui s'énerve. Ou bien c'est votre bébé qui refuse de boire son jus d'orange, ou qui vomit tous ses biberons, ou qui ne veut pas s'adapter à la garderie, ou qui a horreur du bain, que sais-je ? Parfois, vous vous dites : «C'était donc ça, un bébé ?» et vous vous sentez au bord du désespoir.

Rien ni personne ne vous a préparée ou avertie de ces difficultés. Vous vous comparez à la mère des magazines, la mère parfaite de l'enfant parfait, et vous vous sentez doublement mise en échec. Parce que personne n'est là pour vous dire que oui, les choses sont difficiles, oui, elles vont s'arranger, oui, vous faites pour le mieux avec tout votre amour, vous commencez à croire que, mauvaise mère, vous êtes responsable des difficultés de votre bébé.

Etre mère, cela s'apprend

Halte ! La mère parfaite n'existe que dans les feuilletons. Vous êtes en train d'apprendre à être mère. Cela demande du temps et des efforts, de l'intuition et de l'amour. Cela ne vient pas d'emblée le premier jour. Peut-être, pour votre cinquième enfant, aurez-vous plus d'aisance. Mais en attendant, c'est vous qui êtes là. Vous rencontrez les difficultés normales d'une mère et d'un bébé normalement constitué. C'est lui, votre tout-petit, qui vous a fait mère, et c'est lui qui vous aidera à en devenir une bonne. Pour vous, il a toutes les indulgences. Telle que vous êtes, avec votre anxiété et vos maladresses, mais aussi avec votre immense tendresse, vous êtes tout pour lui.

Que faire ?

Ne vous comparez pas : vous, votre enfant, son père, formez un trio unique. Tentez de vous détendre, de vous reposer. Passez plus de temps à câliner et dialoguer avec votre bébé qu'à calculer la quantité de lait qu'il a avalée ou le temps qu'il a dormi. Vous êtes la mère parfaite de cet enfant-là : il ne pouvait en avoir une meilleure, il n'en rêve pas d'autre.

Les débuts de l'angoisse (8 - 10 mois)

Voilà que votre petit enfant, jusqu'ici sociable et aventureux, se met à avoir peur de tout et de chacun. Dès qu'un étranger approche, il se colle à vous. On lui parle ? Il se détourne. Pour peu que l'inconnu le regarde un peu trop directement, il se met à crier, ou même à pleurer si éclate soudainement un brusque éclat de rire ou un gros éternuement. Il ne disait rien lorsque vous le laissiez le matin ? Voilà maintenant qu'il fond en larmes et semble désespéré.

A côté de cela, heureusement, il se console bien vite. L'étranger s'éloigne, il redevient gai et joueur. Lorsqu'il est en confiance à la maison, entouré de ceux qu'il aime, il recule les limites de ses explorations et perfectionne les façons de se déplacer tout seul. Préfère-t-il ramper ou marcher à quatre pattes ? L'essentiel est de toucher à tout…

Tous les enfants ne marquent pas avec la même intensité cette attitude de peur des étrangers et de repli angoissé sur leur mère. Chez certains, cette crise sera brève (cinq ou six mois) ou à peine marquée. Chez d'autres, elle pourra commencer plus tard mais durer un an. Ces variations quant à la date du début des angoisses, à sa durée, à son intensité, sont absolument normales. Elles dépendent de l'enfant, de son caractère. Mais elles dépendent également du mode de vie et du mode de garde du bébé.

D'une manière générale, on observe que les enfants régulièrement gardés depuis plusieurs mois en crèche ou chez une assistante maternelle vivent cette crise de façon plus discrète : ils ont l'habitude des têtes nouvelles, ils sont très sociables et ils ont appris progressivement que, même si Maman s'en va, on la retrouve, intacte, un peu plus tard.

Les raisons à l'origine de cette angoisse

Quelles raisons expliquent les changements intervenant chez les petits enfants de cet âge ? Il y en a plusieurs.

● L'enfant est en phase d'exploration intense de l'environnement. Cela comble son besoin de découvrir et d'aborder l'inconnu. Il a besoin pour cela de se sentir en confiance et en pays

Que peut-on faire pour aider l'enfant ?

● **Gardez-le près de vous lorsqu'il s'y colle, ne vous moquez pas de lui, donnez-lui l'impression que vous le protégez et ne l'obligez pas à embrasser les étrangers.**

● **En présence d'un inconnu, laissez à l'enfant tout son temps pour faire lui-même la démarche vers l'autre et s'approcher lorsqu'il se sentira suffisamment «apprivoisé». Ne le brusquez jamais.**

● **Jouez souvent avec lui à des jeux qui aident à mettre en place la permanence de l'objet : cache-cache avec les objets ou avec les gens, marionnettes, «Où il est l'ours ? Coucou, le voilà !», jouets qu'on lance et ramasse, etc.**

● **Si c'est possible, il est préférable d'éviter de commencer à faire garder votre bébé à plein temps entre huit et douze mois. C'est la période la plus difficile : il se sent abandonné et ne sait pas encore que vous reviendrez. Si vous ne pouvez faire autrement, prévoyez une période d'adaptation aussi longue que nécessaire et prenez tout le temps qu'il faut pour faire comprendre la situation à votre bébé.**

C'est un bébé jamais content

Irritable, facilement coléreux, même manger ou prendre son bain ne semble pas être un plaisir pour ce bébé-là. Souvent tendu, même dans les bras, il s'endort difficilement. Il craint les bruits et les mouvements brusques.

Ce bébé a besoin de calme et de régularité. Son attitude n'est pas un rejet de vous, mais une difficulté à s'adapter à ce monde. La solution consiste à rendre son environnement aussi tendre, douillet, rassurant, gai et calme que possible. Nourri à la demande, câliné beaucoup, il finira par trouver sa joie de vivre.

Quelle que soit le caractère de votre bébé dans ses premiers mois, sachez que rien n'est joué. Il va s'adapter, évoluer, trouver ses marques et vite devenir un joyeux compagnon.

connu. Tout changement dans cet environnement, matériel ou humain, rend les choses bien difficiles.

● Le bébé reconnaît de mieux en mieux les visages. Il sait différencier les personnes et faire la part entre les connus et les inconnus. D'où de nouvelles inquiétudes qui n'existaient pas jusque-là.

● Le bébé se rend maintenant parfaitement compte des départs de sa mère, mais il n'est pas encore convaincu qu'elle reviendra. Il hurle lorsqu'elle s'éloigne parce qu'il craint de la perdre. Au cours des semaines qui viennent, il apprendra la permanence des objets : si le jouet que je ne vois plus continue d'exister, alors maman aussi continue d'exister et elle reviendra. Ainsi ses angoisses se calmeront progressivement.

En conclusion, sachez que la crise d'angoisse du huitième mois est normale et qu'elle signifie l'arrivée d'une nouvelle étape du développement. Elle passera doucement si vous êtes aux côtés de votre enfant pour le rassurer et lui donner confiance.

Le caractère de bébé

Les bébés ne naissent pas avec des qualités et des défauts. Ils naissent avec un équipement parfait pour entrer en contact, avec besoin d'aide pour survivre et avec des comportements qui varient beaucoup d'un bébé à l'autre. Selon la façon dont on répondra à ces comportements, ils évolueront d'une manière ou d'une autre.

Certains, dès les premiers jours, semblent pleurer davantage, ou dorment plus, ou sourient rapidement, ou tètent difficilement. La mère, face à son bébé, va répondre. Si elle a l'impression de le comprendre, de lui faire du bien, d'être compétente, la relation entre eux va se développer harmonieusement et le bébé sera doté de qualités. Si elle ne le comprend pas, ne parvient pas à apaiser ses pleurs, devient anxieuse, le bébé va réagir par de nouveaux pleurs et sera vite rangé dans la catégorie des bébés «difficiles».

Le pouvoir des étiquettes

Les parents doivent se méfier du pouvoir des étiquettes. Les paroles du médecin lors de l'échographie ou des auscultations prénatales ont déjà tout un poids. Les parents sont si attentifs, si impatients que des phrases comme «Celui-là, il bouge bien, ce sera un nerveux» ou «Avec celle-là, vous n'avez pas fini d'en voir», quand ce n'est pas «La tête est un peu grosse par rapport à la moyenne», peuvent avoir un effet certain. Idem à la naissance. La sage-femme et le médecin-accoucheur tiennent la place des fées d'autrefois et leurs paroles sont de vrais oracles. Malheureusement, on entend parfois des réflexions comme : «Beau bébé, mais un peu petit», «Quelle voix, on sent qu'il aime crier !», etc.

Le phénomène est le même dans les semaines qui suivent. Il n'existe pas de bébés capricieux, gâtés, têtus, paresseux et méchants. Mais si les parents en sont persuadés et ont collé cette étiquette sur le comportement de leur enfant, il y a effectivement des chances pour qu'à terme il le devienne.

Mieux connaître son enfant

Faire connaissance avec son bébé, c'est passer du temps à l'observer pour savoir quels sont ses rythmes et ses positions favorites. C'est au fil des semaines et des mois que vous apprendrez s'il aime être traité avec douceur ou bien jeté en l'air dans les bras de son père, ce qui le rend heureux et grognon, ce qui le fait rire ou pleurer, ce qui l'aide à se calmer et à s'endormir, où sont les fossettes et les petits plis, quelle est l'odeur de son crâne et la forme de ses pieds. Ces mille petits détails qui font que votre bébé est unique au monde.

Son caractère se construira peu à peu. Si vous ne l'avez pas préjugé, vous aurez plaisir à le découvrir au fil des jours. Mais sachez qu'un bébé heureux et en bonne santé est un bébé gai. Avec un bon caractère, mais pas toujours un tempérament facile. Après tout, un bébé est un être humain et non un ours en peluche, n'est-ce pas ?

Les variations du caractère

Dès sa naissance, votre bébé s'est révélé différent de tous les autres. Il avait déjà son tempérament, ses goûts et ses préférences, que vous apprenez à connaître jour après jour. Il est unique, et aucun livre ne peut vous en apprendre plus sur lui que le temps que vous passerez à l'observer et essayer de le comprendre.

Cette connaissance fine de votre bébé va vous permettre de vous adapter à lui et de répondre à ses besoins. A son tour, se sentant compris, il sera plus facile.

Le non,
la discipline
et les interdits

Au cours de la première année, parler de discipline peut sembler excessif. Le jeune enfant imite ce qui lui semble être le comportement des adultes. Il va à la découverte du monde, il explore tout ce qui s'offre à lui, et cela, bien entendu, l'entraîne à prendre des risques et à faire des bêtises. Pour autant, se fâcher serait injuste, inutile et dangereux : le bébé pourrait renoncer à ses explorations et penser sa curiosité comme mauvaise, ce qui nuirait à son développement. Une ambiance détendue et tolérante sera toujours préférable à une éducation faite d'exigences excessives et de gronderies.

Dire oui, dire non, dire stop...

Une façon de mettre en place le "règlement intérieur".

Qu'interdire ?

Même dans un environnement que l'on a conçu pour que l'enfant puisse y évoluer librement et sans risque, il reste des choses à interdire :
● **Ce qui est dangereux : fils électriques, plaque du four, etc.**
● **Ce qui casse ou s'abîme : téléviseur, livres, etc.**
● **Ce que, pour des raisons personnelles, vous ne voulez pas autoriser, comme certains comportements agressifs (mordre, frapper) ou l'accès à certaines pièces de la maison.**

Comment faire comprendre que telle chose est interdite ?

En joignant le geste à la parole :
● **Vous dites «non» très fermement, mais sans agressivité, avec la voix et avec la tête. Votre «non» est suivi d'effet, c'est-à-dire que s'il n'est pas obéi, vous intervenez à nouveau.**
● **Vous allez vers votre enfant, vous le prenez par la main pour l'éloigner de son but et vous tentez de l'intéresser à autre chose, en lui confiant un jouet par exemple. C'est-à-dire que vous compensez vos «non» par des «oui» encourageants et des propositions de remplacement.**

Les bases de la discipline

On ne peut pas laisser son enfant tout faire. L'éduquer, c'est lui montrer quels sont les comportements acceptables, souhaitables, et ceux qui ne le sont pas.

Il est sécurisant pour l'enfant de sentir que l'adulte sait ce qui est bien et ce qui est mal. C'est un garde-fou qui lui apprend à se maîtriser et l'aide à exercer sa liberté de façon responsable. Rappelez-vous toutefois que les interdits, pour être compris et acceptés, doivent être logiques, cohérents et suivis d'effet. Ce qui est interdit un jour doit l'être aussi le lendemain. Mieux vaut peu d'interdits que vous faites respecter, que beaucoup sur lesquels l'enfant vous aura «à l'usure».

Voici quelques conseils sur la façon de vous y prendre.

Comprendre les «mauvais comportements»

Un jeune enfant n'agit jamais comme s'il le faisait par méchanceté ou pour vous embêter.

S'il râle, c'est qu'il est très fatigué ou qu'il couve un rhume. S'il touche à tout, c'est qu'il est curieux et intelligent. S'il recommence malgré l'interdiction, c'est que le désir est trop fort, ou bien qu'il veut vous tester pour savoir ce qu'est vraiment un interdit et ce que «non» veut dire précisément. Savoir cela, c'est déjà réagir autrement.

Comment dire non ?

Un enfant acceptera mieux le «non» si :
- vous joignez le geste à la parole, et entraînez doucement votre bébé loin de ses tentations ;
- vous l'exprimez fermement, en le regardant dans les yeux ;
- vous lui offrez une solution de remplacement qui, elle, est permise. Par exemple, vous lui retirez le magazine qu'il est en train de déchirer, mais vous lui confiez un vieux catalogue qu'il peut arracher à loisir. Ou vous dites non à la main qui agrippe et tire les poils du chien, mais oui à la caresse, paume ouverte. Si l'enfant recommence, dites non à nouveau. Dans un rapport de confiance et d'affection, n'ayez pas peur d'affirmer vos choix avec calme, fermeté et constance...

Les interdits

Quel que soit le soin avec lequel vous avez aménagé votre intérieur en fonction de votre bébé, il reste malgré tout des comportements qu'il va falloir interdire. Précisons tout de suite que plus son environnement sera varié et stimulant, plus le bébé se sentira heureux.

Qu'allez-vous interdire ?

Cela dépend de vous et de votre capacité de tolérance. Au minimum, vous interdirez tout ce qui présente un danger direct pour l'enfant : fil électrique, prise de courant, porte du four, plaque électrique, objet cassable (en verre) ou pointu, petits objets (risque d'étouffements), etc.

Il est tout à fait légitime également d'interdire à votre enfant de toucher à certains objets que vous ne pouvez mettre sous clé, mais qu'il pourrait abîmer ou dérégler : chaîne stéréo, téléviseur, livre à vous, canapé en cuir clair, etc. On entre là dans les «interdits de confort», auxquels certains ajoutent l'interdiction d'entrer dans telle ou telle pièce (le plus souvent le salon ou la cuisine). Au moment de décider ce que vous allez tolérer et interdire, vous devez réfléchir aux points suivants :

● Plus vous aurez d'interdits, plus ils seront difficiles à faire respecter. Mieux vaut en avoir peu, mais être ferme.

● Ce qui est interdit le lundi doit l'être aussi le mardi, ou une heure plus tard. De même pour ce qui est permis. Ce n'est qu'ainsi que votre enfant apprendra vite à s'y retrouver et à respecter vos règles. Il est donc fortement déconseillé de se faire avoir «à l'usure». Mieux vaut dire oui d'emblée que de lui laisser croire que vos «non» sont élastiques.

● Un enfant à qui trop de choses ou d'expériences sont interdites, qui doit sans cesse réprimer son énergie et son désir d'activité, finit par devenir soit très agressif, soit inactif et éteint. Enfin ce que vous interdisez doit être raisonnable, en fonction des besoins de l'enfant, et cohérent.

Il est absolument normal que l'enfant retourne, tout de suite ou plus tard, vers ce que vous avez interdit. Il le fera parfois en vous regardant droit dans les yeux et un sourire aux lèvres. Au-delà de l'attirance pour cet objet, il veut vérifier le sens et la valeur de votre parole. D'où l'importance de répéter le «non», fermement et à chaque tentative. Il ne doit pas douter de votre détermination. C'est vous l'adulte et vous ne devez pas laisser croire à votre enfant qu'il pourrait être «seul maître à bord».

Surveiller n'est pas protéger, être vigilant n'est pas empêcher

● **Au lieu de dire : «Arrête, tu vas tomber» (sous-entendu «c'est sûr»), dites plutôt : «Attention, tu risques de tomber» (sous-entendu «essaie si tu veux, mais tu prends des risques»).**

● **Vous voyez votre bébé grimper sur un meuble instable. Au lieu de l'en empêcher, mettez-vous à côté de lui. S'il réussit, félicitez-le en lui disant qu'il a pris un risque. S'il tombe, rattrapez-le au vol : «Tu vois, ce meuble n'est pas solide. Sans moi tu te serais fait mal.» La leçon portera beaucoup mieux, parce qu'elle aura été vécue.**

Des comportements typiques

Voici quelques comportements typiques des jeunes enfants :

● **il va dix fois revenir fermer le magazine que vous lisez ;**

● **il va progressivement s'approcher de la cuisinière pour vous obliger à intervenir ;**

● **il va vous faire revenir dix fois dans sa chambre, le soir, pour un ultime baiser ;**

● **il va se rouler par terre et vous faire une grande scène parce que vous aurez refusé un bonbon ou un jouet, etc.**

«Ne fais pas cela, tu vas tomber...»

Il est vrai que le très jeune enfant n'a pas une conscience du danger semblable à la nôtre. Ses instincts, contrairement à ceux de certains animaux, ne l'avertissent pas qu'il est en train de prendre un grand risque et que, s'il tombait de la table, il se ferait très mal. Tout cela, ses parents vont devoir le lui apprendre. Ils vont lui dire ce qui est permis et ce qui ne l'est pas, ce qui est risqué et ce qui ne l'est pas, ce qui peut être tenté en faisant attention et ce qui est vraiment trop dangereux.

Pourtant, on peut aisément imaginer qu'un enfant à qui on aurait sans cesse tout interdit sous prétexte que c'est risqué, ne s'aventurerait plus nulle part et resterait confiné dans son coin. Or ce n'est pas comme cela que l'on apprend à marcher, à courir, à sauter ou à faire du vélo.

D'ailleurs, il se peut que l'enfant ne tombe pas. Ou bien qu'il tombe sans se faire de mal mais que cela lui apprenne beaucoup pour une prochaine fois. Vous ne pourrez pas lui éviter toutes les plaies et bosses. Une fois que vous avez aménagé l'espace de la façon la plus sûre possible, il faut bien laisser l'enfant expérimenter.

Ceci étant dit, vous ne devez pas oublier que le but de votre éducation n'est pas, pour l'essentiel, de faire de votre bébé un enfant d'une obéissance aveugle et sage comme un ours en peluche, mais un enfant heureux et ouvert. Il acceptera vos interdits s'il les sent justifiés et adaptés à son âge. Il vous obéira pour vous faire plaisir, si vous savez créer avec lui des rapports de confiance et de gentillesse. Et si vous lui parlez calmement, sans désir de le «mater» ou de lui imposer à tout prix votre volonté.

Sachez enfin qu'il est sécurisant pour un enfant de savoir que quelqu'un veille, quelqu'un qui sait où il va et peut lui servir de garde-fou. Dans discipline, il y a disciple : lui apprendre à se maîtriser et à refréner certains élans, c'est aussi lui apprendre à exercer sa liberté de façon responsable.

Savoir dire stop

En même temps que votre bébé découvre la possibilité de vous dire «non» (et il ne va pas s'en priver...), il va tenter de comprendre le sens exact du vôtre.

Est-ce juste un refus en passant ? Est-ce un vrai non définitif ? Est-ce un non qu'il peut, à force d'obstination, transformer en oui ? Ce non, quelles sont ses limites (et donc les vôtres) ?

Afin de répondre à ces questions, fondamentales pour lui, votre bébé va mettre rudement votre patience à l'épreuve.

La réaction des parents

J'ai observé deux attitudes différentes chez les parents.

● La première consiste à commencer par dire non à l'enfant. Puis, parce qu'il insiste pour la dixième fois ou parce qu'il hurle, finir par dire oui, lassés et culpabilisés de lui refuser ce à quoi il semble tant tenir.

Qu'a appris l'enfant ? Qu'à force d'insister et de crier, il obtiendra tout ce qu'il voudra. Qu'il est plus fort que vous. Si c'est la méthode que vous appliquez, sachez que vous n'êtes pas au bout de vos peines !

● La seconde consiste en une attitude inverse. Commencer par faire preuve de patience et de compréhension et offrir au bébé la possibilité de changer d'attitude, par exemple en lui trouvant une activité ou un dérivatif. Puis, dans un second temps, si le bébé insiste vraiment et semble vouloir entamer l'épreuve de force, dire non avec fermeté. Ce qui peut impliquer, s'il n'obéit pas, de hausser la voix ou de l'enfermer quelques minutes dans sa chambre. C'est plus efficace.

Gifles et fessées

Il arrive que votre bébé vous énerve beaucoup et mette vos nerfs à rude épreuve. Les parents d'un bébé qui pleure la nuit et qui vivent dans un immeuble sonore me comprendront. Les parents du bébé «qui ne veut rien manger» aussi. Une fessée parce que «comme ça au moins tu sauras pourquoi tu pleures» vous démange parfois le bout des doigts.

Pourtant, disons-le tout net : il est aussi dangereux qu'inutile de frapper un bébé. Lui n'en comprendra pas la raison et, au-delà de la douleur, en sera très malheureux. Vous, sous le coup de l'énervement, vous aurez parfois du mal à contrôler votre force. C'est toujours un échec.

Si votre enfant pleure de façon excessive, il a une raison pour cela qu'il est important de comprendre. Taper ne servira à rien, qu'à soulager la tension de celui qui la donne. Mais pour faire place ensuite à une culpabilité bien destructrice. Même une tape sur les fesses pour sanctionner une bêtise n'a de valeur éducative que si elle est accompagnée d'une explication simple donnée d'une voix calme.

Si vous vous trouvez dans une situation de nervosité et d'épuisement tels que vous sentez que vous pourriez frapper votre bébé, il est indispensable de vous faire aider et prendre du repos. Sur le moment, vous pouvez essayer les «trucs» suivants : vous isoler dans une autre pièce ou aller marcher un peu, attraper un oreiller et passer vos nerfs dessus, vous mettre à la fenêtre et respirer profondément…

Si vous vous êtes fâché fortement contre votre bébé et que vous l'avez frappé, ne restez pas sur une double rancune et incompréhension. Réconciliez-vous dès que possible, faites la paix, prenez votre enfant dans vos bras et expliquez-lui, avec des mots, la vérité de la situation : la fatigue, l'énervement, la peur. Mais aussi votre amour que rien n'entamera.

Enfin, si vous vous sentez fragile et débordé, confiez-vous, ne restez pas seul dans cette épreuve et souvenez-vous que les cris permanents ne valent guère mieux.

Laisser l'enfant faire ses expériences

Non seulement il est inimaginable que vous soyez sur son dos toute la journée, mais en plus ce ne serait pas un service à lui rendre que de le convaincre, avant même qu'il s'aventure vers une nouvelle découverte, qu'il va certainement tomber. Personne n'aime voir son enfant se faire mal. La mère est la première à se dire : «C'est ma faute, j'aurais dû le retenir, l'empêcher.» Mais les parents ont tendance à oublier que les capacités de l'enfant sont plus grandes chaque jour et qu'elles ne progressent que par l'entraînement, par essais et échecs successifs, jusqu'à la maîtrise finale.

Chaque fois que vous le pouvez, laissez, sans relâcher votre attention, votre enfant expérimenter par lui-même : il gagnera en habileté physique et en sens du danger.

La leçon retenue par l'enfant

Qu'a appris l'enfant ? Que vous le laissez libre d'explorer l'espace, mais que vous êtes attentive à ses comportements. Que vous ne l'accablez pas d'ordres et d'interdictions, mais que ceux qui sont donnés doivent être obéis. Que vous savez ce que vous faites et êtes prête à le faire appliquer. Qu'il peut avoir confiance en vous, cela lui permettra de se sentir en sécurité.

On part
en balade

Tôt ou tard, les vacances d'hiver ou d'été arrivent. On est las d'être enfermés, las des rhumes à répétition de bébé. Et se pose la question de partir en famille pour la première fois. Si le séjour est bien préparé et adapté à un bébé de l'âge du vôtre, tout se passera bien. Chacun en reviendra content et enrichi de nouvelles découvertes. Mais voyager avec un bébé demande de nombreuses précautions, vigilance et disponibilité. Et surtout une très bonne organisation : on n'improvise plus !

Pour un bébé, tout déplacement, tout changement dans ses habitudes de vie, même avec ses parents, est une source d'anxiété. Celle-ci se transformera en plaisir si le bébé sent ses parents détendus, tranquilles et parfaitement organisés. Nous allons passer en revue quelques situations et conseils qui vous simplifieront la vie.

Partir en balade et partir en voyage.

Bien se préparer.

Partir en toute sécurité.

Quelques situations

La sécurité de votre bébé en voiture tient à deux facteurs :

● **La prudence et la sûreté du conducteur.**
● **L'utilisation d'un lit-auto (homologué). Jusqu'à six mois environ, âge où il pourra tenir assis dans un siège-auto, votre bébé ne doit voyager que dans un lit-auto, à armatures métalliques, solidement arrimé aux points d'attache des ceintures de sécurité et protégé par un filet.**

A éviter absolument :
● **Le couffin installé sur le siège arrière, qui n'assure aucune protection à l'enfant en cas de choc latéral et n'empêche pas l'enfant d'être éjecté si la portière s'ouvre sous un choc.**
● **Le bébé assis sur les genoux d'un adulte, pris comme lui à l'intérieur de la ceinture de sécurité. En cas de choc, la ceinture écraserait l'abdomen de l'enfant et provoquerait de graves dommages.**
● **Ne fumez pas dans la voiture : en circuit fermé, l'air deviendra vite irrespirable.**

Hamac et porte-bébé

Déjà tout-petit, lorsqu'il est éveillé, votre bébé fait preuve d'une grande curiosité. Il a plaisir à vous accompagner de pièce en pièce, à vous suivre des yeux, à vous écouter lui parler. Offrez-lui ce plaisir en l'installant dans un petit hamac (ou transat).

Il s'agit d'un siège bas et incliné formé d'une toile souple retenue par une armature métallique. Votre bébé, après quelques jours d'adaptation, s'y sentira très à l'aise et aura davantage l'impression de partager la vie de la famille.

Attention au hamac posé en hauteur, qui pourrait tomber !

Une balade dehors mais aussi à l'intérieur

Ventral et muni d'un appui-tête, le porte-bébé vous permet de porter votre bébé contre vous, tout en ayant les mains libres. Le bébé, enfoui dans votre chaleur, parce qu'il retrouve les sensations oubliées de votre démarche et le bruit de votre cœur, s'y trouve généralement merveilleusement bien et peut passer là des heures paisibles.

Il a des coliques ? Il a du mal à s'endormir ? Glissez-le dans le porte-bébé et, comme une maman kangourou, vaquez à vos occupations.

Vous sortez faire une course ? Votre bébé sera mieux là, au chaud sous votre manteau, que seul au fond d'un landau rigide. Ne vous inquiétez pas pour ses vertèbres ou la forme de son dos : les bébés africains, portés sur le dos dès leur naissance, ne font-ils pas de formidables athlètes ?

Vous trouvez votre bébé trop lourd pour de longues promenades ? Confiez le bébé, et le porte-bébé, à son père…

Le voyage en voiture

Les voyages sont bons pour les enfants : ils mettent de la nouveauté dans la routine de leur existence et augmentent leurs expériences. Mais avec un bébé de cet âge, ils demandent une solide organisation.

Ce n'est qu'à ce prix qu'ils seront effectivement positifs. L'improvisation est vivement déconseillée. D'une part parce que, si elle vous donne moins de travail avant le départ, elle risque de vous en donner davantage après. D'autre part parce que, pour un bébé, tout changement dans les habitudes est générateur d'une anxiété qui ne se transformera en plaisir que s'il vous sent rassurée, tranquille et parfaitement organisée.

Bien penser son voyage

- Chaque fois que c'est possible, privilégiez les déplacements en train ou en avion, qui sont plus confortables que les longs trajets sur la route. En voiture, tant que l'enfant est petit, le trajet sera toujours plus facile si vous l'effectuez de nuit.

- La sécurité est le premier impératif : voiture révisée, prudence et sûreté du conducteur, lit-auto ou siège-auto homologués et solidement arrimés, sont des précautions minimales. Jamais, même sur un petit trajet, de couffin ou de bébé tenu sur les genoux.

- Prévoyez dans l'habitacle tout le matériel dont vous aurez besoin : couches, biberons, petits pots, eau minérale.

- Sachez à l'avance quelles seront vos étapes et où vous passerez la nuit.

- Pensez à tout ce qui simplifie la vie : les préparations stérilisées en biberons jetables, lait en briquettes tout prêt, chauffe-biberon à brancher sur l'allume-cigares, lingettes humides, etc.

- Attention à la température dans la voiture : à l'arrêt, il peut faire une chaleur terrible le midi sur la route, ou très froid sur une route de montagne.

- N'oubliez aucun des «doudous». Seul au volant avec le bébé, attachez tous ses petits jouets avec des chaînettes ou des ficelles qu'il apprendra vite à tirer pour les récupérer.

- Pour les plus petits, collez des images en face de leur visage. Pour les plus grands, emmenez des petits jouets, emballés dans du papier cadeau, que vous lui donnerez au long du voyage.

- Grignoter est une bonne occupation en voiture.

- Si vous avez un autoradio à cassettes, passez-lui ses comptines ou ses petites histoires.

Partir l'hiver, ou dans le froid

- La neige réverbère vivement le soleil : couvrez le visage du bébé de crème «écran total» et faites-lui porter des lunettes à verres filtrant les U.V., spéciales pour les petits.

- L'air sec des appartements et de l'altitude peut entraîner une déshydratation. Pensez à proposer régulièrement à boire à votre bébé.

Les premiers secours

En voyage ou en déplacement, ayez toujours sous la main une trousse des premiers secours.

Ce que contient la trousse de secours

En plus des médicaments spécifiques à votre bébé, la trousse contiendra :
● **du coton, des compresses, une bande élastique ;**
● **du sérum physiologique en ampoules, pour rincer les yeux ;**
● **un liquide pour désinfecter les plaies (sans piquer !) ;**
● **une pommade à l'arnica pour les bosses ;**
● **une crème en tube pour les petites brûlures, les éraflures, les piqûres, les démangeaisons, etc. ;**
● **de l'aspirine ou du paracétamol en sachet, pour lutter contre la fièvre ou la douleur ;**
● **une pince à épiler et des petits ciseaux ;**
● **les coordonnées du médecin le plus proche (ou bien le 15).**
Selon la région et l'époque de l'année :
● **une boîte d'Aspivenin pour les balades dans la campagne ;**
● **une crème protectrice contre le froid et une crème solaire «écran total».**

Conseils pratiques

● **Tenez compte de l'âge de votre bébé dans le choix de votre destination : il préférera la campagne, le grand air et un rythme de vie calme et régulier.**

● **Le ronflement du moteur ne suffira pas toujours à calmer votre bébé et il trouvera bien long de rester des heures, assis, étroitement sanglé dans son siège auto. Voici donc quelques idées supplémentaires pour rendre le trajet plus agréable :**

● **Prévoyez une quantité de petits aliments non salissants.**

● **Arrêtez-vous fréquemment. Ces pauses sont l'occasion de se détendre, de se dégourdir et de manger tranquillement, mais n'attendez pas de votre enfant qu'il ait un grand appétit.**

● **Prévoyez des petits jeux.**

- Pour sortir, choisissez les heures plus chaudes du milieu de journée. N'oubliez ni la crème hydratante pour la peau, ni le tube de pommade anti-gerçures pour les lèvres.

- Attention : un bébé de moins d'un an, qui ne fait pas d'exercice physique, se refroidit très vite. Soyez vigilant.

Partir l'été, ou dans le chaud

- Prévoyez les indispensables : parasol, moustiquaire, porte-bébé avec pare-soleil, stores sur les vitres de la voiture, etc.

- Attention au dangereux coups de chaleur : ne laissez jamais votre enfant au soleil s'il fait plus de 25°C, habillez-le de cotonnades légères, donnez-lui beaucoup à boire.

- Enduisez tout le corps de votre bébé de crème solaire. Attention aux effets du soleil en montagne, car, du fait de l'altitude, on ne sent pas toujours la chaleur des rayons sur la peau.

- Méfiez-vous : des piqûres d'insectes, du sable dans les yeux, des poussées d'allergie (urticaire, conjonctivite, etc.).Si bébé fait la sieste au-dehors de la maison, pensez à la moustiquaire qui le protégera des guêpes et des abeilles.

- Méfiez-vous des animaux errants.

- Si vous promenez bébé en soirée ou par temps frais, ne négligez pas de bien lui couvrir les extrémités : les pieds, la tête, les mains.

- Si bébé se déplace seul et que vous êtes à proximité d'un point d'eau (piscine, mer, rivière,...), gardez-le sous haute surveillance. Le risque de noyade existe toujours, ne l'oubliez pas.

Mois après mois : qui est bébé ? (Récapitulatif)

Les étapes du développement intellectuel (récapitulation)

A la naissance

Le bébé a une activité réflexe qui est dominante. Son odorat est si bien développé qu'il reconnaît sa maman à son odeur. Sa main est très sensible : elle explore la forme et la consistance d'un objet placé contre elle. Même si les bruits lui paraissent encore assourdis, le nouveau-né est déjà réceptif à la voix humaine, particulièrement celle de ses parents.

Vers deux mois

Le bébé se concentre sur le visage humain comme s'il cherchait à le comprendre. Il sait que ses parents sont source de réconfort, les appelle à grands cris et se calme lorsqu'ils apparaissent. Il a déjà des goûts et des dégoûts : il aime certaines odeurs plus que d'autres, et ses préférences dépendent beaucoup des habitudes culinaires de sa mère. Il devient sensible au bruit et au mobile au-dessus de sa tête.

A 2 mois

Les progrès de votre nouveau-né sont spectaculaires. Bébé est plus éveillé et plus disponible. Il commence à prendre plaisir à s'entraîner seul, à recommencer un même geste.

Les progrès sont évidents dans le domaine visuel : l'accommodation se fait nette de plus en plus loin. Le bébé préfère maintenant regarder les dessins ou les jouets plus complexes, où il y a beaucoup de détails. Vos dialogues les yeux dans les yeux peuvent se prolonger davantage. Fasciné par les lumières, il devient capable de suivre aussi les déplacements d'objets. Le bébé n'est encore capable que de faire une seule chose à la fois. Quand il tète, il s'y donne entièrement. Si un objet ou une parole retiennent son attention, il cesse de téter.

Les bébés les plus actifs commencent à se tortiller ou à pédaler, mais restent, le plus souvent, couchés où on les a placés. Peu à peu, le tonus musculaire se relâche. Les mains vont s'ouvrir et le geste volontaire va prendre la place de l'agrippement. Le bébé peut, si on lui place un objet dans la main, apprendre à le retenir, à le serrer, puis à le lâcher, mais c'est très difficile.

Communiquer par la parole et le geste

Le bébé est très sensible à la stimulation tactile : il aime les caresses, les massages doux. Il reconnaît ses parents et se blottit volontiers contre eux. Son dialogue s'enrichit de sourires et de babillages qui séduisent son entourage. Il apprend très vite à quel sentiment correspond chez vous telle ou telle intonation, grosse voix, froncement de sourcil...

Lorsque vous lui parlez sans qu'il vous voie, votre enfant commence à chercher à localiser l'origine de votre voix et tourne sa tête dans cette direction. Assis dans son transat, il est capable de suivre des yeux et de la tête vos déplacements dans la pièce.

A 3 mois

Il s'agit d'une étape importante où l'on voit véritablement le bébé sortir de la phase «nouveau-né». La période des pleurs souvent inexplicables cesse. Le bébé, moins impuissant, commence à donner sens à son corps, qui va progressivement être perçu comme un tout, et à ce qui l'entoure.

Des grandes différences d'un bébé à l'autre

A cet âge apparaissent nettement les différences individuelles : les progrès dans tel ou tel domaine vont devenir fonction du tempérament de l'enfant. Le bébé très actif «attrapera» plus vite, mais sans maîtrise du geste ni attention particulière à l'objet. Le bébé plus lent et sensitif mettra davantage de temps à franchir la même étape, mais l'intégrera totalement en prêtant grande attention à chaque détail.

Au cours du troisième mois, le bébé franchit une étape sur le plan de la coordination : il apprend peu à peu à faire fonctionner ensemble ses oreilles, ses yeux, tout en bougeant ses mains et sa tête. Ce qui nous semble évident, à nous autres adultes, ne l'est pas pour le bébé : il lui faut plusieurs mois pour être capable de tendre la main ou de tourner la tête vers un objet attirant ou vers un son nouveau.

Les mains, et accessoirement les pieds, commencent à prendre une place dominante. L'enfant qui les a découverts va passer de longs moments à les examiner et à les manipuler, comme il le ferait du plus intéressant des jouets. Il porte mains et pieds à la bouche. La bouche est un lieu privilégié : c'est par là qu'il fait connaissance avec les objets. C'est sa bouche qui le renseigne sur la texture, la forme, le goût. Même si l'enfant attrape encore mal, il faut dès maintenant être très vigilant sur les objets que vous laissez à sa portée.

Plus attentif à ce qui l'entoure, le bébé va être sensible au fait que l'on ait déplacé son berceau ou changé les affiches accrochées à côté de son lit. Il commence à s'intéresser aux couleurs vives.

Bébé vous connaît de mieux en mieux

Enfin, il est devenu particulièrement sensible à vos expressions. N'oubliez pas que votre bébé a pour souci principal d'être avec vous et d'être aimé de vous. Aussi ne ménagez pas les encouragements et les preuves d'amour chaque fois que votre bébé tente ou réussit quelque chose de nouveau pour lui. Applaudissez, souriez, montrez votre fierté. Ces découvertes permanentes et quotidiennes sont certes passionnantes pour lui, mais aussi parfois un petit peu inquiétantes et nécessitent que vous soyez là pour rassurer, encourager et aimer.

Lorsqu'il est seul, le bébé examine attentivement ce qui l'entoure : il scrute les couleurs, les formes, les contours, les motifs, les mouvements. Le reste du temps, il roucoule et vocalise : il exerce sa voix et semble fasciné par les sons qu'il est capable de produire !

Développement intellectuel (suite)

A trois mois

Le bébé voit tout de suite un jouet qu'on lui tend et commence à le suivre des yeux. Il découvre ses mains. Si un geste qu'il fait (comme heurter un hochet) provoque un bruit, il va chercher à le reproduire, découvrant le lien de cause à effet. Il sourit lorsqu'on lui parle et s'intéresse à ce qui l'entoure.

A quatre mois

Le bébé a l'oreille fine et commence à reproduire des sons comme de rire aux éclats. Il tourne sa tête dans la direction d'où viennent les bruits. Son acuité visuelle étant devenue bonne, il peut suivre des yeux l'objet ou la personne qui se déplace. Il découvre la vision en relief et en couleurs. Tout ce qu'il attrape, il le porte à la bouche, faisant de sa langue un outil de connaissance perfectionné.

A cinq mois

Le bébé produit des sons qui imitent les paroles. Il attrape les objets, les manipule et se sert de cette nouvelle compétence pour découvrir le monde. Il est capable d'exprimer de la peur et de la colère.

Développement intellectuel (suite)

A six mois

Le bébé distingue bien toutes les couleurs et marque une préférence pour les teintes vives. Il est très intéressé par son reflet dans les miroirs. Il aime jouer avec l'adulte et s'entraîne à maîtriser de nouveaux savoir-faire. Il marque certaines préférences parmi les aliments.

A sept et huit mois

L'enfant agit de mieux en mieux sur les objets et s'y intéresse. Il connaît son nom et le mot «non», mais il sait aussi attirer l'attention et essaie de se faire comprendre. Il s'intéresse davantage à son entourage d'enfants et d'adultes. Se déplacer lui ouvre de nouveaux horizons.

A neuf - dix mois

L'enfant commence à dire «maman» et s'intéresse de plus en plus à ce qui l'entoure. Il est capable de retrouver un objet caché sous une couverture et fait preuve de plus de concentration dans ses jeux. Il applaudit, ou fait les marionnettes.

A 4 mois

Cette période est à proprement parler celle de la socialisation. Le jeu essentiel du bébé consiste à émettre des sons. Pour le plaisir de les entendre, bien sûr, mais surtout pour le plaisir d'appeler sa mère ou son père et pour le plaisir de converser : la dimension sociale et la dimension d'échange du langage se mettent en place.

La dimension sociale

Petit être sociable, le bébé de quatre mois et demi, bien que passionnément attaché à sa mère, noue de bons contacts avec les autres membres de la famille. Ses aînés sont source de fascination et de grandes crises de rire. Son père l'attire et il le recherche activement du regard, de la voix et du geste. Le père qui noue des relations étroites avec son bébé le comble de plaisir, et lui fait cadeau psychologiquement d'une ébauche d'autonomie vis-à-vis de sa mère, qui lui sera précieuse. Un bébé à qui l'on ne répondrait jamais, qui ne serait pas sollicité verbalement finirait par diminuer notablement la quantité de sons émis.

Mais socialisation ne signifie pas uniquement langage verbal. Elle se traduit tout autant par une attitude du bébé qui sait de mieux en mieux communiquer et se faire comprendre. Il répond aux sollicitations et exprime ouvertement son plaisir ou son déplaisir.

En presque quatre mois, le bébé a déjà enregistré pas mal de souvenirs. Les expressions de son visage se modifient maintenant selon qu'il aperçoit votre visage, qu'il entend sa boîte à musique ou l'eau du bain couler, qu'il aperçoit son biberon ou le chien qui entre dans la pièce.

Le bébé a développé à la fois une meilleure musculature et un début de coordination motrice : il sait attraper et garder un petit moment. Allongé sur le ventre, il peut maintenant garder les jambes étendues et se soulève sur les avant-bras. Il peut même arquer son dos et ses jambes afin de se balancer d'avant en arrière. Il peut enfin rouler de droite à gauche et finir par se retourner totalement, se retrouvant sur le dos.

La vision est maintenant proche de celle de l'adulte : le bébé accommode parfaitement, il peut coordonner ses deux yeux à des distances variables. Il a une vision des couleurs et il s'y intéresse tout particulièrement ; enfin, il perçoit correctement la profondeur, ce qui l'aide beaucoup pour attraper les objets. Maintenu assis, sa tête se tient droite, ce qui permet là encore à l'enfant d'avoir une vision plus globale du monde qui l'entoure... et lui donne envie de partir à sa découverte !

A 5 mois

A cet âge, le bébé a atteint une étape importante de son développement physique. Sans pouvoir encore s'asseoir ou se tenir assis seul, il peut néanmoins rester un long moment dans la position assise s'il est bien calé dans une chaise haute, ou soutenu par des coussins. De plus, il tient maintenant sa tête bien droite. Ces deux acquisitions vont lui permettre de commencer à se servir efficacement de ses mains. La plupart des bébés manipulent encore mal les objets qu'ils tiennent dans leurs petites mains maladroites, mais presque tous sont maintenant capables d'attraper un hochet et, parfois, de le porter à la bouche. Comme bébé dort moins et que sa curiosité est sans cesse en éveil, c'est pendant des temps de plus en plus longs qu'il est capable de jouer et de faire appel à ses proches pour jouer avec lui. Il est bon d'être disponible, mais il est aussi important que le bébé sache rester un moment seul, à regarder, à explorer, ou à gazouiller en tête-à-tête avec ses peluches préférées.

Certains bébés sont plus actifs que d'autres : à cette période, ils passent du temps à se retourner ou à se déplacer dans leur lit. Ils adorent être tripotés, secoués ou lancés en l'air. Dès l'aube, ils appellent pour vous convier à participer avec eux à cette nouvelle journée de découverte. A peine réveillés, à six heures du matin, ils réclament avec véhémence un compagnon d'activité. Coucher un tel bébé plus tard ou doubler ses volets par des doubles-rideaux risque de ne servir à rien. La seule solution pour les parents consiste soit à se lever lorsque le bébé s'éveille, soit à lui apprendre à se suffire à lui-même et à jouer seul un moment.

D'autres bébés sont plus calmes. S'ils dorment dix ou douze heures par nuit, leurs siestes durant la journée seront plus courtes. Eveillés les premiers, ils peuvent rester un long moment dans leur lit. Attraper leurs doigts ou leurs orteils, les porter à la bouche, mâchouiller soigneusement leur hochet favori, s'essayer à de nouvelles vocalises, sont des activités qui peuvent les faire attendre, paisibles, jusqu'à l'heure du petit déjeuner.

Le sommeil est généralement bon, de même que l'appétit, à condition qu'on laisse l'enfant réguler seul ses besoins et qu'on ne le force jamais à manger plus qu'il ne le désire.

Le développement physique (récapitulation)

Naissance (0 - 2 mois)

La tête du bébé tombe si elle n'est pas tenue. Eveillé, il peut avoir des mouvements amples.

Deux mois (2 - 4 mois)

Allongé sur le ventre, l'enfant soulève sa tête et la garde ainsi un bon moment. Il commence à pouvoir se retourner sur lui-même (attention aux chutes !).

Quatre mois (4 - 6 mois)

Le bébé, posé assis, tient son dos droit et aime être calé avec des coussins. Mais s'il tombe, il ne peut se redresser. La tête tient droite. Tenu debout, les pieds repoussent le sol.

Six mois (6 - 8 mois)

Certains bébés vont déjà apprendre à ramper, de différentes manières, ou plutôt à se propulser sur le sol. D'autres apprennent à s'asseoir seuls et à tenir peu à peu sans l'appui des mains.

Huit mois (8 - 10 mois)

L'enfant rampe ou se déplace à quatre pattes de façon de plus en plus rapide. Il adore se tenir debout et se hisse à l'aide de n'importe quoi. Il tient assis partout sans support.

Le développement physique (suite)
Dix mois (10 - 12 mois)

L'enfant grimpe l'escalier. Il gagne en stabilité dans la position assise ou debout. Il se déplace en se tenant aux meubles. L'équilibre est instable mais, un jour ou l'autre, il lâche son appui et fait ses premiers pas.

A onze et douze mois

Un enfant montre qu'il connaît bien la signification de certains mots comme bain, ballon, cuisine, chien, et s'entraîne à en inventer et répéter quelques-uns. Il veut manger seul et aide lorsqu'on l'habille, ce qui devient possible avec l'amélioration de son habileté. Il développe ses talents d'imitateur et, tant que cela vous fait rire, il répétera ses clowneries.

Le caractère du bébé s'affirme. Il sait nettement ce qu'il veut : de l'attention, des jeux, s'exciter de plaisir. Il sait également ce qu'il ne veut pas et peut protester avec une certaine violence en réponse à une frustration qui lui est imposée, si on lui retire un jouet, par exemple.

A 6 mois

La plupart des bébés dorment moins : ils peuvent rester éveillés pendant deux heures consécutives. En revanche, ils font des nuits complètes et se réveillent un peu plus tard le matin. Les rythmes de la journée se sont aussi bien régularisés.

Physiquement, on peut dire que la coordination est maintenant bonne : les yeux, les mains et la bouche fonctionnent dans un but commun : situer les objets, les attraper, les manipuler, les porter à la bouche. Les deux mains se synchronisent.

Mentalement, la mémoire progresse encore et permet la constitution de souvenirs moins éphémères en ce qui concerne le proche passé. Le bébé met en place des habitudes et des références stables qui le sécurisent : connaissant la succession des événements, il peut les anticiper. Cela lui donne l'impression d'un début de maîtrise sur son environnement.

Le bébé tient maintenant assis, même si certains ont encore besoin d'être dans une petite chaise ou d'avoir le dos soutenu par un coussin. La tête tient tout à fait droite. La position assise, parce qu'elle libère les mains, est très importante pour le développement de l'enfant qui peut désormais manipuler tout à loisir, attraper et lâcher sans perdre, ce qui est pour lui très excitant.

Enfin, les capacités du dialogue sont en constante progression. Il faut en profiter pour lui apprendre que ses balbutiements peuvent avoir un sens, renforçant ainsi son désir de s'exprimer. Pour cela, il faut partager son langage, lui renvoyer, en les modulant et les enrichissant, ses propres productions.

Mais il faut lui parler comme à une personne sensée et capable de vous comprendre. Cela veut dire utiliser les bons mots, les mots précis correspondant à ce que vous êtes en train de faire, et ne pas vous cantonner à un langage «bébé». Il est d'ailleurs tout à fait erroné de l'appeler ainsi, car jamais un jeune enfant ne dira spontanément «mimine» au lieu de «main» ou «bobo» au lieu de «mal» si un adulte ne le lui a pas appris ! Alors, plutôt que de devoir ensuite le contraindre à «désapprendre» autant lui donner tout de suite l'expression correcte. Les différences individuelles s'accentuent : ce n'est plus seulement le rythme des acquisitions motrices qui varie, mais aussi l'ordre dans lequel vont se faire ces acquisitions. Certains bébés vont maîtriser en premier les mouvements généraux du corps, par exemple s'asseoir ou ramper. D'autres attendront pour cela d'avoir acquis la maîtrise parfaite des petits gestes, ceux des mains. Rien n'est mieux ou plus prometteur : chacun son style, tout simplement !

A 7 mois

Le petit garçon ou la petite fille de six mois est déjà un personnage très complexe qui n'a plus grand-chose à voir avec le nouveau-né qu'il était.

La vue est parfaite : le bébé voit loin, nettement, et distingue toutes les nuances colorées. Il sait distinguer les sons, en reconnaît beaucoup et sait trouver leur provenance. Il se sert très bien de ses deux mains : il les tend vers tout ce qu'il voit et examine tout ce qu'il tient. Il est aussi capable de boire seul son biberon… à condition d'être quand même blotti dans les bras de maman ou de papa.

Physiquement, il peut se tourner dans tous les sens et rouler sur lui-même. Certains enfants ont déjà trouvé comment ramper, ou plutôt comment se glisser sur le sol, poussés par la curiosité. Presque tous commencent par se déplacer vers l'arrière, ce qui leur est plus facile.

Le bébé connaît bien son nom : il se retourne quand on l'appelle. Il apprécie beaucoup la compagnie des autres enfants et fait une vraie fête à ses frères et sœurs aînés. Pour ceux qu'il aime, il babille, proteste, échange, module sa voix. Il se sourit dans le miroir et devient conscient que les différentes parties de son corps forment une unité.

Mis debout et soutenu sous les aisselles, l'enfant peut se tenir, jambes droites et résistantes. Il adore être dans cette position.

A 8 mois

Jusqu'ici, les objets et les gens devaient se déplacer et venir à l'enfant puisqu'il était lui-même dans l'incapacité d'aller les chercher. Maintenant, tout change : c'est désormais l'enfant qui va au-devant de ce qu'il désire.

Il a en effet acquis les capacités motrices nécessaires pour se déplacer dans son environnement et aller à la découverte du monde. Le bébé étant d'une grande curiosité naturelle, il va mettre sa toute nouvelle mobilité à son service. Il apprend à ramper, puis à marcher à quatre pattes, pour découvrir ce qui

Tout est jeu

Plein d'énergie, d'habileté et de persévérance, le bébé passe beaucoup de temps à exercer son adresse physique et manuelle. Tout est jeu, tout est exercice, tout est découverte. Il vocalise, rit aux éclats et connaît bien son environnement familier. Mais, peu sûr de lui, le bébé peut facilement s'effrayer de choses très simples (un aspirateur, un gros éternuement, un jouet animé, etc.) et il a fréquemment besoin d'être rassuré. Il développera des attitudes de confiance et d'autonomie si vous restez à portée de voix, si vous lui présentez doucement les objets et les gens nouveaux, sans jamais le forcer à faire connaissance trop vite, si vous entrez fréquemment en contact avec lui par le biais du jeu.

Choisissez toujours des objets dont la taille est en rapport avec la sienne, afin qu'il ne soit pas inquiet par la disproportion, et qu'il puisse facilement prendre en main.

A l'âge où votre enfant passe beaucoup de temps à lancer ses jouets, puis à vous demander avec insistance de les ramasser, essayez de les fixer à sa chaise haute ou aux barreaux de son lit avec un ruban. Il comprendra vite la manière de les récupérer lui-même !

A 10 mois : monter... puis descendre l'escalier

L'enfant qui a l'occasion de s'entraîner dans un escalier y fait de gros progrès. Pour monter, d'abord, ce qui est le plus facile. Tant qu'il ne sait pas descendre, vous avez intérêt à laisser la barrière en haut de l'escalier. Pour lui apprendre à descendre, n'hésitez pas à vous mettre vous aussi à quatre pattes, la tête vers le haut, et lui montrer comment on descend, les pieds d'abord, les mains ensuite. Lorsqu'il aura compris le «truc», il acquerra très vite une grande souplesse et sera capable de descendre rien qu'en se laissant glisser sur le ventre comme sur un toboggan. Mais soyez d'ici là très prudent, surtout si votre escalier n'est pas recouvert d'une moquette. Il est encore trop tôt pour que le bébé assimile vraiment une démarche aussi compliquée que se retourner en sens inverse pour partir les pieds en avant. Or, la tête la première, cela fait très mal !

est loin de lui ; il apprend à se mettre debout pour explorer la verticalité.

La main est en passe de remplacer la bouche dans la découverte des objets : c'est désormais elle qui renseigne l'enfant de façon privilégiée. Il faut dire que, depuis que le pouce s'oppose à l'index, permettant de former une pince, la dextérité s'est beaucoup améliorée.

A cet âge, l'enfant est capable de s'amuser vraiment avec ses jouets, de les connaître et de faire des choix parmi eux. Il imite les actions des grandes personnes et cherche à faire les choses par lui-même. Enfin, taquin et drôle, il fait désormais preuve d'un vrai sens de l'humour. A côté de cela, apparaissent de vraies peurs et le petit intrépide a souvent besoin de venir se rassurer auprès de vous.

A 9 mois

Un bébé de cet âge bouge sans arrêt. La coordination des différentes parties de son corps s'améliore de semaine en semaine et cela lui permet de reculer encore les limites de ses explorations. La seule chose qui le retienne vraiment est la peur des nouveautés, des étrangers et des séparations, qui provoque encore bon nombre de retours précipités vers sa mère.

Le bébé se sert de ses mains pour s'essayer à la fois à des gestes énergiques (faire du bruit partout où c'est possible, taper, déchirer) et à des gestes fins (prendre délicatement des petits objets pour les mettre dans une boîte ou dans une bouteille, les vider, laisser tomber, ramasser, etc.). Cette exploration systématique du dessous et du dessus, du contenant et du contenu, de l'intérieur et de l'extérieur, est typique de cette période. D'ailleurs, l'enfant de cet âge ne tend pas uniquement le doigt vers ce qu'il peut souhaiter attraper, mais également vers ce qui est hors de sa portée.

La position debout est souvent celle que l'enfant préfère. Il essaie de se hisser après ce qui peut lui servir d'appui. Debout, sa vision du monde change et la joie qu'il y trouve est évidente. De ses proches, il attend beaucoup d'encouragement et la sûreté d'une vie régulière.

A 10 mois

A cette période, on a l'impression que le bébé ralentit un peu le rythme de ses apprentissages physiques. En réalité, l'enfant profite de ce moment plus calme pour consolider ses précédentes acquisitions et pour acquérir ce qui ne l'était pas encore.

Le bébé, comme s'il sentait qu'il allait avoir besoin de toutes ses capacités pour démarrer la marche, va pendant un moment perfectionner ses capacités motrices. Celui qui se déplaçait à peine sur le sol va le faire de plus en plus vite. Celui qui rampait va passer à l'étape «quatre pattes», mais certains rampent si bien qu'ils passeront directement de ce stade à celui de la marche. Autre perfectionnement : celui de la position assise. Le bébé sait désormais s'asseoir seul, à partir du sol, quelle que soit sa position. Assis, il peut tourner librement le torse à droite ou à gauche et cette stabilité lui permet de tenir sur n'importe quel siège. Beaucoup d'enfants de cet âge s'exercent également à se mettre debout et à se déplacer le long des meubles.

Le bébé aime les nouveaux objets, les nouveaux jeux. Il est d'ailleurs capable d'en inventer tout seul. Il est persévérant et obstiné. Comme il recherche les contacts avec ses proches, il aime aussi les jeux des autres, ce qui n'est pas toujours facile à supporter pour les frères et sœurs !

Le bébé commence à s'intéresser davantage à ses peluches : il les câline, les nourrit, les couche. Il commence à refaire avec elles tout ce que sa mère fait avec lui.

Mais dans un même temps, apparaît le «non», qui va devenir un de ses premiers mots clés. Ne vous inquiétez pas : votre bébé ne sait pas encore vraiment ce que ce mot signifie. Mais il vous a entendu souvent le prononcer, avec un air très convaincu, et il sait que ce mot est puissant. Il sait bien, lui qui cherche à affirmer sa personnalité, que s'imposer va bientôt passer par le refus systématique de vos exigences. Pour l'instant, il ne fait que s'exercer, essayer…

A 11 mois

Ce qui domine en cette période, c'est l'apparition massive des capacités d'imagination et d'imitation. Ces progrès sont surtout mentaux, mais l'enfant met l'ensemble de ses apprentissages physiques au service de son imagination, ce qui peut être fort éprouvant pour la personne qui s'occupe du bébé dans la journée.

L'imitation se retrouve dans tous les domaines et va désormais devenir la façon principale dont l'enfant va acquérir ses nouveaux apprentissages. C'est en vous imitant qu'il va apprendre à se déshabiller, à se laver ou à parler. Il est capable de reprendre pour lui des comportements qu'il a observés chez d'autres, adultes ou enfants. Il imite sa mère lorsqu'elle essuie

1 an : les vrais débuts du langage

Le vocabulaire se développe, ainsi que la compréhension. Un bébé à qui on a beaucoup parlé est maintenant capable d'obéir à des ordres simples du type «Va chercher tes chaussons», «Passe-moi mon journal» ou «Viens avec moi à la cuisine.» Lorsqu'il vous ramène un objet, c'est toujours avec une grande fierté qui mérite remerciement et louange.

A cet âge, la plupart des enfants ont parfaitement compris la valeur du mot et s'en servent, avec la voix ou avec la tête, d'une façon que les parents jugent vite abusive : non pour s'habiller, non pour manger, non pour aller dans le bain, non pour marcher, etc. Il va désormais falloir ruser pour le conduire à faire ce que l'on veut. Il fait également très bien la différence entre ce qui est bien, autorisé (et il guette sans cesse l'approbation) et ce qui ne l'est pas, qu'il fera quand même, mais en s'assurant que personne ne le regarde.

A chacun son rythme

Certains enfants précoces dans leur développement moteur sont déjà prêts à aborder l'étape décisive de la marche. D'autres en sont encore loin et parviennent à peine à se mettre debout ou à se tenir assis de manière stable. Ces écarts sont normaux et ne signifient pas grand-chose. Une grande moitié des enfants commence à marcher entre douze et quatorze mois. Ceux qui démarrent moins vite que les autres sont souvent ceux qui seront les plus assurés, tombant moins parce qu'ils se seront davantage entraînés à chacune des étapes précédentes. L'essentiel, à cet âge, est de laisser l'enfant expérimenter physiquement, autant qu'il le peut, sans prendre trop de risques.

la table ou fait la cuisine et devient lui-même capable de cacher des objets pour les lui faire chercher.

La manipulation devient de plus en plus fine. L'enfant peut maintenant, en imitant les adultes, tenir un crayon, insérer des petits objets dans une fente, soulever un couvercle, délacer ses chaussures, encastrer, etc. Les mains ont désormais des rôles différents et l'enfant peut faire deux actions simultanées : tenir un jouet d'une main tout en mangeant de l'autre, se retenir à une chaise tout en se baissant pour ramasser quelque chose, etc.

A 12 mois

L'âge de un an est généralement associé aux débuts de la marche, mais cela peut varier beaucoup d'un enfant à l'autre. Même ceux qui en sont capables se sentent parfois très réticents au moment de «franchir le pas». Mais enfin tous finiront par se lancer, un peu par hasard, un peu par jeu.

Celui qui ne marche pas seul peut généralement le faire s'il est tenu par une main ou par les deux. Quant au marcheur débutant, il ne sait souvent pas s'arrêter autrement qu'en se laissant tomber sur le sol. Pourtant, la position debout gagne en stabilité : l'enfant debout sans appui peut désormais pivoter, se pencher, faire des signes de la main, sans pour autant perdre l'équilibre.

Pendant cette période, le bébé semble comme intimidé par les nouveaux espaces que la marche va lui ouvrir. Il paraît moins intrépide que les mois précédents et certains se collent même à leur mère, s'agrippant à leur jupe ou se hissant à son pantalon, comme s'ils craignaient de s'en éloigner… au point qu'il faut parfois les enjamber.

Enfin, l'attachement au père se fait plus grand et tous les jeux violents que celui-ci peut inventer sont les bienvenus !

S'il aime toujours vider, renverser et transporter, il apprécie de ranger et de remettre les choses à leur place.

Un bébé normal

Comme le vôtre, par exemple. C'est-à-dire non pas un bébé moyen, ce qui ne veut rien dire, mais un bébé différent de tous les autres, avec ses caractéristiques propres. Peut-être rêviez-vous, il y a un an, d'un bébé de magazine, image adorable, rose et tendre. Un enfant idéal que vous ne voyiez jamais enrhumé, jamais râleur. Dans votre rêve, votre enfant était à la fois indépendant mais sociable, dynamique mais calme, précoce mais équilibré, aimant jouer avec vous mais d'accord pour aller se coucher, savourant avec plaisir vos petits plats, capable de s'occuper seul et que l'on pouvait amener partout. Le vôtre ? Il refuse de se coucher, il ne s'endort que dans son lit à lui, il refuse les carottes, il s'agrippe à vos jupes, il se met en colère si vous le contrariez et il enchaîne otite sur otite. Un bébé normal, quoi… un bébé globalement en bonne santé, poussant bien, actif et curieux, aimant rire et donnant l'impression d'être plutôt heureux. Un bébé avec des problèmes normaux, mais sans grandes inquiétudes.

Tous les enfants sont différents. A un an, c'est déjà une petite personne.

A un an

Aujourd'hui votre bébé marche, ou bien il est sur le point de le faire. Cette étape fondamentale va agrandir considérablement son champ d'expérience. Debout, en route sur ses deux pieds, il se sent prêt à partir à la conquête du monde. Il tombe, il se cogne, il se fatigue, mais rien ne pourra durablement l'arrêter dans son nouvel élan. Laissez-le se relever, pousser plus loin, là où le mène sa curiosité.

Mais restez à portée de vue ou de voix : il a encore tellement besoin que vous le rassuriez et l'encouragiez dans ses efforts !

Mais tout va bien, il se sent fort, capable de tout : il grimpe, il escalade, il imite. Il exige les choses qu'il désire et refuse violemment ce qui ne lui plaît pas. Il commence à préférer faire les choses par lui-même. Vous avez l'impression d'avoir «un grand». Mais lorsqu'il est fatigué, inquiet ou un peu malade, il redevient le bébé qu'il n'a pas vraiment cessé d'être. Il a encore besoin du confort de vos bras, des bercements, des caresses, des mots doux et des paroles rassurantes.

Bébé en devenir

Au cours de votre grossesse, et peut-être pendant les années qui l'ont précédée, vous avez rêvé votre enfant. Un enfant idéal. Celui qui est là aujourd'hui est un autre, bien réel. Tous les parents doivent un jour renoncer à leur rêve pour aimer pleinement celui qui est né et qui grandit, comme un enfant normal, mais unique.

Son premier anniversaire

Votre bébé a un an. Douze mois d'apprentissage, d'éveil, d'éducation, de soins et de tendresse. Cinquante-deux semaines de vie commune pendant lesquelles vous avez appris à vous connaître. Sans doute, cette semaine, revivez-vous avec émotion, en feuilletant l'album de photos, votre accouchement et ces premières heures où l'on vous a mis votre bébé dans les bras. C'était hier, et pourtant vous avez parcouru tant de chemin tous les deux, tous les trois.

Le nouveau-né vagissant est devenu un petit enfant à la personnalité affirmée. Cette année est sans doute la plus importante et la plus formatrice de toute sa vie. Quant à vous, vous êtes devenus parents.

Des liens solides

En douze mois, il a eu le temps de nouer des liens avec ses proches. Sa mère, si elle reste une personne privilégiée, n'est pas le seul objet d'amour. Son père a pris une très grande importance. L'enfant connaît son heure de retour du travail et l'attend impatiemment pour entamer des jeux qui n'appartiennent qu'à eux. Ces moments, même rares, sont précieux. Un bébé a besoin de connaître ses deux parents et de créer des rapports distincts avec chacun d'eux. Il les sait différents et les aime ainsi. Selon son propre sexe, votre enfant apprend vite à qui il ressemble et qui il peut séduire.

Un caractère déjà affirmé

Au fil des mois, la personnalité de l'enfant s'est affirmée. Certains traits lui viennent de vous, ses parents, sans que l'on sache bien s'il en a hérité ou s'il les a copiés. D'autres ne tiennent qu'à lui. Vous avez appris à en tenir compte pour ne pas le brusquer, tout en ne vous laissant pas manipuler par ses oppositions systématiques. Vous savez qu'elles font partie de son développement. Avec son tempérament, ses accès de rage, avec ses goûts et ses refus, mais aussi avec sa merveilleuse adaptation à votre existence, il tient désormais une place à part entière dans la famille.

La seule chose qu'il craigne vraiment, c'est de perdre votre amour. Aussi est-il très angoissé dès qu'il sent qu'il est allé trop loin. Comme si son accès de haine avait risqué de vous détruire. C'est dans ces moments-là qu'il a le plus besoin que vous le preniez dans vos bras en lui murmurant dans le creux de l'oreille. Avec douceur et fermeté, vous le faites progressivement passer d'un monde du plaisir, où tous ses besoins peuvent être satisfaits, à un monde de la réalité où il faut faire la part entre les désirs accessibles et les autres. C'est le rôle de la première discipline (dont le sens vient du mot disciple, ne l'oubliez pas).

Il ne serait pas souhaitable de lui laisser encore croire qu'il a tous les droits et que tout est possible. A un an, il peut commencer à tenir compte des limites que lui impose la réalité ou la présence des autres.

Un petit frère... pourquoi pas ?

Il se peut que vous vous disiez qu'il serait temps pour vous de faire un autre enfant et que vous vous posiez des questions par rapport à celui-ci. Si vous vous en sentez le désir et le courage (deux enfants rapprochés donnent, dans les premiers mois, beaucoup de travail), c'est une merveilleuse idée. Un faible écart réduira la souffrance due à la jalousie chez l'aîné (il n'a pas encore conscience d'être «enfant unique» ou «le petit dernier»). Très vite, le second rattrapera le premier et ils seront très heureux de jouer ensemble.

Quant à vous, vous avez maintenant la main et vous n'êtes pas encore sortie des couches, alors un peu plus un peu moins... D'enfant en enfant, on devient plus experte et plus décontractée.

La seule précaution consiste à ne pas supprimer trop tôt son statut de bébé à l'enfant parce qu'il devient l'aîné. Si vous l'associez à cette nouvelle naissance, il va sûrement vite devenir plus grand et plus autonome. Mais ce n'est pas une raison pour lui ôter le droit d'avoir tout simplement son âge. Il est encore si petit !

Une certaine autonomie

En dehors des moments si précieux que vous lui consacrez, votre enfant peut maintenant vivre sa vie et vous attendre. Car il sait désormais, lorsque vous le quittez pour la journée, qu'il vous retrouvera le soir. Il peut penser à vous en votre absence, faire revivre votre souvenir, et se consoler avec son pouce ou son doudou favori.

Pour se sentir bien, en sécurité, votre bébé a développé des habitudes auxquelles il tient. Le temps est loin où vous pouviez l'emmener partout dans son couffin. Maintenant, il a besoin de sa chambre, de son lit, de ses rites. Il ne fait pas un accueil très chaleureux aux étrangers et se trouve bien à la maison, entouré de sa famille.

Ses repères sont maintenant nets et commencent à s'étendre à la famille proche, aux amis. Les grands-parents ont un rôle important à jouer : si le bébé les connaît bien, il acceptera volontiers de rester seul chez eux quelques jours.

Table des matières

Introduction 7

Se préparer et s'organiser.......11
Aménager l'espace 12
Le coin de bébé 12
La chambre................................12
Les meubles...............................13
Décorer......................................13
Le coin du change 13
S'équiper...................................14
Le matériel 14
A la maison 15
S'équiper pour la balade 15
Le petit matériel........................16
Le trousseau..............................16
Votre valise pour la maternité...................17

Le séjour à la maternité 19
Les premières impressions..................20
Juste après la naissance............21
Dans les heures qui suivent......................21
Les premières rencontres 22
L'amour maternel......................22
**Le baby-blues
ou dépression du post-partum**............23
Un contrecoup très fréquent 23
Différentes raisons.....................23
Les compétences des nouveau-nés 24

Des certitudes sur les capacités de bébé....24
Le premier bilan de santé.........................24

Allaiter ou non ? 25
**Etre mère selon son propre
tempérament** 26
Le colostrum 26
L'allaitement au sein 27
Quelles femmes peuvent allaiter ? 27
Pas de régime particulier 28
Offrir à la demande 28
L'allaitement au biberon 28
La tétée.....................................29
S'installer confortablement 29
Votre bébé pleure encore après la tétée ? ..29
Les biberons 29
La stérilisation..........................30
Le lait en poudre 30
La préparation des biberons 31
Le débit de la tétine 31
Quelle quantité de lait donner au bébé ?..31
Nourrir à l'heure ou à la demande 31
Comprendre les besoins de son enfant 32
Un moment d'intimité 32
Le rot..33
Les régurgitations 34

Les débuts à la maison 35
De la douceur 36
Le contact corporel 36
Les besoins fondamentaux du bébé 36
Tenir son bébé 36
Bercer son bébé 37
Bruit du cœur et odeur maternelle 38
Une passion pour les visages et le regard..39
Les compétences de bébé : la vue 39
Et le papa ? 39
Un bébé, cela pleure... 41
Les cris, un message à l'attention
de ses parents 41
Un moyen pour s'exprimer 41
Il a trop chaud, il a trop froid 42

Bain et soins du corps.............43
Le bain de bébé 44
Une bonne installation 44
Attention dangers... 44
Laver son nouveau-né selon ses goûts 45
Il n'aime pas l'eau 46
Ne jamais forcer un bébé
qui n'aime pas l'eau..........................46
Le bain de l'enfant plus grand.............47
Les plaisirs du bain évoluent avec l'âge.....47
Se détendre et se faire plaisir 47
Le bain : les dangers 48
Les soins 49
Fontanelle et croûtes de lait 49
Le change et les couches.......................49
Quand changer le bébé ? 49
Quelles couches utiliser ? 49
L'érythème fessier..............................50
Une difficulté : habiller bébé 50
Que choisir et comment procéder ? 51
Pour l'enfant plus grand 51
Les séances d'habillage 52
Quelques trucs pour vous aider 52

Le sommeil de bébé 53
Pour un bon sommeil 54
Des besoins de sommeil différents 54
Le sommeil du tout-petit.......................54
Comment l'aider à faire ses nuits ? 54
S'il pleure lorsqu'on le met au lit ? 55
Les stades de la vigilance......................55
La position du sommeil 55
Il se réveille la nuit...........................56
Que peut-on faire ? 56
Quand le bébé grandit 57
Le sommeil du grand bébé 57
Les rythmes du sommeil 58
C'est un couche-tard 58
C'est un lève-tôt...............................58
L'heure d'aller se coucher 59
Que faire ? 59
Le rituel du sommeil...........................60
Les troubles du sommeil 61
Se rendormir seul 61
L'objet transitionnel ou "doudou"........62
Un doudou pour se consoler 62
De quel objet s'agit-il ?.......................63
Pourquoi l'enfant s'attache-t-il à tel objet et
non à tel autre ? 63
Les enfants sans doudou 64
Quel est le rôle, pour l'enfant, de l'objet
transitionnel ? 64

La réorganisation familiale 65
Les différents rôles 66
Le papa 66
L'enfant aîné..................................67
Chacun doit trouver sa place...................67
Apprendre à partager 67
Les grands-parents 68
Une histoire de famille 68
Un rôle privilégié.............................68
L'animal domestique...........................69
La vie quotidienne et sociale.................70

S'occuper de soi 70
Les connaissances 70
Se faire plaisir 71
Communiquer avec bébé 71
Les câlins 71
La parole 72
La baby-sitter, la première fois 72
Comment choisir la baby-sitter ? 72
Les parents qui travaillent...................73
Les différents modes de garde 73
La collectivité 74
L'assistante maternelle 74
Le système D......................................74
L'entrée à la crèche
(ou chez une nourrice)..........................74
Etre disponible pour son enfant...........75

L'alimentation du bébé 77
Le sevrage...**78**
Une autre alimentation **79**
Commencer à diversifier 79
Quels aliments donner ? 79
La première bouillie 80
Les légumes 80
Quand introduire la soupe de légumes ? ..81
La préparation des légumes..................81
Quels légumes choisir ? 82
A quelle heure donner
le biberon de soupe ? 82
Les petits pots de purée.......................82
Les surgelés 82
La viande, le poisson et les œufs 83
Les fruits..83
Les boissons 83
Le régime anti-diarrhée........................84
Modifier son alimentation...................84
Au quotidien......................................**85**
Petits pots et gros mangeurs................85
Etre flexible 85
Il ne tient pas en place 86

Il ne veut rien manger 86
En route vers l'autonomie 87
De fréquents conflits lors des repas 87
Manger avec les doigts 87
Manger "tout seul" 88
L'apprentissage de la cuiller 89
La vitamine D 89
La prise de poids 89
Les repas du bébé âge par âge 90

Les pleurs du bébé 93
Face aux pleurs...................................**94**
Comprendre ses pleurs 94
Il pleure d'ennui, de solitude 94
Il pleure de rage et de frustration..........95
Il pleure de peur..................................95
Il pleure de faim..................................95
Il pleure de soif 96
Il pleure de fatigue...............................96
Il pleure d'inconfort, de gêne 96
Il pleure de douleur..............................96
Bébé est malade 97
Il a de la fièvre 97
Comment faire baisser la fièvre ? 97

Le développement physique 99
Points de repère **100**
Comment aider le bébé........................100
Assurer la sécurité 101
Il se tient debout 102
Il se met debout 103
Le "cabotage"......................................103
Les premiers pas 104
Certaines appréhensions 104
Un peu de patience 104
Découvertes et inquiétudes 105
Il fait ses dents 105
Comment aider bébé ?..........................106
L'ordre de sortie des dents 106
Le pouce et la sucette 106

Le "bon" usage de la tétine......................107
Téter, un vrai besoin 107

Le jeu et les jouets....................109
Les fonctions du jeu............................110
Jouer, à quoi cela sert-il ?........................110
Jouer, c'est apprendre..............................110
Jouer, c'est partager..................................111
Jouer avec son enfant 111
Investir affectivement le jouet 112
La main et le jeu 112
Savoir lâcher..112
Prendre et donner 113
Des jeux avec les mains............................114
Il jette tout par terre 114
Quelques jouets importants 115
Qu'est-ce qu'un bon jouet ?....................115
Le hochet..115
La peluche..115
Le premier livre...116
Les jouets "maison" 116
Regardez autour de vous...........................116
Place à la créativité....................................117
Les conseils d'utilisation 117
Le panier à "bidules" 118
Le parc...118
Quel jouet pour quel âge ? 119

La sécurité du bébé....................121
Petits et grands dangers......................122
La table à langer..122
Le désir d'explorer.....................................123
Les petits objets 123
Les autres risques 124
Etouffements : que faire ? 124
Empoisonnement : que faire ? 125
Comment réagir face à
un empoisonnement ?................................125
Les risques à chaque âge 126
De la naissance à trois mois 126

De trois à six mois 126
De six à neuf mois....................................127
De neuf mois à un an................................127

L'éveil du bébé 129
Faut-il stimuler son bébé ?.................130
Stimuler les cinq sens..........................131
Le toucher 131
L'odorat..131
Le rôle des odeurs.....................................132
La vision...132
Un sens qui évolue : la vision 132
L'audition...133
Jouer avec les sons....................................133
La voix..133
La musique...133
Les sons 134
Le goût...134
La conscience du corps.........................135
Le stade du miroir.....................................135
A quel âge l'enfant se reconnaît-il ?........135
Comment savoir si un bébé a atteint ou non
le stade du miroir ? 136
Exploration et curiosité............................136
Les bébés nageurs.....................................137

Les débuts du langage 139
Favoriser la communication 140
Stimuler les progrès de son bébé 140
Communiquer avec son bébé....................140
Un dialogue qui naît petit à petit...........141
Prendre l'habitude de dialoguer
avec son enfant 141
Pourquoi est-il si important
de lui parler ? 142
Faut-il lui parler bébé ? 143
En conclusion..143
La parole..144
Le babillage..144
Les premières syllabes...............................144

Comment viennent les premiers mots ? .145
Lui parler deux langues............................146
Faire preuve de patience
et de compréhension 146
Ses premiers livres....................................147
Apprendre à nommer 147
Chantez-lui des chansons........................148

Le développement émotionnel et social....................................149
Les besoins sensoriels et culturels......150
La conscience de l'entourage...................150
**Les besoins affectifs
et psychologiques.................................151**
Les tendres câlins 151
Un contact corporel pour s'adapter au
monde extérieur.......................................152
L'enfant gâté 152
Répondre à son besoin d'affection 153
La mère idéale 153
Etre mère, cela s'apprend 154
Que faire ?...154
Les débuts de l'angoisse (8 - 10 mois) 155
Les raisons à l'origine de cette angoisse ..155
Le caractère de bébé 156
Le pouvoir des étiquettes 156
Mieux connaître son enfant 157

Le non, la discipline et les interdits...........................159
Les bases de la discipline...................160

Comprendre les "mauvais
comportements"..160
Comment dire non ?.................................160
Les interdits 161
Qu'allez-vous interdire ?...........................161
Savoir dire stop 162
La réaction des parents.............................162
Gifles et fessées...163

On part en balade.....................165
Quelques situations 166
Hamac et porte-bébé 166
Une balade dehors
mais aussi à l'intérieur 166
Le voyage en voiture 166
Bien penser son voyage 167
Partir l'hiver, ou dans le froid 167
Partir l'été, ou dans le chaud...................168

Mois après mois : qui est bébé ? (récapitulatif) ..169

Un bébé normal 179
Bébé en devenir....................................180
Son premier anniversaire..........................180
Des liens solides 180
Un caractère déjà affirmé 180
Un petit frère... pourquoi pas ?...............181

Vos notes personnelles

Vos notes personnelles

Vos notes personnelles

Imprimé en Italie par Milanostampa
Dépôt légal: n° 20239 / Mars 2002
ISBN: 2-501-03351-0